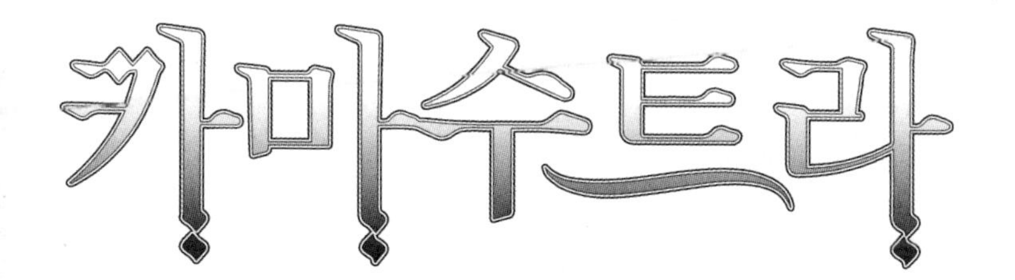
카마수트라

카마수트라 2

초판 1쇄 발행 | 2017년 11월 01일

교정교열 | 문보람
총괄 디자인 | 89번가
편집 | 나비노블

펴낸이 | 김혜랑
펴낸곳 | (주)메르헨미디어
등록일자 | 2016년 12월 28일
등록번호 | 제 2016-000253 호
ISBN 979-11-88503-37-7 04810
ISBN 979-11-88503-35-3 (세트)

※ 이 도서의 국립중앙도서관 출판시도서목록(CIP)은 서지정보유통지원시스템 홈페이지(http://seoji.nl.go.kr)와 국가자료공동목록시스템(http://www.nl.go.kr/kolisnet)에서 이용하실 수 있습니다. (CIP제어번호 : CIP2017025057)

nabinovel@nabinovel.net
http://nabinovel.net

카마수트라
2
KEN 지음
에나 일러스트
나비노블

Content
카 마 수 트 라

CHAPTER 8
상대의 이면

그 뒤로 모크샤의 태도가 어딘지 모르게 이상했다. 빤히 바라보다가, 시선이 마주치면 피하기를 매번 반복했다.

그러더니 이내 고개를 내젓는다든가, 혀를 찬다든가, 심지어 종래에는 한숨을 쉬기까지 했다.

이곳 사람들이 한숨 쉬는 걸 꺼리는 걸 생각할 때, 정말로 답답한 모양이었다.

내 얼굴 보는 게 그렇게도 답답한가.

나는 투덜거리며 모크샤 뒤에서 말을 몰았다.

모크샤 자체는 그다지 살가운 타입이 아니었다. 내가 말을 걸면 짓궂게 받아치기는 하지만, 먼저 농담을 걸거나 하지는 않았다.

그런 그가 저렇게 껄끄러운 분위기를 팍팍 풍기니, 나는 쉬이 말을 걸지 못하고 어색한 분위기 속에서 입을 꾹 다물고 골을 냈다.

물론 모크샤는 전혀 신경 쓰지 않았다.

한동안 그렇게 어색한 여정이 계속됐다.

다음 마을까지 꽤 멀 거라는 건 알고 있었기에 며칠 동안 노숙하는 건 할 만했다.

여행 식량은 썩 맛이 좋은 편은 아니었지만, 배를 채우기 위해 먹을 수 있을 정도는 되었다.

다만 문제는 다른 것이었다.

며칠 동안 칭칭 싸매고 말을 모는 데다, 쉽게 씻지도 못하다 보니 몸에서 쉰내가 풀풀 풍겼다.

지금껏 술탄 궁에서는 향유 섞인 물에 꼬박꼬박 씻어왔고, 술탄 궁을 뛰쳐나온 뒤로는 우연하게도 이동 거리가 짧아 미처 염두에 두지 못한 에러 사항이었다.

노숙 첫날은 어찌 되었든 핑계를 대어 모크샤의 침낭으로 기어들어 갔고, 둘째 날도 어영부영 모크샤랑 등을 맞대고 잤다. 하지만 셋째 날은 차마 모크샤와 한 침낭을 쓸 엄두가 나지 않았다.

모크샤가 냄새가 이게 뭐냐고 말하면, 아무리 뻔뻔한 나라지만 그래도 20대 여자이니 부끄러워 죽고 싶을 것 같았다.

내 몸에서 나는 냄새가 신경 쓰였던 나는 모크샤에게 같이 자자는 말을 할 수가 없었다.

우물쭈물, 평소와 달리 침낭에 들어서지 못하고 밖에서 맴도는 나를 어련히 신경 써줄 만도 했지만, 모크샤는 그저 심드렁할 뿐이었다.

“여기서 안 잘 거야? 그러면 새 침낭 꺼내서 자.”

되레 저리 말하고는 대뜸 침낭으로 쑥 들어가니, 나는 어쩔 수가 없었다.

결국 나는 단 한 번도 쓰지 않았던 여분 침낭을 꺼냈다.

괜히 서러워졌다.

이래서 여자는 자기를 더 좋아해주는 사람이랑 연애하라는 건가. 순간 머릿속에 자마드가 스치고 지나갔다.

물론 자마드와 있었더라면 자마드는 나를 극진히 모셨을 것이다. 하지만…….

나는 고개를 내저었다. 자마드 생각이나 하고, 어지간히도 내가 돌았구나.

나는 지끈거리는 머리를 짚었다. 자마드만 생각하면 어지러웠다. 켜켜이 쌓인 그의 음습한 집착이, 멀리 떨어진 지금까지도 내 숨을 틀어막았다.

나는 모크샤의 옆에 침낭을 펼쳤다. 그러고는 꾸물꾸물 기어 들어 갔다.

바로 옆에 모크샤가 있는데도 괜히 휑한 기분이 들었다.

모크샤를 만나기 전에는 어떻게 혼자 잤는지. 나는 몇 번이고 몸을 뒤척였다.

애초에 행복을 모르는 편이 주었다 뺏는 것보다 낫다고, 모크샤를 만나고 난 뒤로 나는 혼자서 자는 것이 힘들었다. 때때로 치미는 악몽이 두려워서라도 더 그러했다.

악몽은 시시때때로 찾아왔다. 나 때문에 죽은 자와 나 때문에 죽었을지도 모르는 자, 그리고 나를 죽인 자가 이리저리 머릿속을 들쑤셨다.

잠에서 깨고 나면 그래도 좀 나았다.

해가 뜨고 나면 물러서는 어둠처럼, 악몽의 끔찍함은 새하얀 백지만을 남기고 사그라졌다. 하지만 자기 직전이 되면 다시금 찾아왔다.

눈을 감고 가물가물 잠에 빠지려는 일보 직전에 불쑥불쑥 떠올라 마음을 심란하게 어지럽혔다. 죄책감은 내가 생각한 것보다 크게 가슴을 내리눌렀고, 종래에는 잠이 드는 것이 무섭기까지 했다.

그래도 잘 시간이 되면 꼬박꼬박 자자며 드러눕는 것은, 모크샤와 닿을 수 있는 거의 유일한 기회였기 때문이었다. 솔직히, 악몽보다도 모크샤의 품이 주는 유혹이 더 컸다. 하지만 지금은 좀처럼 잠이 오지 않았다.

눈을 감기가 무섭게 악몽이 슬그머니 고개를 치켜들었다. 몸에 닿는 따스한 온기도 없이, 허공에 내동댕이쳐진 것처럼 덩그러니 놓여 있으니 괜히 으슬으슬 오한이 들었다.

그 순간, 바람 소리와 흔들리는 나뭇가지 소리, 풀벌레 소리, 멀리서 들리는 늑대 울음소리를 가르고 들리는 목소리가 있었다.

"손."

갑작스러운 모크샤의 말에 나는 누운 채 고개를 돌려 그를 바라보았다.

침낭 밖으로 모크샤의 손이 떡하니 나와 있었다. 나는 그 손을 빤히 노려보았다. 무슨 뜻인지 알 수 없었다.

"손이라면 잡아줄게. 너, 나랑 닿는 거 좋아하잖아."

깜빡깜빡 눈썹만 들었다 내렸다 하는 내가 답답한 듯, 모크샤는 나를 채근했다.

그래도 나는 모크샤의 말을 믿을 수가 없었다. 혹시 내 바람 때문에 들린 환청은 아닐까. 그렇다고 하자니 내 앞에 모습을 드러낸, 자잘한 상처로 빼곡한 모크샤의 단단한 손바닥의 존재가 여실했다.

내가 어영부영, 손을 잡는 것도 아니고 보고만 있으니 모크샤가 되물었다.

"아니야? 싫어?"

“아니 아니 아니, 좋아. 진짜 좋아. 엄청 좋아.”

그제야 진짜라는 걸 깨달은 나는 황급히 침낭에서 팔을 꺼내 덥석 모크샤의 손을 잡았다.

아주 모크샤 쪽으로 몸을 돌리고, 양손으로 쪼물쪼물 모크샤의 손바닥을 감싸 쥐었다.

모크샤는 나에게 건네준 왼팔을 제외하고는 오른팔로 머리를 베고 하늘을 보고 누웠다. 무슨 안달 난 고양이에게 손을 넘겨준 것처럼 심드렁한 자세였다.

그는 고개만 살짝 나에게 돌렸다. 나는 그의 시선 따위는 아랑곳하지 않고 그의 검지와 중지를 오른손으로, 약지와 새끼손가락을 왼손으로 부여잡던 중이었다.

“근데 왜 오늘은 같은 침낭에서 안 자고. 평소에는 내가 새 침낭 꺼내려고 하면 기를 쓰고 말리더니.”

모크샤의 말에 입이 틀어막혔다. 나는 뭐라고 말해야 할지 한참을 고민했다. 하지만 변명이랍시고 떠올린 것들이 하나같이 궁색하기 짝이 없었다. 나는 웅얼거리듯, 나의 쪽팔린 치부를 고했다.

“……냄새날까 봐.”

“참 나.”

모크샤는 어처구니가 없다는 듯 대꾸했다.

저놈의 참 나 소리. 진짜 엄청도 들었다.

내가 그렇게 기가 막힌 말을 했나. 나는 웅얼거렸다.

그런 날 보던 모크샤가 툭하니 내뱉었다.

"난 또 뭐 별거라고."

"왜, 신경 쓰였어?"

눈이 초롱초롱 빛났다.

뭐랄까, 모크샤가 맞장구는 잘 쳐주기는 하는데 선을 긋는다고 해야 할까. 딱히 나한테 정을 안 붙이려 하는 게 태도에서 느껴졌다. 그래서 더 내가 시무룩했던 터였다. 그랬던 모크샤가 이렇게 자발적으로 손도 내어주고, 날 신경도 써주고. 감동에 감격이었다.

하지만 모크샤는 그런 의도가 아니었는지, 질색하며 대꾸했다.

"야, 키우던 개도 아침밥을 거르면 신경 쓰이는 법이다."

"내가 개야?"

"말이 그렇다는 거지. 카마는 비유법 같은 거 안 배우나?"

말이 말꼬리를 잡고 길게 늘어졌다.

그렇게 실없는 소리를 하며 한참을 도란거리다 보니, 어느새 잠이 들어버렸다. 그리고 우연의 일치인지, 그날은 꿈조차 꾸지 않고 푹 잠들 수 있었다.

간만의 숙면이었다.

ꕥ

다음 날, 쨍하니 내리쬐는 햇볕을 가린 나무 그늘 사이로 말을 몰아가고 있던 와중, 우리 둘 앞을 가로막는 이들이 있었다. 난데없이 나타난 사람들의 모습에 나는 잔뜩 긴장하며 등으로 젖혀두었던 후드를 황급히 썼다.

혹시 자마드가 내린 현상수배에 대해 알고 있거나, 나를 찾으라고 보낸 관료이기라도 하면 곤란했다.

"거, 멈춰보게."

그들은 히죽이며 말했다. 유난히 화창한 햇빛이, 그들이 빼든 곡도에 부딪혀 산산이 퍼졌다. 하지만 그렇게 보이는 것과 달리 그들이 꺼낸 칼은 그리 좋은 검은 아니었다. 복장도 심히 자유분방했다.

관료는 아니다.

그리 판단한 나는 눈살을 찌푸리며 중얼거렸다.

"뭐야, 이거."

"……도적 떼인 모양이로군."

모크샤가 답했다. 모크샤의 말에 나는 눈을 휘둥그레 뜨며 되물었다.

"뭐야, 도적도 있어?"

"당연하지. 정말 공주님처럼 있었구만?"

모크샤의 말에 나는 입을 딱 다물었다. 딱히 도적이 없을 거로 생각한 것은 아니었다. 그냥, 존재 자체에 대해 깊게 생각해본 적이 없을 뿐이었다.

이 세계에 온 지 이제 겨우 1년을 넘겼고, 그나마도 새장 같은 술탄 궁에 갇혀 지낸 세월이었다. 흥정하고 계약하고 물건을 사는 거야 이전 세계에서도 했던 일들이니 그럭저럭 해낸다마는, 도적을 만나는 일은 없었다…….

중고등학생, 요즘은 초등학생들까지 일진들이랍시고 삥을 뜯는다지만 그것도 20대 넘어간 지 한참 된 나에게는 그다지 해당되지 않는 이야기였다.

차라리 길 가다가 연쇄살인마나 강간범, 그도 아니면 도르미를 만나는 게 더 가깝게 느껴지는 이야기였고, 그나마도 이 세계에 오고 나서는 카마라는 이름 때문인지 그다지 생각해본 적이 없었다.

타인이 나에게 해코지를 하는 것보다, 내가 타인에게 무언가를 할까 두려워하며 피하기 급급했다.

오죽했으면 자마드가 수상쩍은 걸 인지하고 있으면서도 설마 나에게 그럴까 싶은 마음이 더 컸을 정도다. 결국은 감금되고 나서야 뒤통수를 맞았다며 펄펄 뛰었지만.

모크샤가 보기엔 이런 내가 정말로 무지해 보일 것이다. 세상 물정을 모른다는 점에서, 공주님처럼 있었다는 표현이 딱 맞기는 했다.

그렇게 모크샤와 내가 두런두런 말하고 있을 때, 그걸 듣고 있던 도적 중 하나가 앞으로 나서며 말했다.

"거 도적 처음 보는 모양인데, 우리 그리 나쁜 사람 아니오. 돈 될 것만 내주면 흔쾌히 물러나리다."

"줄 거 없는데."

나는 그리 말하며 슬쩍 칼에 손을 댔다. 모크샤는 내 호위 겸 길잡이였지만, 그렇다고 하여 모크샤에게 저들을 모두 맡길 수는 없었다.

모크샤의 실력이 어느 정도인지 모르는 만큼, 내가 가세해야 하는 상황을 염두에 두었다.

나는 저들이 순순히 물러서기를 바라면서, 칼 손잡이를 꾹 잡으며 언제든지 말에서 뛰어내릴 준비를 했다.

락시타의 말대로, 나는 힘을 제외하면 그다지 검술 실력이 좋은 편이 아니었다. 그런 만큼 저들을 다치지 않게 제압할 자신이 없었다.

분명 피를 볼 테지.

나는 각오를 다지며 입술을 질끈 깨물었다.

검을 잡고 지금까지 나는 단 한 번도 사람을 상대로 휘둘러 본 적이 없었다.

술탄 궁에서 빠져나올 때도 검을 사용했던 것은 근위병을 위협하던 순간뿐이었다. 사람을 상처 입힐 자신은 없었다. 하지만 저들 또한 나와 같은 온건한 생각일 리는 없었고, 괜히 어물쩍거리다가 모크샤를 다치게 하고 싶지도 않았다. 낯선 도적과 낯익은 모크샤. 누구에게 선택하라고 해도 당연지사 후자를 택할 것이다.

그 순간, 모크샤의 말이 내 말 앞으로 머리를 밀어 넣었다.

모크샤는 나와 도적들 사이를 가로막으며, 흘끔 나를 돌아보았다.

"뒤에 있어. 괜히 나서지 말고."

"으응."

모크샤의 말이 주는 단단함에 나는 고개를 끄덕였다. 설레는 마음도 있었다. 모크샤의 너른 어깨가 도적들을 가렸다. 모크샤는 도적들 앞으로 말을 몰며 서서히 고개를 들었다.

"저주받은 자……!"

도적들이 모크샤를 보고 깜짝 놀라 웅성거렸다. 질색하다 못해 기겁하는 표정이 파도처럼 도적들을 쓸고 지나갔다.

그들은 무척 더러운 것을 보았다는 듯 얼굴을 찡그리기도 하고, 몸을 부르르 떨기도 했다. 모멸적인 그들의 태도를 눈앞에서 직면한 모크샤의 표정이 어떨지, 감히 짐작조차 가지 못했다.

"시발, 아주 옴 붙었구만! 됐다, 됐어. 저주받은 자의 돈은 한 푼도 안 받아! 얼마나 재수가 없으려고."

돈을 내놓으라 말했던 도적이 그리 말하며 퉤, 침을 땅에 뱉었다. 그 도적이 우두머리인 듯, 휘적휘적 손을 내저으니 도적 무리가 하나둘 물러서기 시작했다. 도적들이 알아서 물러나는 상황이었지만, 되레 나는 화가 머리끝까지 났다. 나는 도적들의 뒤에 대고 바락 소리를 질렀다.

"우리라고 너희한테 순순히 돈을 줄 줄 알아? 무슨 말도 안 되는……!"

"됐어."

모크샤가 나를 말렸다. 나는 한참을 씨근덕대었다. 칼을 빼들지 않고 피도 보지 않았으니 제일 좋은 결과였지만, 그 과정에서 상처받았을 모크샤의 마음을 생각하면 마냥 좋게 느껴지지는 않았다.

듣는 내가 기분 나쁠 정도였는데, 당사자인 모크샤는 오죽했겠는가.

나는 욕설을 입 안으로 삼킨 채 질근질근 씹었다. 눈에 확 불이 치솟았다. 차라리 한 판 붙고 싶었다.

잔뜩 흥분한 나와 달리, 모크샤는 도적들이 완전히 떠나기까지 냉정한 시선으로 그들의 뒤를 주시했다. 도적들이 코빼기도 안 보일 만큼 사라진 뒤에야 모크샤는 나를 돌아보며 말했다.

"이번엔 재수가 좋았군."

"평소에도 이런 일이 잦아?"

원래 도적이라는 걸 이렇게 자주 만나는 건지, 그리고 도적을 만날 때마다 저주받은 자라는 이유로 멸시받는지. 도대체 저주받은 자가 뭐라고 이러는 건지.

나는 지금껏 주신의 가호로 특혜를 입어온 입장이었지만, 이렇게 태양이 외면한 응달 아래서 고통받는 이들을 볼 때마다 입맛이 착잡하다 못해 썼다. 나라 하여 주신의 자식으로 태어난 것이 마음에 드는 것은 아니지만, 그것은 저들 또한 같을 것 아닌가. 태어나 보니 저주받은 자. 태어나 보니 수마트인. 그 이유 하나만으로 저들은 부당한 처우를 당연시 받아들여야만 하는 것이었다. 속이 답답해졌다.

노기를 참아 눌러 어눌한 내 질문에 모크샤는 어깨를 으쓱였다.

"재수가 좋았다고 했잖아. 가끔 나랑 만나서 옴 붙었다고, 그 분풀이를 나한테 하려는 놈들도 있거든. 그럴 때면 적당히 추스를 수 있는 더 판이 커지기도 하지. 이번처럼 쉽게 물러서는 일은 드물어."

"……."

고삐를 쥔 손에 힘이 들어갔다.

나는 모크샤를 바라보았다. 가벼운 어조의 대답과 달리 그의 붉은 시선은 빤히 나를 바라보고 있었다.

붉은 노을이 드리워진 사막처럼 사락사락 바람에 이리저리 흩날리지만, 결국 본질은 퍼석하고 건조하기 짝이 없었다.

처음에 모크샤를 만났을 때의 방어적인 태도가 떠올랐다. 가슴이 아렸다.

도적을 만나고 한참 말을 몰았을까, 산 중턱 어드메에 도착했다.

그때, 우리 시야에 웬 자그마한 물체 하나가 눈에 띄었다. 지금껏 여행하며 야생 동물 한 마리 제대로 본 적이 없었기에 그 부스럭거림은 더 쉽게 눈에 들어왔다. 뭔가 하고 유심히 보고 나니, 그것이 불쑥 고개를 들었다.

"애잖아."

이제 막 열 살 남짓 되었을까. 다소 남루한 차림을 한 사내아이였다. 말이 움직이는 소리를 들었는지, 그 꼬마는 우리 쪽을 향해 시선을 돌렸다. 한참을 숲속에서 헤맸는지 옷 끝이 너덜너덜했는데, 못 먹고 자란 것처럼 뺨이 움푹 파여 있었다. 그래도 눈동자만큼은 생기로 반짝였다.

꼬마는 낯선 기척에 순간 기대 어린 표정을 지었지만, 이내 낯선 이라는 걸 깨닫자 안색에 불안감이 몽실몽실 차올랐다. 어딜 보아도 길을 잃은 꼬마였다. 도적에 미아까지. 이런 상황을 전혀 예상치 못한 나는 당황하여 모크샤를 바라보았다.

당황한 것은 나뿐만이 아닌 듯, 꼬마는 눈동자를 데굴데굴 굴렸다.

얼굴에 불안한 기색이 가득한 것이, 우리가 착한 사람인지 나쁜 사람인지 살펴보는 시선이었다. 아까 도둑들 같은 놈들을 안 만나서 다행인 줄 알아라.

나는 속으로 혀를 찼다. 꼬마 아이는 우리에게 다가오며 조심스레 말을 걸었다.

"저, 저기요. 혹시 길 아세요? 제가 길을 잃어서……."

전혀 생각지 못한 상황에 나는 모크샤를 바라보았다.

"……어떻게 해야 해?"

"뭐…… 무시하거나, 근처 마을에 데려다주거나."

모크샤는 어깨를 으쓱였다. 너 좋을 대로 하라는 의미였지만, 나는 더 갈피를 잡을 수 없었다.

우리는 최대한 빨리 아그니를 벗어나야 하는 상황이었다. 아이를 데려다줄 만큼 시간적 여유가 넉넉하지는 않았다. 하지만 그렇다고 해서 아이를 이 숲속에 버려두고 갈 수는 없었다. 우리야 야생 동물이 습격할 위협이 없다지만, 숲속에서 길을 잃은 어린아이에게는 아닐 것이다.

무시하고 지나갔다가는 내 악몽에 등장인물이 하나 더 추가될지도 몰랐다.

결국, 나는 아이를 데려다주기로 정했다. 뒤가 찜찜해서라도 깔끔하게 일을 처리하고 싶었다. 마음을 다잡은 나는 아이에게 물었다.

"어디 사는데?"

"이 산맥만 넘으면 있는 마을이에요. 평소에 산을 넘어본 적이 없어서, 돌아가는 길을 모르겠어요……."

내가 결정하기까지 한 발 물러서 있던 모크샤가 그제야 아이에게 말을 걸었다.

"이 산맥 넘어서라면, 사흐탄이라는 마을이 있는데, 그 마을이니?"

"사흐탄 말고, 그 근처에 있는 조그마한 마을이에요. 사흐탄까지만 데려다주시면 찾아갈 수 있어요."

아이는 똘똘하게 말했다.

이런 아이가 어쩌다 길을 잃게 되었는지가 궁금했다. 그건 데려다주면서 차차 들으면 될 일이었다.

사실 아이를 데려다주자 흔쾌히 결정하게 된 데에는 아이가 모크샤에게 보인 태도도 영향이 있었다. 모크샤가 저주받은 자라며, 조금이라도 꺼리는 모습을 보였더라면 나도 한 번쯤은 재고해봤을 수도 있었다. 하지만 아이는 저주받은 자에 대해 모르는 건지 태도에 별반 차이가 없었다. 어차피 돕기로 한 거, 사흐탄이나 그 근처나 별반 다를 거 없다 생각한 나는 흔쾌히 말했다.

"어차피 데려다주는 거, 그냥 집 근처까지 데려다주지 뭐."

"감사합니다!"

아이는 고개를 꾸벅 숙였다. 그러고는 길을 잃은 애답지 않게 씩씩하고 활력 넘치는 태도로 살갑게 말했다.

"저, 심부름 열심히 할게요. 안마도 잘해요!"

아이의 말은 눈물 나게 귀여웠다. 하지만 그 눈물을 머금고 거절해야만 했다.

내 능력은 남녀노소 통했다. 아주 어린 갓난아이에게 통하는지까지는 모르겠지만, 저 정도 나이라면 분명 허용범위 내일 게 분명했다. 나는 단호하게 주의를 시켰다.

"아, 나 만지면 안 돼. 그래서 안마도 하면 안 돼."

"왜요?"

"병 걸려. 나 전염병 있거든. 만지지만 않으면 상관없지만, 만지면 큰일 나."

태연자약한 내 말에 아이는 정말이냐는 듯 모크샤를 바라보았다.

모크샤는 장단 맞춰주며 그렇다 고개를 끄덕였다. 전염병이 무서워서 같이 못 가겠다 해도 이것만큼은 어쩔 수 없었다.

아이는 내 으름장에도 결연히 고개를 끄덕였다.

담대한 심보가 뭐가 돼도 될 놈 같았다. 나는 피식 웃으며 아이에게 물었다.

"이름이 뭐야?"

"라울이에요!"

아이는 밝게 외쳤다. 당분간 함께할 귀여운 동행이 생긴 것이 제법 기뻤다. 아무래도 모크샤는 살가운 맛은 없으니까. 하지만 고개를 들어본 모크샤의 표정 또한 귀여운 동행에 대한 흡족함으로 가득한 것이, 아무래도 나와 똑같은 생각을 하는 것 같았다.

그래. 살갑지 않은 건 나도 마찬가지이기는 하지. 나는 쳇, 못마땅함에 혀를 찼다.

라울은 모크샤의 말에 같이 탔다. 내 말에 탈 순 없고, 그렇다고 걸어가게 할 수도 없으니 당연한 선택이었지만 속이 영 울퉁불퉁 이상했다.

나는 점심으로 먹은 건조식품이 제대로 소화되지 못하고 속에 얹혀서 그런 거로 생각했다.

모크샤의 품속에서 라울이 꿈지럭대는 것이 느껴졌다. 아직 아이인지라, 아무 말도 안 하고 가는 것이 답답할 만도 했다. 나는 슬쩍 라울에게 말을 걸었다.

"뭣 때문에 산을 넘은 거야? 평소 안 오는 곳이라며."

"……."

라울은 쉽게 대답하지 못했다. 머릿속에서 말을 고르는 듯 입을 몇 번 열었다 닫으며 횡설수설하기를 반복했다. 나도 내가 갑작스레 말을 걸었다는 걸 아는지라 천천히 말을 하라며 잠시 기다려주었다.

라울은 서서히 입을 열었다.

"아빠랑 삼촌들이 일을 나가는데, 맨날 나만 두고 가거든요. 저도 다 컸다고, 일 도울 수 있다고 해도 다들 무시하고……. 멀리까지 가서 일을 해야 하는데, 저는 아직 어려서 산도 못 넘을 거라고 하면서 맨날 두고 가요. 그래서 몰래 아빠 뒤를 쫓으면, 더는 어리단 핑계는 안 댈 줄 알고……."

"그래서 아빠 뒤를 쫓다가 길을 잃은 거야?"

"네……."

라울은 말끝을 웅얼거리며 손가락을 꿈지럭거렸다. 아직 어린 것 같은데 일을 돕고 싶다니, 생각이 퍽 깊었다. 근데 무슨 일을 하길래 다들 산을 넘어 멀리까지 오는지 궁금했던 나는 별생각 없이 대뜸 물었다.

"아빠랑 삼촌이 무슨 일 하시는데?"

"농사요."

라울의 말에 나는 고개를 갸웃거렸다. 사냥도 아니고 농사를 산 너머까지 와서 한다고? 상황이 쉬이 이해 가지 않았던 나는 다시 라울에게 물었다.

"농사는 보통 집 근처에서 하지 않나?"

"예전엔 그랬는데……. 경작지가 많이 줄어서 멀리까지 가야 한다고 했어요."

"화전민인가 보군."

모크샤가 덧붙였다.

그제야 이해가 간 내가 고개를 끄덕였다. 한국이 농경국가였다고는 하지만 21세기에는 농사에 대해서 잘 알지 못하는 이들이 수두룩했고, 나도 그중 하나였다.

학교에서 배운 지식으로 화전민이라는 게 머릿속에 남아 있기는 하지만, 바로 이야기하자마자 떠올릴 정도로 친숙한 지식은 아니었다.

흘끗 본 라울의 얼굴에 걱정이 한가득하였다.

아직 열 살 남짓밖에 되지 않은 아이가 무슨 수심이 그리 깊은지, 안 그래도 좋지 않은 안색이 꺼멓게 죽어 있었다. 벌써 생계 걱정을 하니 낯빛이 저렇지.

오늘 처음 보는 아이였지만 걱정과 우려가 뒤섞여 맘을 답답하게 틀어막았다.

나는 애써 밝고 가벼운 목소리로 제안했다.

"굳이 지금부터 일을 해야 해? 어차피 몇 년 뒤면 놀지도 못할 텐데. 아빠 말씀대로 좀 더 놀아."

"하지만 아빠랑 삼촌들 표정이 안 좋은걸요. 농사가 잘 안되는 거 같아요. 작년엔 수확물이 별로 없었거든요. 그래서 다들 하루에 한 끼밖에 못 먹었는데, 결국 마살리가 겨울을 못 넘기고 죽었어요."

라울의 얼굴에 그늘이 더 깊게 드리웠다.

"내가 좀 더 건강하니까, 내가 빵 한 조각만 덜 먹고 마살리한테 나눠 주면 됐는데……. 그러지 못했어요. 나도 배고파서. 마살리는 시름시름 앓으면서도 배고프다고 그랬어요. 그때야 내 빵을 줬는데, 마살리는 그 빵을 제대로 삼키지도 못했어요. 너무 아파서……."

마살리가 누군지는 모르겠지만, 라울의 가족이거나 친구인 모양이었다. 라울의 눈에 눈물이 그렁그렁 맺혔다. 나는 라울이 엉엉 울음을 터트릴 거로 생각했다. 하지만 라울은 울음을 꾹 억누르고는, 결연히 말했다.

"그래서 저, 이제는 더 늦고 싶지 않아요. 어른이 될 때까지 기다리다가 어른이 되고 나서 후회하고 싶지 않아요."

마살리의 죽음은 라울 때문이 아니다. 겨울을 보내면서 합병증으로 죽었을 테고, 그건 라울이 건네지 못한 빵 한 조각 이상의 원인이 있을 터였다. 하지만 라울은 그렇게 제 탓이 아니라 넘길 수 없을 터였다. 그건 누구보다도 친인의 죽음에 대한 죄책감으로 옥죄어 있는 내가 더 잘 알았다. 나는 입을 꾹 다물었다.

그래도 라울은 용감했다. 나는 그저 죄책감을 모래로 덮어 올리고 외면할 뿐, 라울처럼 직면하고 앞으로 나아가기 위한 한 발짝을 내딛지 못했다. 그저 옆으로, 한없이 옆길로 새어 도피할 뿐이었다.

"그래도 마을에서 따로 할 수 있는 일이 있을 거야. 이렇게 네가 산에서 헤매다 큰일이라도 나면, 너희 아버지도, 마살리도 슬퍼할 거야."

"……."

라울의 입이 다물렸다. 양심이 콕콕 쑤셨다. 나는 전혀 라울에게 충고할 만한 사람이 아니다. 라울의 반짝이는 의지를 도덕적인 회피로 뒤집어씌우는 게 과연 옳은 일인지도 알지 못했다. 어른은 언제나 안전한 길만을 아이에게 제시한다. 정작 자신은 제대로 된 선택도 못 하면서.

내가 제시해주는 길은 타협과 도피의, 비겁한 길이었다. 비겁이 마냥 나쁜 것은 아니다. 비겁한 승리보다 당당한 패배가 더 값지다고는 하지만, 그것도 살아 있어야 의미가 있는 것 아니겠는가. 나는 아까 만났던 도적들을 떠올리며 말을 건넸다.

"이번엔 운이 좋았지만, 다음에도 운이 좋을 거로 생각하면 안 돼. 도적 떼를 만날 수도 있다고."

"도적이요?"

라울의 얼굴에 순간 공포가 드리웠다. 두려운 듯 몸을 부르르 떠는 라울에게 으름장을 놓듯, 나는 숲속에서 만날 수 있는 위험 상황을 줄줄이 늘어놓았다.

"도적도 있고, 야생 동물도 있지. 늑대 무리와 맞닥뜨리기라도 하면 큰일이라고. 지금은 우리랑 있으니까 괜찮아."

어른스럽지도 못했고 어른답지도 않았지만, 어른의 표정을 얼굴에 두르고 라울에게 잘난 듯 말하는 내가 우스웠다. 모크샤의 시선이 나에게 닿았다. 모크샤는 아무 말도 하지 않았고, 그저 날 바라볼 뿐이었다. 하지만 나는 괜히 내심을 들킨 듯 얼굴이 홧홧했다. 나는 그런 심정을 숨기고 최대한 아무렇지도 않게 씩 웃었다.

라울은 바지런한 아이였다. 모닥불을 피울 만한 장작거리를 주워 오는가 하면, 모크샤와 내가 하는 걸 눈여겨보았다가 자기도 할 만하다 싶으면 와서 일을 거들었다. 도리어 손끝이 야무져서, 나보다도 더 솜씨 좋게 말의 목줄을 매어두기도 했다.

모크샤는 애보다도 못하다며 저녁 식사를 준비하는 내내 나를 놀렸다. 나는 입술을 삐죽였지만, 모크샤의 말이 사실이라서 반박할 수가 없었다.

손님이 하나 더 늘었다고, 식사 시간은 평소보다 화기애애했다.

여행 식량은 딱딱하게 굳힌 빵으로, 솔직히 별로 맛있는 편은 아니었다. 애초에 요리라고 말할 수도 없긴 했다. 애들 입맛에는 그다지 별로인지라, 라울이 먹기 힘들지 않을까 싶었는데 맛있게 잘도 먹었다.

여행 식량용 건조 빵을 먹는 건 쉬운 일이 아니라서 침으로 녹여가면서 조금씩 조금씩 먹어야 했다.

단단해서 아그작아그작 씹기도 힘들었을 뿐더러, 그렇게 먹어대다가는 입에 들어가는 것 반절, 바닥에 흘리는 빵부스러기가 반절이었다. 한참 이야기를 하면서 먹고 있던 와중, 모크샤의 시선이 내 뺨에 닿았다. 모크샤는 툭툭, 제 뺨을 가리키며 말했다.

"야, 여기 묻었다."

"어디?"

정신없이 먹어대고 있던 나는 모크샤의 지적에 입가를 털었다. 하지만 헛손질이었는지, 모크샤의 미간이 점점 좁혀졌다. 나는 괜히 눈치를 보며 얼굴 이곳저곳을 쓸었다.

여긴가? 저긴가? 하지만 모크샤의 미간은 풀릴 줄을 몰랐다. 결국, 기다리다 못한 모크샤가 손을 뻗어 내 뺨에 묻은 빵 부스러기를 떼어주었다.

"여기. 애만도 못해요. 어떻게 된 게 라울보다도 더 지저분하게 먹냐?"

모크샤는 투덜거렸다. 나는 헤헤 머쓱하게 웃어넘겼다. 말투는 험하지만, 그냥 무시하면 되는 걸 신경 써주는 게 나쁘진 않았다. 라울은 그런 우리를 빤히 바라보다가, 이내 궁금한 것을 물었다.

"형 만지면 병 걸린다면서, 저 아저씨는 만져도 되는 거예요?"

"잠깐, 아저씨라니……."

아저씨라는 말에 모크샤가 바로 반박을 들어갔다. 나는 형이고 저는 아저씨인 게 불만인 모양이었다. 하지만 열 살 어린애가 보기에 모크샤 정도면 충분히 아저씨였으니 틀린 말은 아니었다. 나는 쿡쿡 웃으며 대꾸했다.

"응, 저 아저씨가 특이체질이거든. 저 아저씨만 만져도 돼."

"아저씨만 된다고요? 신기하네……."

라울이 중얼거렸다. 모크샤는 나까지 아저씨라고 칭한 것에 대해 반박하고 싶은 듯 속이 끓는 표정이었다. 차마 라울이 들을까 말은 못 하는 게, 은근히 애들한테 약한 것 같았다. 한참을 골몰히 생각하던 라울이 고개를 들고 물었다.

"다른 사람은 안 돼요?"

"응."

나는 싱긋 웃으며 단호하게 말했다. 내 답에 라울은 고개를 끄덕이더니, 이내 어쩔 수 없다는 듯 고개를 절레절레 저었다. 그러고는 청천벽력 같은 소리를 내뱉었다.

"그러면 형, 저 아저씨한테 시집가야겠다."

"……뭐?"

모크샤는 제가 들은 게 맞는지조차 확신하지 못한 채 되물었다. 너무 어처구니가 없는 듯 뭐라 반박할 기력도 없는 표정이었다. 나도 갑자기 왜 시집가는 걸로 이야기가 전개되는지 알지 못해 눈을 굴렸다.

분명 나는 남장을 한 상태였고, 라울도 나를 형으로 알고 있는데……? 혹시 여기는 남첩도 하렘에 들이는 풍습인가? 하지만 내가 알기로는 하렘은 남녀를 나누는 공간인지라 남첩이 아닌 장성한 자식일지라도 하렘에 들이지 않는 것이 관례였다.

라울은 어리둥절해하는 우리에게 설명하듯 목소리를 높였다.

"그잖아요. 다른 사람은 만지면 안 되지만 아저씨만 되면, 아저씨 하렘에 들어가면 되는 거 아니에요? 그러면 다른 사람은 안 만나도 되니까. 아, 여자가 아니라서 하렘에 못 들어가는구나……."

충격적인 발언으로 모크샤와 나를 당혹하게 한 라울은 이내 시무룩한 목소리로 말을 흐렸다.

그제야 라울이 무슨 이야기를 하는 건지 알아들은 나는 킥킥 웃었다. 아직 어려서 하렘에 대해 개념이 덜 잡힌 모양이었다. 게다가 라울이 사는 마을은 듣자하니 작고 가난한 화전민 지역으로, 일할 손 하나하나가 귀했다.

여인네들도 하렘밖에 나서서 일할 테니, 하렘의 구조가 거의 유명무실하다 보아도 좋을 터였다. 그런 만큼 수도의 기이할 정도로 집착적인, 소위 말하는 「정석」적인 하렘 구조와는 동떨어진 생활을 할 것이 분명했다. 하렘에 대해서는 나보다도 아는 것이 적은 것도 당연했다.

나는 다시 킥킥 웃었다.

자마드가 카마의 하렘 타령을 할 때라든가 자신의 하렘에 들어와 달라 할 때는 소름이 끼쳤는데, 지금은 괜히 웃음만 나왔다. 물론 나는 남자가 아닌 여자였지만, 타인의 하렘에 들어갈 일은 죽어도 없었다. 설령 그것이 모크샤의 하렘일지라도. 정말 아무 생각이 없기에 도리어 농담처럼 받아들여지는 모양이었다. 나는 짓궂게 대꾸했다.

"뭐, 좋은 생각이네. 그래. 그러면 되겠다."

"야, 잠깐……."

"왜 그렇게 예민하게 굴어. 애가 그냥 농담하는 건데."

모크샤가 성급히 말을 낚아채려 했지만 나는 어깨를 으쓱이며 심드렁히 말을 받아쳤다.

모크샤는 기가 찬 듯 헛웃음만 몇 번이고 지었다. 그의 얼굴이 모닥불 이상으로 불그스레한 것이 어지간히도 나랑 엮이는 게 싫은 모양이었다. 아니면 남색 의혹을 받게 되는 것이 모욕적이었다든지.

모크샤가 무어라 말을 중얼거렸지만, 이어지는 라울의 질문에 가려 제대로 들리지가 않았다.

"남잔데도 하렘에 들어갈 수 있어요?"

"어디나 절대적인 관습은 없어. 예외는 늘 있기 마련이지."

나는 심드렁히 대꾸했다.

그냥 궤변적인 대꾸였다. 하지만 뭐, 섹스를 기피하는 카마도 있는데 하렘에 남자가 들어갈 수 없다 어찌 단언하겠는가. 하지만 아이에게 안 좋은 걸 가르친 것 같아 속이 찜찜했다. 안 그래도 옆에서 날 보는 모크샤의 시선이 부리부리했다.

괜한 소리 하지 말라며 입을 벙긋이는 것이, 어지간히도 나랑 엮이는 의혹을 받는 것이 싫은 모양이었다.

괜히 자극했다가 모크샤가 토라지기라도 하면 곤란해지는 건 나였다.

나는 알았다는 표시로 고개를 끄덕였는데, 되레 그게 더 모크샤의 심기를 자극한 듯 그의 얼굴이 죽상이 되었다.

참 장단 맞춰주기 어려운 까탈스러운 남자다. 나는 고개를 내저었다.

❧

식사를 끝내자마자 라울은 꾸벅꾸벅 졸기 시작했다. 오늘 온종일 긴장하기도 하고 피곤도 했을 테니 당연한 결과였다. 모크샤가 고갯짓하는 라울을 흔들며 말했다.

"침낭에 들어가서 먼저 자."

"저, 불침번 설 거예요. 저도 설 수 있어요……."

"우린 불침번 같은 거 안 서. 먼저 들어가서 자래도."

결국 모크샤가 라울을 번쩍 들어 침낭에 넣었다. 이러니저러니 해도 모크샤는 라울에게 퍽 다정했다. 기본적으로 사람이 모난 사람은 아니지만, 은근히 애와는 거리가 멀 것 같았는데 완전 딴판이었다.

"생각보다 라울이랑 잘 지내네."

"원래 생각은 어땠는데."

틈새가 보이기 무섭게 치고 들어오는 것이 만만치가 않았다. 나는 모닥불에 나뭇가지를 하나 더 집어넣으며 대꾸했다.

"너 말할 때 보면 은근 융통성 없게 다 받아치고 다 정색하고 그러잖아. 그래서 라울이랑 대화하는 것도 어려울 줄 알았지."

"너는 융통성 있게 굴면 그거 말꼬리 잡아서 물고 늘어지잖아."

모크샤는 그리 말하며 내 건너편에 앉았다. 모크샤의 말이 거짓은 아닌지라 나는 그냥 입술을 삐죽였다. 타닥타닥, 모닥불이 타오르는 소리가 유난히 크게 들렸다. 그새 라울은 잠에 푹 빠졌는지 고롱고롱 코 고는 소리가 들렸다. 모크샤가 흘끗 라울을 향해 곁눈질했다. 그 시선에 담긴 걱정과 다정함에, 나는 넌지시 말을 걸었다.

"애를 좋아하나 봐."

"아아."

모크샤는 잠시 침묵했다. 그는 답하는 대신 불길을 노려보았다. 불꽃만큼 붉은 눈동자가 바람결에 일렁이는 불길을 담아내었다. 그는 한참 끝에 입을 열었다.

"저 나이 또래의 동생이 있었거든."

"……."

동생이 있었다. 의미심장한 말이었다. 첫 마을에서 관료와 부딪쳤을 때, 모크샤의 동생이라 하니 관료의 측근이 했던 말이 떠올랐다. 저주받은 자의 혈육은 오래 살지 못한다. 병으로든, 사고로든.

나는 모크샤에게 뭐라 말해야 할지 알지 못했다.

가볍게 넘길 수도 없는 이야기였고, 그렇다고 섣불리 위로할 수도 없었다. 사람의 죽음에 대한 슬픔에 차등을 두는 것은 옳지 않았지만, 모크샤가 동생의 죽음으로 느낄 죄악감은 마살리의 죽음에 슬퍼하던 라울의 것보다 더 우울하고 무거운 것이었다. 나는 힘겹게 사과를 뱉어냈다.

"……미안."

"별거 아니야. 저주받은 자들 인생이 다들 그렇지, 뭐."

모크샤는 여상하게 대꾸했다. 상처 입은 심장에서 흐르는 피가 말끝에 묻어났다.

나는 더더욱 아무 말도 할 수 없었다. 모크샤는 딱딱하게 굳은 분위기에 너털웃음을 짓더니, 과거 이야기를 가벼운 어조로 슬며시 늘어놓았다.

"부모님이야 뭐, 부모라고 할 만한 일을 해주신 건 아니니 별생각 없지만. 동생은 착한 애였거든. 형, 형 하고 따르면서. 걔가 병으로 죽었을 때는 참 그렇더라. 내 불행이 옮아 간 거 같아서. 차라리 내가 일찍 뒤졌으면 동생은 살았을 텐데."

아무리 내가 눈치가 없다 해도, 그 아래 숨겨진 자조를 읽지 못할 리 없었다. 부모라 할 만한 자들도 아니었다는 말도, 동생은 착한 아이였다는 말도, 자신의 불행이 옮아 갔다는 말도, 차라리 제가 죽는 게 나았다는 말도. 모크샤의 말 하나하나가 전부 내 가슴에 아리게 박혔다.

아니라고, 네 탓이 아니라고 말하고 싶었지만 말은 질서정연하지 못하고 뒤죽박죽으로 뒤섞인 채 내 머리를 울렸다. 어떤 말을 해야 모크샤가 상처받지 않으면서 내가 하고 싶은 말을 할 수 있을까 한참을 고민했지만, 결국 내 입을 빌려 나오는 것은 되지도 않는 헛소리였다.

"헛소리하지 마. 너 뒤졌으면 나도 지금쯤 여기 없다고."

왜 입 밖으로 흘러나온 건 이따위 멋대가리 없고 성의 없이 들리는 말인지. 차라리 침묵하는 게 배는 도움이었겠다 싶었다. 명언은 은이요, 침묵이 금이라. 옛 어르신들 말은 틀린 것이 하나 없었다.

그 와중에도 모크샤가 속내를 털어놓았다는 것에 기뻐하는 나 자신이 있었다. 타인의 불행을 들은 것을 행복으로 여기다니, 참으로 이기적이기 짝이 없다. 나는 입술을 질끈 깨물었다.

그런 내 추악하고 이기적인 속내를 모르는 모크샤는 피식 헛웃음을 지으며 대꾸했다.

"술탄 나리께 잡혀갔으려나. 내가 생각해도 너 혼자서는 절대 탈출 못 했지 싶다."

"그러니까 차라리 죽느니 뭐니 하지 말라고."

관료들과 마주쳤을 때가 떠오른 듯 그는 한참을 낄낄대었다. 웃음소리가 녹아드니 그래도 분위기가 한결 누그러졌다. 나 또한 모크샤가 웃는 것에 편승하여 같이 웃었다.

웃음 속이 텅 빈 강정처럼 허했다.

모크샤는 조금 개운해진 표정으로 자리에서 일어섰다. 자러 가자며 휘적휘적 손을 흔드는 모크샤의 뒷모습을 좇아 나도 비척비척 자리에서 일어서려 했다. 그런데 웬일인지, 모크샤가 내 눈앞에 불쑥 손을 들이밀었다. 나는 모크샤의 손을 빤히 바라보았다.

"뭐해, 안 잡고 일어서고."

"어, 어어……."

"은근히 한 박자 늦다니까."

나는 모크샤의 손을 잡고 일어섰다. 모크샤가 신경을 써준다는 사실에 가슴이 싱숭생숭했다. 손바닥을 꽉 잡아주는 모크샤의 손을 믿고 체중을 실어 일어섰다. 일어서는 타이밍에 맞춰 모크샤가 손을 잡아당겼는데, 아무 생각 없었던 나는 그대로 모크샤의 팔심에 딸려 올라가 버렸다. 나는 그대로 모크샤의 가슴팍에 이마를 부딪쳤다.

"아야야."

아프지는 않았지만 깜짝 놀라 당혹스럽기는 했다. 당황한 것은 모크샤 또한 마찬가지인 듯, 그는 눈을 휘둥그레 뜨고 내 어깨를 움켜쥐었다. 순간적으로 모크샤에게 끌어안긴 꼴이었다. 잠잘 때도 이렇게 끌어안긴 적은 없었던지라 심장이 크게 고동쳤다. 나는 확 치미는 부끄러움을 감추기 위해 되레 볼멘 목소리로 투덜거렸다.

"그렇게 세게 잡아당기면 어떻게 해. 너 나 놀리려고 일부러 그런 거지."

"아, 아니. 생각보다 가벼워서."

"뭐야, 얼마나 무거운 줄 안 거야."

나는 투덜거리면서 모크샤를 지나쳐서 침낭으로 향했다. 모크샤는 아무렇지도 않을 텐데 나 혼자 두근거리는 걸 들키고 싶지 않았다.

나는 침낭으로 쏙 들어가서 머리끝까지 침낭을 추슬러 올린 채 몸을 애벌레처럼 둥글게 말았다.

침낭 밖에서 모크샤가 부산스레 움직이는 소리가 들렸다. 모크샤 또한 침낭에 들어갔는지, 곧 조용해졌다. 그 결과 남은 것은 침낭 안에 가득 찬 내 심장 소리뿐이었다. 유난히 시끄러운 심장 소리에, 나는 귀를 틀어막았다. 그렇게 하면 심장이 가라앉기라도 할 것 같았다.

다음 날 산을 넘고 나니, 산등성이 너머로 사흐탄이라는 마을이 보였다. 라울의 마을은 이곳 언저리에서 그다지 멀지 않다며, 여기서 내려줘도 집에 잘 찾아갈 수 있다 하였지만 사람이 이왕 칼을 뽑았으면 무라도 썰어야 하는 법. 기왕지사 이렇게 된 거 집까지 데려다주겠다고 고집을 부렸다. 사실 모크샤와 단둘이 되기엔 아직 마음의 준비가 되지 않았기 때문이기도 했다.

"부모님도 걱정하시겠다, 괜히 여기서 걸어서 가느니 말 타고 빨리 가는 게 낫지. 너 어제저녁에 외박해서 부모님 걱정이 이만저만이 아닐 텐데. 마을 근처에 내려줄게."

아무리 라울을 붙들고 싶다 해도, 농사가 잘 안되었다는 마을까지 찾아갈 생각은 없었다. 그쪽에서 우리에게 감사를 표하고 싶어도 제대로 대접하지 못할 테니 그 사람들도 마음이 불편할 것이다. 우리 또한 그 상황이 달갑지 않았고, 모르는 척 적당히 헤어지는 게 좋았다.

게다가 우리도 마을에 들어가는 것이 탐탁지 않았다. 모크샤가 저주받은 자이기 때문이기도 했고, 어지간해서는 사람들에게 내 모습을 드러내고 싶지 않았기 때문이기도 했다. 언제 누가 자마드의 수배령을 알고 있을지 모르니까.

"고맙습니다."

라울은 고개를 숙였다. 모크샤가 그런 라울의 둥근 머리카락을 손으로 쓰다듬었다.

라울의 안내로 우리는 라울의 마을로 향했다. 마을에 가까워지니, 여기저기서 라울을 찾는 목소리가 들렸다. 갑자기 애가 사라졌으니 깜짝 놀라는 것도 당연했다. 나는 모크샤와 시선을 마주하고 고개를 끄덕였다. 라울을 보내줘야 할 때였다.

"다들 찾고 있나 보다. 여기서부터 잘 찾아갈 수 있겠니?"

"저, 저희 마을에 들러서 식사라도 하고 가세요. 별건 없지만, 그래도 제 몫의 빵이 남아 있을 거예요."

라울이 우리를 잡았다. 나는 피식 웃으며 대꾸했다.

"너나 먹고 무럭무럭 커라. 그래야 훌쩍 커서 아빠 일 도와주러 가지."

라울은 무어라 말하고 싶은 듯 입을 옴짝달싹 움직였다. 하지만 라울이 미처 말을 꺼내기도 전에, 저 멀찍이서 들리던 사내의 외침이 점점 가까워졌다.

"라울!"

"아빠!"

라울은 아버지의 목소리를 깨닫기가 무섭게 외쳤다. 라울의 아버지는 라울의 외침에 허겁지겁 수풀을 헤치고 우리 쪽으로 다가왔다. 얼굴에 그득한 근심과 걱정이 얼마나 마음을 졸였는지 알 수 있었다.

모크샤는 라울을 말에서 내려주었다. 사내는 라울을 데리고 있는 우리를 경계 어린 시선으로 바라보았으나, 허공에서 떡하니 시선이 굳었다. 그것은 나 또한 마찬가지였다.

아무것도 모르는 라울은 밝은 목소리로 말했다.

"아빠랑 삼촌들 뒤쫓아 가다가 길 잃었는데, 절 구해주셨어요."

"……."

하지만 라울의 아버지는 라울을 자신 쪽으로 끌어당긴 채, 우리를 노려보았다. 그도 그럴 것이, 우리의 만남이 썩 좋지만은 않았기 때문이었다.

하필이면 라울의 아버지가 우리를 습격했던 도적들이었다니. 인생은 참 알 수 없게 흘러갔다.

모크샤는 나만큼 당황하지는 않은 듯, 무덤덤한 표정으로 다시 말에 올라탔다. 라울의 아버지의 얼굴에 당혹스러움이 미처 지워지지 않았다. 당연했다. 자신들이 돈 내놓으라 칼끝을 들이밀었던 상대가 제 애를 데리고 있었으니, 당황하지 않는 것이 더 이상했다.

저주받은 자라며, 재수 옴 붙었다며 저들이 했던 말이 아직도 귓가에 생생했다.

아버지의 품에서 고개를 빼꼼 뺀 라울은 우리 사이에 도는 긴장감에 어리둥절한 것 같았다. 자신을 구해준 이들과 부모님이 안면이 있다고는 생각지 못한 모양이었다. 그건 나도 몰랐다. 아마 이 자리에 있는 모두가 알지 못하지 않았을까. 운명의 장난이란, 쯧쯧. 나는 라울에게 어색하게 웃어 보였다.

모크샤는 흘끗, 나에게 눈짓했다. 떠나자는 재촉에 나는 고개를 끄덕였다. 괜히 저주받은 자가 어쩌고저쩌고하는 소리를 또 듣고 싶지는 않았다. 구해주니 보따리 내놓으라 하게 생겼기에, 보따리 내놓으라 하기 전에 도망가련다. 나는 라울에게 작별 인사를 했다.

"그럼 라울, 다시는 멋대로 멀리 나오면 안 된다."

"어, 어어……."

라울은 아버지의 품 안에 끌어안긴 채로 어버버 말을 흐렸다. 아버지와 우리가 잔뜩 노려보더니, 말도 안 섞고 헤어지는 게 이해가 가지 않는 모양이었다. 나는 라울에게 손 인사를 하고 말머리를 돌렸다. 라울은 고개를 쭉 빼고는 우리의 뒷모습에 대고 크게 외쳤다.

"형! 아저씨! 고맙습니다!"

나와 모크샤는 말을 몰며 손으로 작별 인사를 했다. 왠지 속이 답답하긴 했지만, 그래도 라울을 데려다준 것에 후회는 없었다. 나는 계속 고개가 돌아가려는 걸 앞으로 잡아 눌렀다. 한나절 남짓한 동안, 그래도 정이 붙은 모양이었다.

어느 정도 멀어졌을까, 갑자기 뒤에서 뛰어오는 걸음 소리가 들렸다.

나는 라울이 달려오나 싶어 더욱 고개를 돌리지 않고 말을 몰았다. 그때, 우리 뒤에서 우렁찬 사내의 목소리가 울렸다.

"……고맙소!"

나는 슬쩍, 뒤돌아보았다. 도적이었던 사내는 우리의 말 뒤꽁무니에 대고 허리를 깊게 숙이고 있었다. 모크샤를 보고 재수 없다며 도망쳤던 것과 지금의 모습이 괜히 교차하며 울렁이는 기분이 들었다. 나는 모크샤의 허리를 손가락으로 찌르며 말했다.

"고맙대."

"……."

모크샤는 고개를 홱 돌렸다. 싫은 기분은 아닌지, 귓가가 벌겠다. 선의를 베풀었을 때, 온당히 감사의 인사를 받는다는 건 생각 외로 어려운 일이었다. 특히나 모크샤처럼 저주받은 자였을 경우에는 더더욱. 가는 내내 모크샤의 기분이 왠지 모르게 들떠 보였다.

나는 라울과 도적을 떠올렸다. 하긴, 삼촌과 아빠가 하는 일이 도적 일이어서야 절대 라울을 데려가지 않겠지. 그러고 보니 내가 라울에게 얼른 커서 아빠 일을 도우라 했던 게 떠올랐다. 취소, 취소 취소 취소. 나는 속으로 열렬히 취소를 외쳤다.

어쩐지 내가 그 말을 할 때, 모크샤가 묘하게 떨떠름해 보였더라니. 라울의 아버지가 도적이라는 걸 알았을 때도 모크샤는 덤덤했었다. 미리 알고 있던 건가? 나는 신기하다는 듯 모크샤에게 물었다.

"그러고 보니 별로 놀라지 않았네."

"화전민들이 거듭되는 흉작 때문에 도적으로 빠지는 건 흔하디흔한 이야기니까. 뭐, 우리와 부딪쳤던 도적일 거라고 확신은 못 했지만."

그래도 도적이 출몰했던 곳과 라울이 살던 마을이 꽤 반경이 겹치는 터라, 짐작은 하고 있었다 덧붙였다. 그럴 줄 알았는데도 라울을 데리고 가는 것에 찬성하다니, 은근히 모크샤도 배포가 크단 말이야. 나는 속으로 감탄했다.

화전민이 도적이 되다니, 생각보다 아그니의 상황이 좋지만은 않은 모양이었다. 주신이 가호하는 곳이다 보니 다들 어느 정도는 먹고살 거로 생각했는데, 권력자의 오만인 모양이었다. 나는 주신제 때 주신의 말을 기다리며 전전긍긍했던 그들의 모습을 기억했다. 풍작일 거라는 말에 그들 모두가 기뻐하였다. 정말로 풍작이었으면. 나는 진실로 그렇게 바랐다.

그날 우리는 사흐탄에 들어설 수 있었다. 오래간만에 씻고 요리다운 요리도 먹고, 푹신한 침대에서 잘 수 있었지만 알 수 없는 공허함이 남아돌았다. 한 사람의 부재가 생각보다 컸던 모양이다.

나는 외로움에 몸을 뒤척거리며 중얼거렸다.

"용병단 같은 거나 꾸릴까……. 복작복작하게……."

"용병단이 무슨 가정이냐? 꾸리고자 하면 휙 꾸리게?"

내 혼잣말을 들었는지, 옷을 갈아입고 있던 모크샤가 퉁명스러운 목소리로 치고 들어왔다. 하지만 서당 개도 3년이면 풍월을 읊는다. 예전에야 모크샤가 떠난다고 하면 어쩌나 전전긍긍하며 그의 눈치를 보았다지만, 지금은 모크샤와 지내면서 그가 은근히 정에 약하다는 걸 깨달은 뒤였다. 나는 씩, 능글맞은 웃음을 지으며 모크샤를 골렸다.

"우리 모크샤는 그렇게 가정을 쉽게 꾸리는구나? 아주 능력자네."

"……."

놀림 가득한 내 목소리에 모크샤는 어처구니가 없는 표정으로 입을 벌리고 나를 바라보았다. 은근히 순진하다니까. 나는 히죽히죽 웃으며, 순진한 아낙네를 놀리는 한량처럼 가늘게 눈을 뜨고 음흉하게 모크샤를 훑어보는 시늉을 했다. 하지만 내 위로 퍽 하고 집어 던져진 모크샤의 옷더미 때문에, 모크샤를 놀리는 걸 곧 그만둘 수밖에 없었다. 나는 머리 위에 얹어진 모크샤의 옷더미를 손가락으로 들추며 투덜거렸다.

"하여간 예민하다니까. 농담인데, 그것도 못 받아줘?"

"좀 받아줄 만한 농담을 하든가. 안 그래도 가정 못 꾸리는 게 억울해 죽겠는 사람한테."

모크샤가 저리 말하니 가슴 한구석이 찔렸다. 하지만 원래 영업은 실수를 기회로 삼는 거라고 했다.

나는 수그러들지 않고 더 목소리를 높였다.

"그러니까 나한테 오라니까. 내가 잘해줄게. 우대 빵빵하게."

나는 예전에 모크샤에게 말했던 전속계약을 떠올리며 말했다. 영업용 미소를 한가득 지은 채로. 하지만 나의 열렬한 의지는 모크샤에게 전해지지 않았는지, 모크샤는 알 수 없는 오묘한 시선으로 나를 빤히 바라보았다.

"너, 그 말 어떻게 들리는 줄은 아냐?"

"어?"

"됐다."

모크샤는 갑자기 알 수 없는 말을 하더니, 이내 고개를 내저었다. 나와 이야기하면 10년은 늙는 것 같다 중얼거리는 그의 얼굴에 피로한 기색이 가득하였다. 정말로 나 때문에 피곤해진 것 같아, 나는 합 하고 입을 다물었다.

아무리 생각해도 누이 좋고 매부 좋은 계약인 것 같은데, 모크샤가 영 허락을 안 해준다. 나는 입을 다문 채, 모크샤가 거부하는 이유에 대해 머리를 굴렸다. 역시 너무 위험해서 그런가. 일단 아그니 땅을 떠나고, 인드라에 가서 좀 안정되거든 다시 한 번 제안해봐야겠다 다짐했다.

CHAPTER 9
과거의 잔해

아그니와 인드라의 국경에 도착했다.

혹시나 싶었던 모크샤가 먼저 마을에 들어선 뒤 정찰했다. 마을에서 빠져나오는 모크샤를 기다리며, 나는 근방 숲에서 잔뜩 긴장한 채 몸을 굳혔다.

얼마나 그러고 있었을까, 모크샤가 여행 식량을 짊어지고 마을에서 돌아왔다. 그는 나를 보기가 무섭게 고개를 내저었다. 울상이 절로 지었다.

말이 씨가 된다고, 예전에 농담으로 국경에 예니체리들이 지키고 있으면 어떻게 하느냐 시시덕거렸던 게 그대로 일어났다. 국경 언저리 도시란 도시를 하나씩 하나씩 찔끔찔끔 찔러보고 있는데, 상황이 영 좋지가 않았다.

모크샤가 마을에서 조달해주는 식량으로 근근이 살 뿐, 나는 며칠째 마을에 들어서지도 못하고 길에서 노숙하고 있었다.

다시는 함부로 말을 내뱉지 않을 테니 저것들 좀 치워달라 엉엉 울고 싶은 심정이었다.

예니체리가 쫙 깔렸다는 말에 마을에 들어설 엄두가 나지 않았다.

벌써 욕조에 몸을 담그지 못한 날짜가 손가락을 꼽다 못해 넘어갔다.

"이러다가 나, 이렇게 숲속에서 모글리처럼 살게 되는 게 아닐까. 아니면 타잔이나."

"모글리는 또 뭐고, 타잔은 또 뭐야? 헛소리하지 말고."

모크샤는 마을에서 가져온 과일 하나를 던졌다. 솜씨 좋게 과일을 받아낸 나는 크게 입으로 과일을 와삭 깨물었다. 신맛이 입을 헹궈주었지만, 기분까지 전환해주지는 못했다. 나는 투덜거렸다.

"아 근데 진짜 어쩌지. 이번 마을도 꽝이면 인드라로 못 가는 거 아냐? 바르나로 가야 하나?"

"바르나 쪽도 별반 다를 게 없을 것 같은데……."

일말의 희망도 모크샤의 말에 무참히 쓸려나갔다. 완전 아그니 안에 갇힌 쥐였다. 나는 성질을 내며 머리를 벅벅 긁었다. 터번이 흐트러지며, 머리카락 몇 가닥이 흘러나왔다.

내 특성상 어떤 마을에도 정착하기 힘들 테고, 이러다가 점점 오갈 데를 잃고, 숲속에서 하는 노숙에도 한계가 있고, 결국은 자마드의 하렘으로 질질 끌려갈 내 모습이 눈앞에 그려졌다.

짜증이 났던 나는 신경질적으로 발밑에 있는 돌멩이를 찼다. 돌멩이는 탁탁 굴러갔지만, 결국은 근처에서 멈췄다. 그게 마치 내 모습 같았다. 뛰어봤자 벼룩.

도망간다고 간 한계가 고작 여기일 줄이야.

씨근덕거리는 나를 빤히 바라보던 모크샤는 한참 후에야, 끙, 신음을 내뱉었다.

“어쩔 수 없군.”

“어쩌려고?”

나는 모크샤를 올려다보았다. 모크샤는 탐탁지 않은 표정으로 턱을 매만지며 중얼거렸다.

“밀입국해야지, 뭐.”

“가능해?”

눈이 휘둥그레졌다. 밀입국이라니.

멕시코에서 미국으로 밀입국하기 위해 갖은 수를 쓰던 멕시코 사람들이 떠올랐다.

물론 그들이 성공할 가능성은 적디적었다.

모크샤도 털퍼덕 내 앞에 주저앉았다.

모크샤와 내 시선이 비슷해졌다. 모크샤는 바닥에 굴러다니는 나무 막대기 하나를 들더니, 바닥에 아그니와 인드라, 바르나의 위치와 이름을 표시했다. 그러고는 툭툭, 아그니를 나무 막대기로 건드리며 말했다.

"내가 아그니 술탄이라면, 네가 도망쳤다는 걸 다른 나라 술탄들에게 알리지는 않았을 거야. 그들이 절대 훼방 놓을 테니까. 실이면 실이었지 득이 되지는 못해."

"왜? 자마드한테는 날 찾을 이유가 있다 해도 그들에겐 내가 있으나 마나 별반 필요 없는 거 아냐?"

자마드야 주신 제때 주신과 소통하기 위해서라든가, 그 자신의 부족한 왕가의 권위를 높이기 위해 내가 필요할 테지만 다른 나라 쪽에선 그렇게까지 급하지는 않을 텐데. 하지만 그런 내 생각이 얕다는 듯, 모크샤가 고개를 내저었다.

"너는 주신의 사랑의 증거니까. 물론 네 꼴을 봤을 때 믿을 수는 없지만."

"내 꼴이 어때서."

"저주받은 자보다도 재수가 없는 꼬라지라서 그런다. 내가 처음에는 나랑 엮여서 일이 거지같이 꼬이나 싶었는데, 아니야. 보아하니 너도 그냥 재수가 없는 거야."

단호할 정도로 냉정한 말이었다. 하지만 부정할 수 없었던 나는 입을 삐죽이 내밀었다.

솔직히 모크샤를 만난 게 천운일 정도로, 내 생활력과 운은 형편없었다.

모크샤는 다른 곳으로 잠시 튀었던 이야기의 흐름을 다시 돌렸다.

그는 찍찍, 아그니와 바르나, 인드라를 선으로 그었다. 삐뚤삐뚤한 삼각형이 그려졌다.

"하여간. 겉보기에는 멀쩡해 보여도 세 술탄 사이에 알력 다툼이 있거든. 셋 다 공평하게 갖는다면 모를까, 그게 안 된다면 다른 나라에서 독점하기 전에 자기네들이 갖고 싶겠지. 필요하든, 필요하지 않든."

나는 얼굴을 찡그렸다.

일단 지르고 보는 것도 아니고. 한마디로 말해 쓸모는 없지만 일단 남들 갖는 건 싫고, 갖고 있으면 일단 있어는 보이니까 우선 데리고 있어본다는 것 아닌가. 계륵이 따로 없었다.

"나 유지하는 데 은근히 돈이 많이 들 텐데도?"

"술탄들 돈 걱정 해주는 것만큼 의미 없는 일은 없어."

그건 그렇긴 하다. 자마드의 궁에서의 눈이 휘둥그레질 정도의 화려함과 사치스러운 일상을 떠올린 나는 바로 수긍했다.

자마드가 나에게 준 옷에 달린 보석 몇 개만으로도 한 가족이 평생을 먹고살 정도라 하니, 술탄들의 개인 자산은 짐작할 수 없을 정도로 어마어마할 게 분명했다.

"자꾸 이야기가 새는데, 내 생각으로는 아그니 술탄은 다른 나라에까지 네 실종을 알리지 않았을 테고, 그러면 아그니 내에서 빠져나가는 게 문제지 인드라에 도착해서는 잘 둘러대기만 하면 별반 문제가 안 돼."

"오오오."

모크샤의 말이 그럴듯하게 들렸던지라 나는 감탄을 연발했다. 손뼉이라도 짝짝 치고 싶은 심정이었다.

아그니에서 빠져나갈 수 있다는 말 아닌가. 나는 기대감 어린 표정으로 모크샤를 재촉했다. 모크샤는 인드라와 아그니 사이에 산맥 표시를 끄적거렸다.

"인드라와 아그니 국경에 사이에 산간 마을이 있는데, 그쪽에서 산맥을 타고 인드라로 넘어가면 돼. 거기까지 지키고 있지는 않을 거야. 가파르고 복잡해서 길을 잃기가 십상이니까. 도망자라고 해도 거기로 넘어가는 사람은 없어."

지도를 펴보라는 모크샤의 손짓에 나는 레누카에게 받았던 지도를 돌돌 펼쳤다. 모크샤가 손가락으로 현재 있는 위치와 이동 경로를 짚어주었다.

산맥 근처에 아주 작게 마을이 표시되어 있었다. 고개를 끄덕이며 모크샤의 말을 듣고 있던 나는 궁금한 게 생기기가 무섭게 바로 물어보았다.

"길 알아? 길을 잃기 십상이라며."

"……우리는 괜찮아."

선뜻 대답하지 않는 것이 무언가 걸렸지만, 별다른 방법이 없었다. 차라리 산맥에서 헤매는 게 나을지도 몰랐다.

한 3년 처박혀서 살고 있다 보면 자마드도 포기하지 않을까. 그리고 모크샤가 정말 아무 생각 없이 경로를 택할 리도 없고. 모크샤에 대한 믿음과 대책 없이 긍정적인 심정으로 나는 고개를 끄덕였다.

"그러면 좋아, 그쪽으로 가자. 여기서 가만히 있는 것보다 산이라도 타는 게 나을 것 같다."

내 허락이 떨어지자, 모크샤는 바로 자리에서 일어섰다. 그가 벌떡 일어서기가 무섭게 나는 그를 향해 손을 뻗었다.

모크샤는 못 말리겠다는 듯 쯧 혀를 차고는 내 손을 잡아당겼다.

"어리광 좀 그만 부려."

"너밖에 부릴 사람 없거든."

나는 히히 웃으며 가볍게 넘겼다. 모크샤도 이런 나에게 많이 익숙해졌는지, 투덜거리며 한마디 보태기는 해도 태도가 순순했다.

음음, 이게 바로 세뇌와 적응의 무시무시한 점이지. 나는 홀로 흡족히 고개를 끄덕였다.

쇠뿔도 단숨에 빼랬다고, 우리는 바로 그 산간 마을로 향했다.

대도시 두 개 정도를 지나야만 했지만 숲속에서 죽치고 있는 것보다는 훨씬 나았다. 산간 마을에 들리기 바로 직전의 도시에서 모크샤가 말했다.

"이번 마을에 들러서 여장을 충분히 보충해야겠어. 사냥하려고 해도 네 특성 때문에 쉽지 않으니까. 상당히 오랜 기간 움직일 걸 염두에 두고 식량을 꾸려야 하거든."

"그 산간 마을이 중간에 있지 않아? 거기서 식량 같은 건 중간 보급할 수 있잖아."

"……거기는 그냥 스쳐 지나간다 생각해."

모크샤가 쯧, 혀를 찼다. 나는 영문을 알 수 없었지만, 모크샤가 그러라 하니 그렇다 하고 고개를 끄덕였다.

모크샤의 말을 들어서 지금껏 나쁠 게 없었다. 이렇게 오랫동안, 거의 몇 달 가까이 아그니 예니체리들의 추적을 피할 수 있었던 건 정말 모크샤 덕이었다.

예전에 이야기하다가 자신이 저주받은 자라서 고용주들이 피한다는 말을 한 적이 있었는데, 모크샤를 퇴짜 놓은 이들을 비웃고 싶을 정도로 모크샤는 정말 뛰어나고 능력 있는 용병이었다. 인드라로 넘어가는 샛길도 알고 있을 줄은 정말 꿈에도 생각지 못했다.

"그런데 우리가 가는 마을도 상당히 외딴곳 같은데, 어떻게 이쪽 길을 알게 된 거야? 누구한테 들었어?"

나는 가벼이 물었다. 공공연한 비밀이면 거기에도 예니체리들이 있을 가능성을 염두에 두었을 테지만, 모크샤는 이쪽만큼은 안전하다 확신했다. 용병으로 일하면서 주워들은 고급 정보이겠거니 싶었다.

하지만 생각보다 답은 쉽게 나오지 않았다. 모크샤는 한참 입을 다물고 침묵하다가, 고심 끝에 입을 열었다.

"……고향이 거기야."

모크샤의 말에 위화감을 느낀 나는 잠시 곰곰이 생각해보았다. 뭔가 걸리는데.

기억을 거슬러 올라가던 나는, 모크샤와 처음 만났을 때 그가 했던 말을 떠올리고는 버럭 소리 질렀다.

"인드라가 고향이라며!"

괜히 속은 기분이 들었다.

배신당한 여친의 심정이 되어 모크샤를 샐쭉이 노려보니, 모크샤는 어깨를 으쓱였다.

"마음의 고향 같은 거지. 어렸을 때 마을에서 쫓겨나서 바로 인드라로 넘어갔으니까. 인드라에서 허드렛일이며 하며 반평생을 살았으니, 거기가 고향이나 다름없지, 뭐. 고향이 그 작은 마을인 건 너밖에 몰라."

나밖에 모른다는 말에 급격히 마음이 평화로워졌다. 모크샤가 비밀이라고 하지는 않았지만, 비밀을 공유한 기분이 들었다.

히쭉히쭉 입꼬리가 올라갔다. 모크샤는 그런 내 얼굴을 보더니, 질색하는 표정으로 대꾸했다.

"갑자기 왜 그렇게 웃어."

"그냥."

나는 히히 웃으며 모크샤의 옆으로 말을 몰아 바싹 붙었다. 이제 승마도 아주 익숙해졌다.

처음에 떨어졌던 것과는 달리 나도 어느 정도 자유자재로 말을 다룰 수 있었다. 몇 달 내내 말 위에서 살다시피 했으니 당연한 결과이기는 했지만, 그래도 무척 뿌듯했다. 나는 별생각 없이 물었다.

"그런데 인드라에서 반평생 살다가 왜 아그니로 왔던 거야? 계속 인드라에서 용병으로 생활했어도 되는 거 아니야?"

"그냥……. 어쩌다 보니."

모크샤는 더는 말하고 싶지 않았는지, 입을 다물었다. 아까 전의 분위기가 거짓말처럼 사그라졌다.

혹시 내가 말실수한 건가? 나는 내리 앉은 침묵 속에서 눈을 데굴데굴 굴렸다. 모크샤는 곁눈질로 그런 나를 흘끗 보더니, 피식 웃으며 말했다.

"그러고 보니, 너 몸값 꽤 비싸더라. 금전 5000개."

"헉."

모크샤의 말에 나는 숨을 들이켰다.

물론 모크샤가 언제까지 모를 거로 생각하지는 않았지만……. 이번에 모크샤 혼자서 국경 마을에 갔다 오면서 들은 게 분명했다.

난 예상치 못한 충격에 어버버, 입을 다물지 못했다. 모크샤가 금전 5000개에 날 팔면 어쩌나.

아니, 애초에 그랬으면 내 현상금에 관해 이야기하지 않았겠지. 안도와 불안이 왔다 갔다 했다. 분명 우스운 표정일 테지만, 얼굴을 차마 추스를 수가 없었다.

내 얼굴이 웃기긴 했던지, 모크샤도 낄낄 웃으며 말을 앞서 몰아 나갔다. 한참 멍하니 있던 나는 모크샤와 거리가 한참 떨어지고 난 뒤에야 급하게 말을 몰아 모크샤를 쫓았다. 팔아먹을 생각은 없나 보다. 그제야 짐을 한 덩이 내려놓은 듯 나는 안도했다.

모크샤는 언제나 알듯 말듯, 심술궂은 듯하면서도 배려해주고, 아닌 척하면서도 신경 써줬다. 단순히 내가 고용주라서 그러는 걸지도 몰랐다.

하지만 적어도, 내가 카마기 때문에 잘 대해주는 것은 아니었다. 나는 그게 좋았다.

ೋ❀ೋ

모크샤의 고향에 도착했다. 나는 당혹스러웠다. 돌담은 무너져 있었고, 여기저기 잡초들이 자라 있었다. 사람 없는 무인촌을 넘어서, 거의 유적지 수준이었다. 말에서 내린 우리는 터덜터덜, 간신히 존재의 흔적만을 남긴 대로를 따라 걸어가며 주변을 둘러보았다.

"여기가……?"

"……."

고향이라기에 멀쩡한 산간 촌락을 생각했는데 폐허만이 남았다. 지붕이 무너지고 벽이 무너지고, 나무로 덧댄 부분은 거의 삭아 없어졌다.

제대로 남아 있는 집이 없었다. 모크샤는 덤덤히 주변을 훑으며 중얼거렸다.

"이럴 줄 알았어."

모크샤는 얼굴을 일그러트렸다.

다시 오고 싶지 않았다는 기색이었다. 나는 괜히 모크샤의 눈치를 보았다. 오기 싫었던 곳에 나 때문에 오게 된 꼴이니 내 마음이 편할 리가 없었다. 하지만 나는 입을 다물었다. 모크샤가 오고 싶지 않았다 하더라도, 나는 이곳을 통해서 인드라에 가야만 했다. 어차피 가야 하니, 내가 위로해봐야 가식일 뿐이었다. 마음이 무거웠다.

여기저기 둘러보며 걸어가던 발끝에 무언가가 채였다. 돌멩이겠지 하고 봤더니, 있던 건 허옇고 기다란 무언가였다. 백골이었다. 히이익 놀란 나는 뒷걸음질 치다 다른 무언가에 걸렸다. 그대로 발이 미끄러진 나는 몸이 휘청였다. 이러다 넘어지겠다 싶었는데, 다행히도 모크샤가 잡아주었다.

덕분에 꼬리뼈를 사수할 수 있었다. 나는 모크샤의 팔을 붙든 채, 내가 뭐에 걸렸는지 확인해보았다. 거기에 있는 것은 뻥 뚫린 눈구멍으로 나를 보고 있는 두개골이었다. 정강이뼈보다 더 노골적으로 올라오는 소름에 나는 그대로 비명을 지르며 모크샤를 끌어안았다.

"으아으아아악!"

내가 소리를 지르니, 모크샤도 깜짝 놀란 듯 나를 잡은 손에 힘이 들어갔다.

얼결에 부둥켜안은 꼴이 되었다. 모크샤는 내가 뭘 보고 놀랐나 확인하고는, 어처구니없이 말했다.

"어지간히도 놀라는구만. 카마도 해골은 무섭나 봐."

"아, 아니. 그냥. 본 적 없는 게 생각지 못한 장소에 있어서 놀란 거거든."

말이 절로 더듬어졌다. 아직도 심장이 쿵덕쿵덕 뛰었다. 왜 백골 같은 게 여기저기 널려 있는 거야. 나는 진정하고 나서야 모크샤에게서 떨어질 수 있었다.

혹시나 내가 밟아서 해골이 깨졌을까 걱정되었던 나는 조심스레 해골을 살펴보았다. 아무리 죽고 남은 흔적이라고는 해도 깨지기라도 하면 미안할 것 같았다. 다행히도 두개골은 멀쩡했다. 꿈에 나오지는 않겠군. 이미 지금 꿈에 등장하는 인물만으로도 정신이 없었던 나는 안심했다.

나는 그제야 이곳저곳에 널려 있는 해골들을 발견할 수 있었다. 흙에 뒤덮여 있거나 자라난 풀에 가려 제대로 보이지 않았지만 한번 띄니 쏙쏙 눈에 잘 보였다. 해골들이 한두 구가 아닌 것이, 몰살이라도 당한 것 같았다.

"근데 여기, 왜 이렇게 길가에 시체가 널려 있는 거야?"

내 말에 모크샤의 얼굴이 일순 굳었다. 순간 나는 아차 했지만, 이미 말은 내뱉은 뒤였다. 모크샤는 픽, 자조적인 웃음을 지었다. 모크샤가 저리 웃는 것이 싫었던 나는 내 입을 꿰매고 싶었다. 하여간 궁금한 게 있으면 참지 못하고 바로 물어봐야 하지. 나는 입술을 질끈 깨물었다.

“내가 열세 살 때였나. 전염병이 돌았었거든.”

모크샤는 느긋하게 말을 꺼냈다. 떨림 없이 평온한 목소리였지만, 말투에서 자신의 운명에 대한 분노가 느껴졌다. 나는 조심스레 모크샤의 뒤를 따르며, 침묵한 채 그의 이야기를 들었다. 모크샤의 발이 성큼성큼 앞으로 향했다. 자신의 인생을 한 끝이라도 뒤돌아보고 싶지 않은 심정이 묻어났다.

“내 동생도 그 전염병 때문에 죽고, 부모도 죽고. 마을 사람들도 하나둘 죽어가고.”

숨이 들이켜졌다. 손끝이 차갑게 식었다. 라울과 같이 있었을 때, 모크샤가 했던 말이 아른아른 떠올랐다.

—부모님이야 뭐, 부모라고 할 만한 일을 해주신 건 아니니 별생각 없지만. 동생은 착한 애였거든. 형, 형 하고 따르면서. 걔가 병으로 죽었을 때는 참 그렇더라. 내 불행이 옮아 간 거 같아서. 차라리 내가 일찍 뒤졌으면 동생은 살았을 텐데.

“그런데 나는 멀쩡했지.”

모크샤는 웃으며 말했다. 앞서 나가는 그가 무슨 표정일지 나는 알지 못했다.

“다들 나 때문이라고 하면서 나를 산등성이에 있는 계곡에 빌쳤어. 죽일 생각이었지만 피를 보기는 찝찝했던 모양이야. 덕분에 난 살았지만.”

모크샤는 아무렇지도 않은 척, 감정을 배제한 채 사실만을 말했다. 하지만 그 말 속에 숨겨진, 과거의 모크샤가 겪었을 인생의 고단함과 좌절감은 뼛속까지 스며들었다.

"계곡물에 휩쓸렸던 나는 간신히 뭍으로 빠져나왔어. 버림받았다는 생각과 저주받은 나 자신에 대한 혐오 때문에라도 그대로 물에 빠져 죽을 생각이었는데, 사람 본능이 무시무시하더라. 하지만 그렇게 살았어도 마을로는 돌아갈 수 없는 노릇이라, 결국 산을 탈 수밖에 없었지. 어차피 길도 몰랐고, 그렇게 산을 타면서 헤매다 보면 지쳐 죽든 산에서 굴러서 죽든, 좌우지간 죽을 것 같았거든."

나는 마냥 좋아했다. 아그니를 벗어날 수 있다고, 모크샤가 샛길을 알아 다행이라고 기뻐했다. 모크샤는 기뻐하는 나를 보며 뭐라고 생각했을까.

"그토록 죽고 싶었는데, 사람 삶이 뭔지, 참. 결국 인드라에 도착한 거야."

그렇게 모크샤는 인드라에 정착하게 되었다. 인드라에서도 저주받은 자라며 백안시당했지만, 가족과 아는 사람에게서 받는 시선보다 차라리 생면부지의 사람에게서 받는 시선이 더 나았다.

그리 말한 모크샤는 말을 잠시 멈추고는 마을을 돌아보았다. 폐허가 된 마을 위로 노을이 드리웠다. 모크샤의 눈 색과 같은, 붉은 노을이었다.

"하여간 전염병이 돌았으니, 어지간해선 다 죽고, 살아 있는 사람들은 다른 곳으로 떠났을 거로 생각했어."

"……."

"다시 마주치지 않은 게 그나마 다행이로군."

나는 할 말을 찾지 못한 채 고개를 떨구고 침묵했다. 모크샤가 어떤 표정으로 날 볼지 두려웠다. 시선은 땅바닥에 머물렀고, 나는 발끝으로 괜히 먼지만 일으켰다.

하지만 고개가 갑자기 들렸다. 모크샤가 손으로 내 이마를 꾹 밀어 올린 것이었다. 나는 얼떨떨하게 고개가 들린 채 모크샤를 바라보았다. 모크샤는 씩 웃으며 말했다.

"오늘은 여기서 노숙이야. 해골이 있다고 무서워해도 소용없어."

"누, 누가 무서워한다고! 안 무섭다니까?!"

나는 화들짝 소리 질렀다. 하지만 모크샤는 별로 믿지 않는 것처럼 대꾸하고 말 뿐이었다. 나는 아니라고 바락바락 집요하게 항변했다.

나도 강한 부정이 강한 긍정처럼 느껴진다는 걸 알았다. 하지만 내가 이렇게 시끄럽게 굴수록 아까의 분위기가 일순이나마 뒤덮였다.

차라리 이게 낫다. 나는 그리 생각했다.

✿

그날 모크샤와 나는 제일 멀쩡해 보이는 집에서 잤다. 모크샤는 마을 촌장의 집이라고 했다.

겉보기에는 멀쩡해 보였지만 침대라고 할 만한 것은 삭아서 무너지기 일보 직전이었고, 곳곳에 거미줄이 쳐 있었으며 바닥에는 먼지가 굴러다녔다.

차라리 밖에서 자고 싶을 정도였다. 결국 우리는 바닥만 대충 쓸어낸 뒤 침낭을 폈다. 그래도 밤이슬을 맞지 않는 것이 어디냐며 나는 스스로를 위안했다.

괜히 거미를 보고 나니 거미가 의식되었다. 평소에는 풀숲에서도 잘 잤는데, 오늘따라 잠이 잘 오지 않았다. 모크샤는 자기 손을 잡고 뒤척이는 내가 신경 쓰였는지, 다른 손을 뻗어 내 어깨를 툭툭 건드렸다.

"왜 자꾸 뒤척여."

"……거미가 기어들어 올 거 같아서."

"거미가 너한테 가길 뭘 너한테 가. 지금 걔네 다 철수하고 이사 가는 거 안 보이냐?"

모크샤가 면박을 주었다. 나는 할 말이 없었다. 나를 피하는 것은 비단 야생 동물뿐만이 아니었기 때문이었다. 나는 흘끔 곁눈질하여 집 안 구석구석을 살폈다.

눈이 좋았던 나는 어둠 속에서 거미들을 찾기 위해 고군분투했다. 하지만 정말 모크샤의 말처럼 도망을 간 모양인지, 보이는 것은 없었다.

"그렇지? 얼른 잠이나 자."

모크샤는 제 말이 맞는다는 것에 콧대를 세우며 내 이마를 쿡, 손가락으로 찍었다. 픽 웃는 입꼬리가 어둠 속에서도 선명했다. 가끔 모크샤를 보면 처음 만난 또래 친구에게 장난치는 것 같았다. 날 골려먹는 재미를 깨달은 거지. 나는 투덜거리며 침낭을 머리끝까지 올렸다. 혹시라도 거미가 머리 위로 떨어질까 봐 경계하기 위해서.

그렇게 불편한 잠자리에서 하룻밤을 보내고 나니 아침이 되었다. 나는 아침 공기를 맞으며 마을을 돌아다녔다. 그리 크지 않은 마을이었다. 집도 열두 채 정도가 다였고, 마을 공용으로 쓰는 듯한 우물과 공터가 있었다. 마을에는 세간 하나 멀쩡한 것이 없었다. 이곳저곳 들쑤시고 다니는 나와 달리 모크샤는 묵묵히 짐을 챙기며 중얼거렸다.

"다들 마을 떠나면서 돈 될 만한 건 바리바리 싸 들고 갔을 테니 쓸모없는 짓이야. 아무것도 못 찾을걸."

"구, 굳이 돈 될 만한 걸 찾는 건 아니거든."

마음이 뜨끔했다. 이놈의 주둥이는 날이 가면 갈수록 마음을 못 숨기고 그대로 드러낸다. 말을 더듬긴 왜 더듬어. 나는 내 입술을 찰싹찰싹 때려주고 싶었다.

내가 그러든지 말든지, 모크샤는 어련하겠느냐는 듯 덧붙였다.

"참, 돈도 많은 데다 반신인 사람이 은근히 구두쇠에 쪼잔하기 그지없어. 있는 놈이 더하다더니."

모크샤의 말에 얼굴에 열이 확 올랐다. 민망했다. 마치 애인 앞에서 요플레 뚜껑을 핥아 먹는 기분이었다. 그도 아니면 다 쓴 치약 반을 뚝 잘라 안에 있는 치약까지 긁어모으는 것을 들킨 기분이라든가. 민망했던 나는 부끄러움을 가리기 위해 바락 소리를 질렀다.

"그래! 돈 될 거 찾았다! 너 평생 고용해서 데리고 다니려면 구두쇠에 쪼잔해져야지 뭐 별수 있나?"

내가 이렇게 말해도 모크샤는 「누가 평생 고용당해줄 줄 아느냐.」 혹은 「이런 가난한 마을을 털어서 날 고용할 수 있을 것 같으냐.」 등등으로 받아칠 게 눈에 훤히 보였다. 사람 맘도 모르고. 나는 모크샤를 샐쭉이 바라보았다.

하지만 모크샤는 아무 말도 하지 않고 하던 일만 묵묵히 계속할 뿐이었다.

돌려진 얼굴이 무슨 표정일지 알지 못했지만, 귀까지 붉어진 것이 대충 짐작이 되었다. 그렇게 열 받았나. 나는 괜히 민망해진 마음에 몇 마디 더 덧붙였다. 하지만 모크샤에게서는 떨떠름한 반응밖에 나오지 않았다. 나는 마을을 살피는 걸 그만두고 모크샤의 옆에서 짐을 꾸렸다.

모크샤는 그새 짐을 다 챙겼는지, 떠나자며 나를 재촉했다. 한시라도 여기에서 머물고 싶지 않은 사람 같았다. 그런 모크샤의 심정도 이해가 갔다. 아마 이곳은 모크샤에게 망령 같으리라. 마치 나에게 있어 자마드의 궁이 그렇듯이.

이왕 마을에 들어선 김에 씻고 개운한 마음으로 출발하고 싶었지만, 모크샤의 심정을 생각하면 후딱 챙겨서 떠나는 게 옳았다. 나는 빨리 짐을 꾸렸다.

그런데 평소보다 내가 꾸릴 것이 적었다. 귀중품은 그대로 있었지만 잡다한 게 싹 사라졌다. 나는 내가 물건을 잃어버렸나 싶어 근처를 두리번거렸다. 하지만 이어지는 모크샤의 말에 두리번거리는 걸 멈췄다.

"네 거 일부는 내가 챙겼어. 따로 둔 거 없으면 그게 다일 거야."

"왜?"

이게 전부라는 말에 나는 봇짐을 질끈 묶으며 말의 등 위에 짐을 실었다. 그러고 보니 모크샤의 말의 엉덩이 위에 실린 짐이 평소보다 부풀어 있었다.

모크샤는 말안장에 오르며 말했다.

"어느 정도 가다가 말을 버려야 할 거야. 돌산에 가파른 곳이 있어서 말이 못 오르거든."

"에엣."

"아깝지만, 어쩔 수 없지."

말값이야 별거 아니지만, 정든 말과 헤어지는 것이 안타까웠다. 나는 아쉬움이 그득 담긴 눈으로 말을 보며 말갈기를 쓸어내렸다. 암갈색의 털이 손가락 사이로 성기게 붙었다. 내가 만나온, 나를 피하지 않는 유일한 동물이었다. 말이 없었더라면 여기까지 오지도 못했을지 모른다. 나는 말의 목을 끌어당겨 말의 이마에 내 이마를 기대었다. 말의 눈과 내 눈이 마주치는 건 힘들었지만, 그냥 이마에 닿는 털의 까끌까끌한 느낌과 말의 체온을 느끼는 것만으로도 마음이 안정되었다. 나는 말갈기를 몇 번 더 쓰다듬으며 중얼거렸다.

"풀어줘도 잘 살겠지?"

"이 근처는 그래도 뜯어 먹을 풀이 있으니까 괜찮아."

내가 감동적인 작별 인사를 나누든 말든, 모크샤는 제 할 일을 하며 무신경하게 대꾸했다. 나는 입술을 삐죽였다.

모크샤는 그런 나를 재촉했다.

"빨리 출발해야 해. 이러다가 해가 떨어져도 절벽에 매달려 있게 생겼어."

나는 모크샤가 과장한다고 생각했다. 하지만 굳이 그 생각을 입 밖으로 내지는 않았다.

우리는 그렇게 모크샤의 고향을 떠났다. 모크샤는 마을을 돌아보지 않고, 앞만을 노려보았다.

모크샤가 말한 대로, 어느 정도 가다 보니 짙은 갈색의 흙이 점점 사라지고 회갈빛 돌덩이가 조금씩 모습을 드러냈다. 그대로 10분쯤 더 갔을까, 우리의 눈앞에 돌산이 우뚝 솟아 있었다. 이래서야 정말 말로는 못 가겠구나. 아니, 애초에 사람도 못 갈 것 같은데. 나는 벽처럼 눈앞에 솟은 돌산을 보며 침을 꿀꺽 삼켰다.

말은 갑자기 가로막힌 시야에 히힝, 투레질했다. 여기서 헤어져야 할 때였다. 나는 정이 많이 붙은 말을 서운한 시선으로 바라보았다.

모크샤는 말의 등에서 짐과 안장을 내려주었다. 그러고는 고삐도 풀었다. 말은 한결 자유로워 보였다. 나는 모크샤를 따라 내 말도 자유롭게 놓아주었다. 말들은 투레질하며 편자 박힌 말굽으로 바닥을 긁었다. 그들도 당황스러운 모양이었다. 모크샤는 말의 엉덩이를 찰싹 내리쳤다.

말은 그제야 앞으로 달려 나가기 시작했다.

말들의 뒷모습이 시야에서 사라질 때까지 우리는 그곳을 바라보았다. 한참 뒤에야 모크샤는 바닥에 내려놓은 짐을 어깨에 둘러멨다. 내 것까지 챙긴 통에, 모크샤의 짐이 아주 한가득하였다. 나는 걱정스레 물었다.

"너만 너무 많이 짊어진 거 아냐?"

"올라가다 보면 그런 생각 안 들걸."

모크샤는 이죽거렸다. 여기를 올라가야 한다는 걸 깨달은 나는 눈앞의 까마득한 절벽을 올려다보았다. 입이 떡 벌어졌다.

"그런데 여기는, 어떻게 올라가야 하는 거야? 암벽? 나 자신 없는데."

"이쪽으로."

모크샤는 익숙히 어디론가 향하며 손짓했다. 나는 그 뒤를 따랐다.

모크샤가 도착한 길에는 사람 하나가 간신히 걸어 올라갈 수 있는 샛길이 있었다. 하지만 폭이 좁디좁아서, 발을 조금만 잘못 내딛거나 바람이 불어 휘청이기라도 하면 그대로 곤두박질칠 것 같았다.

이런 상황을 전혀 짐작하지 못한 내 안색이 시퍼렇게 변했다. 절벽 때도 어안이 벙벙하긴 했지만, 그때야 현실감이 없어서 그랬고. 지금은 정말 장난이 아니었다.

여길 건너야지만 되는 것이었다.

눈동자가 무지하게 흔들렸다.

"이것만 넘기면 또 평범한 산이니까, 거기서부턴 괜찮을 거야."

"……진짜 이 길밖에 없어?"

모크샤는 불안해하는 나를 달래듯 덧붙였지만, 별달리 도움이 되지는 못했다. 나는 침을 꿀꺽 삼켰다. 카마인데, 떨어진다 해도 죽진 않겠지. 아닌가. 칼에 찔려서도 죽었는데, 역시 그냥 죽으려나.

나는 선뜻 발을 내디디지 못하고 주저했다. 그런 나를 빤히 바라보던 모크샤가, 그대로 내 손을 휘어잡고는 성큼 샛길로 발을 옮겼다.

나는 화들짝 놀라 바닥과 모크샤를 번갈아 보았다.

"야야야, 잠깐, 나 아직 마음의 준비가……!"

"그런 건 일단 걸으면서 해."

울상이 절로 지어졌지만, 모크샤는 봐주는 게 없었다. 내 발걸음 바로 옆으로 또르르 굴러간 돌멩이가 바로 떨어져 내렸다. 툭툭, 투툭, 돌멩이가 바위에 부딪히는 소리가 천둥처럼 크게 울렸다. 하지만 별수 없었다. 모크샤가 꽉 틀어쥔 손 때문에 돌아갈 수도 없었고, 돌아가 봐야 별수 없었기 때문이다. 나는 목줄 매인 나귀처럼 모크샤의 뒤를 졸졸 따랐다.

“아, 진짜, 죽, 는 줄 알았다.”

나는 숨을 몰아쉬었다. 다행히 해가 지기 전에 절벽 위에 도달할 수 있었다. 반쯤 넋을 놓고 왔기에 어떻게 왔는지는 기억도 안 나지만, 결국은 절벽에서 벗어나 평평한 평지를 밟고 있다는 사실에 안도의 기쁨이 절로 흘렀다. 나는 바닥에 그대로 고꾸라진 채 대지가 주는 안정감을 맛보았다.

풀잎이 코를 간지럽혔다. 어제저녁에 거미가 나올까 전전긍긍하며 잠을 뒤척였던 걸 생각하면, 정말 가증스러울 정도의 변화였다.

한참 숨을 고르던 나는 간신히 말을 할 정도로 진정할 수 있었다. 나는 몸을 데굴 굴러 일으키며 투덜거렸다.

“너 내가 기절하면 어떻게 하려고 그렇게 무지막지하게 끌고 가.”

“별수 없지 뭐. 업고 가야지.”

나무를 보며 길을 재고 있던 모크샤는 시선조차 주지 않은 채 대꾸했다. 나도 이렇게 힘든데 쟤는 지치지도 않나. 카마로서 태어나며 체력에 많은 자신감이 붙었지만, 모크샤와 비교하니 정말 혀가 절로 내둘러졌다. 심지어 모크샤는 반쯤은 나를 질질 끌어서 데려온 터였다.

"날 업으면 우리 짐은."

"네 뒤에 짊어지고."

"그러다 너랑 같이 떨어지면."

"뭐, 같이 죽는 거지 별수 있나."

모크샤는 여전히 지도와 길을 살피며 말했다. 가끔 모크샤는 사람 심장 떨어지는 소리를 아무렇지도 않게 하곤 했다. 같이 죽는다니, 뭔가 비극의 연인 같잖아. 도주 중에 같이 투신한 남녀……. 머릿속에 셰익스피어가 강림한 듯, 『로미오와 줄리엣』 아랍 버전이 한순간에 뇌리를 스치고 지나갔다. 정작 아랍 로미오 모크샤는 아랍 줄리엣인 나에게 한 점 관심주차 주지 않은 채 주머니에서 나침반을 꺼내 들었다.

그의 붉은 눈동자가, 같은 붉은색인 나침반의 N극에 고정되었다. 처음에 여기도 나침반이 있다는 걸 알고 참 놀라기도 놀랐었다. 이 세계가 지구가 아니더라도 행성이긴 할 테고 물리법칙이 완전 엉망진창은 아니다 보니 자기장이 통할 수도 있지만, 그래도 신기한 건 신기한 거였다.

길을 찾았는지 모크샤가 나를 재촉했다.

"이쪽으로 가면 돼. 일어서. 가자."

"으으윽……."

나는 앓는 소리를 내며 일어섰다. 말을 타는 것과 달리, 거의 암벽 수준의 등산을 하니 비 오듯 흐른 땀으로 옷이 축축했다. 찝찝했던 나는 옷을 펄럭이며 통기성을 꾀했지만, 별로 효과는 없었다.

"여기 어디 씻을 데나 그런 데 없으려나."

"어차피 내일 또 땀범벅이 될 텐데."

"넌 저녁 먹는다고 아침 안 먹냐?"

나는 불만스레 모크샤를 보았다. 가끔 설레는 말로 두근거리게 하기가 무섭게 무심한 말로 내 성질을 부추겼다. 하여간 여자 마음을 몰라요.

찝찝하게 늘어지는 옷 때문에 더 짜증이 났다. 내가 한참을 투덜거리며 티를 낸 뒤에야 내 불만이 이만저만한 것이 아니라는 걸 눈치챘는지, 모크샤가 황급히 덧붙였다.

"알았어, 알았어. 가다가 물가가 있으면 잠시 쉬지 뭐. 인드라 가는 게 급한 건 내가 아니라 너니까."

"……."

꼭 한마디를 더 해요, 더 해. 하지만 틀린 말도 아니라 뭐라 반박할 수도 없었다.

나는 이글거리는 눈으로 주변을 살폈다. 이렇게 된 거, 어떻게든 씻고야 말리라 다짐했다.

ஓ๑♥๑ஓ

그날 해가 질 무렵, 물 흐르는 소리를 들었다. 졸졸졸. 무척이나 가느다란 소리였지만 예민한 내 귀는 솜씨 좋게 포착했다. 나는 물소리가 들리는 곳으로 발을 재촉했다. 가까이에 있으면 좋을 텐데. 내 바람이 통했는지, 다행히도 나는 얼마 가지 않아 냇물을 발견할 수 있었다.

냇물은 그리 깊지 않았지만 씻기 충분할 정도는 되었다. 나는 반짝반짝한 눈으로 모크샤를 돌아보았다. 모크샤는 기어코 물을 찾아낸 내가 어지간한 듯 혀를 내둘렀다.

"으이구, 씻고 오든가. 어차피 노숙해야겠다, 난 저쯤에 불 피우고 있을게."

그리 말하며 모크샤는 나무 사이로 사라졌다. 어느 정도 거리가 있는 곳에 자리 잡은 듯 부스럭거리는 소리가 들렸다.

신이 나서 훽훽 옷을 내던지니 금방 맨 몸뚱어리만 남았다. 밤공기가 땀에 젖은 몸에 닿아 서늘했다. 냇물은 풍덩 들어가기에는 너무 차가웠던지라 나는 조심스레 발만 담갔다. 물을 한번 몸에 끼얹을 때마다 히이익 소리가 절로 났다. 그래도 물에 진득한 땀이 씻겨나가는 기분에 멈출 수가 없었다. 결국 나는 그대로 퐁당 찬물에 몸을 담갔다.

수면으로 길게 자란 머리카락이 너울너울 미역처럼 흩어졌다. 샴푸로 벅벅 머리를 감고 싶었지만, 없는 걸 찾아봐야 소용없었다.

오일이고 뭐고 아무것도 없이 정말 물에 몸만 담갔다 빼는 수준이었지만 그마저도 도망자 신분에는 사치스러웠다. 어지간히 씻었다 싶었던 나는 옷을 입기 위해 물 밖으로 빠져나왔지만, 손끝에서 느껴지는 옷의 눅눅함이 기분 나빴다.

이왕 씻었는데 새 옷을 입고 싶은 건 당연지사. 나는 얼굴에 뻔뻔함을 깔고 모크샤를 향해 버럭 외쳤다.

“어어, 모크샤! 나 옷 좀 갖다 줘!”

“이 여자가…….”

모크샤가 이를 갈며 뭐라 뭐라 구시렁대었다. 그가 짐 꾸러미 사이를 뒤적이는 소리가 들렸다. 모크샤는 얼굴을 잔뜩 찌푸리면서 오다가, 내가 보일 때쯤 하여 시선을 휙 돌리고 손만 뻗어 옷을 건넸다.

"아주 신이라고 창피한 줄도 모르고!"

"헤헤, 감사 감사."

나는 히죽히죽 웃으며 모크샤에게 받은 새 옷을 입었다. 모크샤는 그대로 모닥불이 있는 곳으로 줄행랑을 쳤다.

옷을 입은 나는 입었던 옷을 대충 물가에서 빨았다. 구정물이 죽 나왔다가 물결에 흘러 사라졌다. 나는 룰루랄라 콧노래를 부르며 모닥불로 향했다.

모크샤는 아직도 내가 옷 가져다 달라고 했던 일에 대해 구시렁대고 있었다. 나는 모크샤 옆에 털썩 앉으며 물었다.

"모크샤, 너도 씻을래?"

"널 어떻게 믿고."

"뭐야 그거. 내가 뭘 어쩐다고."

나는 입술을 삐죽였다. 아까 옷 한번 가져다 달라고 했다고 사람을 되게 이상하게 몰아간다. 내가 훔쳐보기라도 할 것 같은가. 내가 눈을 가늘게 뜨고 흘겨보자 모크샤는 낄낄 웃으며 대꾸했다.

"됐어, 난 누구처럼 예민하고 곱게 크질 못해서 꼬질꼬질해도 상관없네요."

모크샤의 서 발이 내 심기를 긁었다. 아니, 보통 나 정도면 평범하다 못해 털털한 수준이었다. 아까 속으로 생각했던 말이 툭 하니 튀어나왔다.

"그러니까 인기가 없지."

"뭐?"

"보통 여자들은 꼬질꼬질한 남자 싫어하거든?"

내 말에 모크샤는 빨간 눈을 둥글게 뜨고 당혹스레 날 바라봤다. 빨간 눈이 둥글둥글한 게 토끼가 같았다. 하지만 물론 그런 귀여운 생물을 거론하기엔 토끼에 대한 양심이 찔렸다.

모크샤는 한 번도 여자들이 꼬질한 남자를 싫어한다는 생각 자체를 해본 적이 없는 것 같았다. 그의 동공이 미친 듯이 흔들렸다. 모크샤는 뭐라 반박하기 위해 입을 열었다.

"야, 내가 인기가 없는 건……."

"저주받은 자고 자시고, 그냥 남자들도 꼬질꼬질하면 싫어한다고요. 모크샤는 꼬질꼬질해서 인기가 없대요~."

하지만 금세 내가 틀어막았다. 나는 이 동네 동요랍시고 들었던 노래를 개사해서 흥얼거렸다. 모크샤가 인기 없다는 구절이 한 세 번 정도 반복되자, 더는 못 듣겠는지 모크샤가 자리를 박차고 일어섰다.

"아, 진짜. 씻는다, 씻어!"

나는 흡족스레 씩 웃었다. 사실 모크샤가 더럽다고 그를 싫어하고 그런 건 아니었다. 단지 모크샤랑 딱 달라붙어 자는 입장에서 나도 씻었으니 모크샤도 씻었으면 하는 건 당연한 바람이었다.

서로 깔끔하면 좋지 뭐. 나는 흥얼거리며 모크샤가 씻는 동안 모닥불에 머리를 말렸다.

얼마나 말렸을까, 머리는 여전히 물기를 머금은 채 축축했다. 씻으면서도 느낀 건데, 머리가 길긴 많이 길었다. 허리춤까지 내려오는 머리카락은 마르려면 한참 걸릴 것 같았다. 나는 머리카락을 한번 탈탈 털어보았다.

물방울이 몇 방울 튀었지만, 여전히 젖은 상태 그대로였다. 나는 귀찮음에 혀를 절로 찼다.

"성가신데 잘라버릴까……."

쇠뿔도 단김에 빼랬다고, 나는 생각하기가 무섭게 짐을 뒤적여 단도를 찾았다. 모크샤가 잘 갈아둔 단검이 어둠 속에서 빛났다. 이 정도로 날카로우면 머리카락도 잘 잘리겠지. 나는 그런 허울 좋은 생각을 하며 칼끝을 목 근처에 가져다 대었다.

이쯤이면 되려나. 그래도 너무 짧으면 그런가. 거울이 없으니까 영 불편했다. 차라리 모크샤가 오면 잘라달라고 하는 게 낫지 않으려나. 그렇게 생각하고 있던 찰나, 갑자기 칼을 턱 하니 막는 것이 있었다. 돌아보니 거기엔 급히 옷을 추스른 채, 숨을 몰아쉬고 있는 모크샤가 있었다.

"아, 까, 깜짝이야. 발걸음 소리도 죽이고."

"……너, 너 뭐 하는 거야."

모크샤의 목소리 끝이 작게 떨렸다.

갑작스러운 상황에 영문을 알 수 없었던 나는 눈만 깜빡이며 모크샤를 올려다보았다.

"어?"

"칼 가지고 뭐 하는 거냐고."

모크샤의 붉은 눈동자가 매섭게 나를 보았다. 굳은 표정으로 쏘아보는 것이, 내가 무슨 잘못이라도 한 것 같았다. 나는 당황한 채 얼떨결에 대답했다.

"머리 자르려고……. 잠깐, 너, 손바닥으로 칼날을 그냥 잡은 거야? 피? 피잖아!"

칼날을 틀어쥔 모크샤의 손바닥에 붉은 핏줄기가 뚝뚝 흘러내렸다. 나는 화들짝 놀라 모크샤의 손을 낚아채었다. 모크샤의 손바닥에서 피로 붉게 번진 칼이 뚝 떨어졌다.

"쯧."

모크샤는 엉망이 된 손바닥은 아랑곳하지 않은 채, 안도의 한숨을 내쉬며 바닥에 털썩 주저앉았다. 어지간해선 한숨을 삼가는 모크샤가 한숨 쉴 정도니, 얼마나 당황했는지 알 수 있었다. 그렇게 당황한 게 난 더 당황스러웠다. 내가 자살 일보 직전의 사람처럼 보였나 싶기도 했다. 내가 생각해봐도 나 자신이 그런 식으로 해석될 요지의 일은 전혀 없었기 때문에 더더욱 모크샤의 행동을 이해할 수 없었다.

모크샤는 무릎 사이로 고개를 박으며 중얼거렸다.

"젠장. 깜짝 놀랐네. 칼을 목덜미에 가져다 대고 있으니까, 누가 봐도 수상쩍다고."

"아니, 애초에 내가……."

"그러니까. 네가 안 그럴 걸 알고 있어도 순간 덜컹거렸다고."

모크샤는 손으로 얼굴을 쓸어내렸다. 그는 몇 번이고 마른세수를 하더니 이내 고개를 흔들었다. 머릿속에 치민 불길한 생각을 떨쳐내려는 듯이 절박해 보였다. 벌건 눈동자가 흐릿하게 빛났다.

나는 가만히 모크샤의 옆에 앉아 있는 것밖에 해줄 수 있는 것이 없었다. 왜 그런 착각을 했는지, 그리고 왜 이렇게 반응했는지 묻고 싶었다. 하지만 모크샤에게 묻는다 해도 쉽게 대답을 들을 수가 없을 것 같았다.

차마 이유를 물어볼 수 없었던 나는 조심스럽게 손을 뻗어 모크샤의 등을 토닥이며 말했다.

"우쭈쭈, 우리 모크샤, 걱정했어요?"

"너 그거 기분 더럽다?"

"넵."

내가 생각해도 좀 깝치기는 했다. 나는 딱 입을 다물었다. 하지만 모크샤의 등을 토닥이는 손은 그대로였다. 모크샤도 손길을 내치지는 않았다. 아직 물기가 다 마르지 않은 건지, 식은땀이 흐른 것인지, 모크샤의 날것 그대로의 등은 축축이 젖어 있었다.

나는 모크샤의 어깨를 끌어당겨 내 어깨에 닿도록 기대게 했다. 모크샤는 순순히 몸을 기댔는데, 그런 모크샤가 갑자기 커다란 대형견처럼 느껴졌다. 얘 정말 왜 이래. 나는 답지 않은 모크샤의 태도에 어찌 반응해야 할지 갈피를 잡지 못했다.

"나 자살 같은 거 안 하니까, 다시는 그런 헛생각하지 말고."

"……."

묵묵부답. 모크샤는 아무 말도 하지 않았다. 그래도 진정이 된 듯, 그는 멀쩡한 손을 들어 내 머리통을 푹 내리눌렀다. 내 이마가 바닥에 닿을 정도로 기울어지고 나서야 모크샤는 내 머리통을 놓아주었다.

"하여간, 내 앞에서 칼 들어서 목에 가져다 대고 그러지 마. 알았어?"

"알았어, 알았어. 그 손이나 치료하자."

나는 짐에서 붕대를 꺼내며 말했다. 칼에 베인 손에는 여전히 피가 흥건했다.

나는 모크샤의 지도를 받아 지혈초를 상처에 대고는 붕대를 감았다. 어수룩한 솜씨였지만, 그래도 붕대가 흘러내리거나 하지는 않았다. 나는 흘끔 시선을 들어 모크샤를 보았다.

모크샤는 어딘지 모르게 정신을 빼놓고 있었다. 웃옷조차 챙겨 입지 못한 채 헐레벌떡 뛰어올 정도로 정신이 없었다는 건가. 나는 속으로 혀를 찼다.

무슨 일이 있었는지 궁금하긴 했다. 누가 그런 식으로 모크샤의 앞에서 죽었던 건 아닐까. 만약 그렇다면 모크샤에게 대답을 재촉하는 것은 엄청 잔인한 일일 것이다.

모크샤가 내 악몽에 관해 묻지 않는 것처럼, 나도 묻지 않는 것이 정답이었다.

모크샤의 상처를 후벼 파면서까지 호기심을 충족하고 싶지 않았다. 그건 값싼 궁금증일 뿐이었다. 나는 모크샤의 예민한 반응에 대해 아무 말도 하지 않았다.

그러다 보니 내 머리카락을 자르는 일은 흐지부지되고 말았다. 절대 목에 칼을 대지 말라고 단단히 주의를 시키니 내가 직접 자를 수도 없고, 그렇다고 모크샤에게 잘라달라 하려니 손이 다친 모크샤에게 괜한 일을 부탁하고 싶지 않았다.

긴 머리는 성가시고 귀찮았다.

인식하고 나니 더 거추장스러웠다. 하지만 어떻게 생각하면 모크샤가 처음으로 나에게 부탁한 일이었다.

납득 갈 만한 설명이 심히 부족하기는 했지만, 그의 첫 부탁을 무시하기엔, 내가 너무 모크샤를 좋아했다. 그렇게 나는 당분간 더 긴 머리를 유지할 수밖에 없게 되었다.

산을 넘어가는 건 상상 이상으로 힘든 일이었다. 절벽의 좁은 길을 걷는 것도 힘들었지만, 오르락내리락 힘든 숲길을 걸어서 가는 것도 만만치 않았다. 힘든 일을 겪고 있을 때는 언제나 죽을 것 같다느니 이렇게 힘든 일은 두 번 다시없을 거라느니 중얼거리게 되지만, 그게 지나가기가 무섭게 새로운 힘든 일로 갱신되었다. 절벽 아래 풀어주고 온 말들이 그리울 거라고는 생각했지만, 이렇게 간절히 보고 싶을 줄은 꿈에도 몰랐다. 인드라. 인드라에만 도착하면. 나는 그것만 바라면서 이를 악물고 발을 옮겼다.

하지만 인드라에 간다 해도 딱히 뭘 해야겠다는 계획이 있는 건 아니었다. 계획도 없고, 생각도 없었다. 그저 인드라에만 가면 모든 게 다 잘 풀릴 것만 같았다.

우선 아그니만 넘어가자. 그러고 생각하자. 그리 생각하며 차일피일 미뤘다. 하지만 몸이 고되다 보니 머릿속은 텅 비었고, 미뤄둔 생각은 그 빈자리로 다시 흘러들어 왔다.

모크샤와의 계약은 인드라의 수도에 도착할 때까지였다. 모크샤가 나와 유일하게 스킨십을 하고도 아무렇지 않은 이라는 걸 알게 된 이후, 모크샤에게 계속해서 평생 계약을 하자느니 종신계약을 하자느니 꼬시고는 있지만 한 번도 긍정적인 대답을 들어본 적이 없었다. 그건 무척이나 불안한 일이었다. 인드라의 수도에 도착하게 되면 그대로 뒤도 돌아보지 않고 빠이빠이, 헤어질 것만 같았다.

그래도 우리, 친해졌잖아. 모크샤가 과거 이야기도 해주고. 스킨십도 스스럼없고. 모크샤도 나에게 정이 좀 붙지 않았을까. 하지만 그렇다 확신할 만한 자신은 없었다. 나는 불안한 심정을 꾹꾹 누른 채 은근히 모크샤를 떠보듯 물었다.

"인드라에 도착하면, 수도까진 얼마나 걸려?"

"별다른 이상이 없다면 1주에서 2주?"

"그렇게 차이가 나?"

"수로를 타면 빨리 갈 수 있긴 한데, 탈 수 있느냐가 관건이거든. 육로로 가면 2주 정도 걸려. 우선 이 숲을 지나가는 게 문제이긴 하지만."

모크샤는 여상히 답했다. 객관적이고 미련 없는 답이었다. 그렇겠지. 모크샤는 나와 계약을 했고, 그 계약 이행을 위해 힘쓰는 거니까. 지금껏 잊고 살았던 자신의 고향에 나를 데려간 것도, 어쩔 수 없이 계약을 지키기 위해서였으리라.

모크샤가 그래도 나에 대해 조금의 호감은 있지 않을까 기대한 것이 우스웠다. 서로 말을 놓은 데다 접촉하는 일이 잦아 착각했다. 접촉조차도 내가 일방적으로 요구한 것이고, 모크샤는 그저 그에 맞췄을 뿐이다.

머리가 어질어질했다. 내가 구질구질하다는 걸 알고 있었지만, 그럼에도 불구하고 나는 여전히 모크샤에게 미련이 남았다. 모크샤를 잡기 위해서는 뭘 해야 할까. 나야 새로 계약을 갱신하고 싶지만, 모크샤로서는 자마드에게 쫓기는 나와 계속해서 연을 맺고 싶지 않을지도 몰랐다. 그리 생각하니 입맛이 썼다.

그건 그렇고 인드라에 가면 뭘 할까. 인드라 술탄의 가호를 받는 게 현실적으로 제일 안전하고 편한 길이기는 했지만, 그 또한 언제 자마드처럼 돌변할지 모르는 일이었다. 그렇게 생각하니 위험부담이 너무 컸다.

무엇 하나 미래에 대해 확신할 수가 없었다. 정말 산골짜기 깊숙한 곳으로 숨어들어야 하나. 하지만 그런 곳이 도리어 더 사람을 배척하고 의심할지도 모른다.

숲에서 계속 있다 보니 머리만 복잡해졌다. 빨리 이 숲을 벗어나고 싶은 마음이 반. 모크샤와 헤어질까 두려워 인드라에 도착하지 않았으면 하는 마음이 반. 나조차도 갈피를 잡지 못하고 갈팡질팡했다. 내가 할 수 있는 건 모크샤의 뒤를 쫓아 부지런히 걷는 것. 그것밖에 없었다.

CHAPTER 10
인드라

"와아아아!"

내가 난데없이 내지른 비명에 깜짝 놀란 새들이 푸드덕 날아올랐다.

마음이 싱숭생숭하든 머리가 복잡하든, 드디어 산을 넘었다는 해방감과 자유로움에 소리가 절로 나왔다.

왜 산을 오르는 이들이 정상에서 소리를 치는지 알 것 같았다. 그 순간만큼은 해냈다는 성취감을 제외하고는 정말 아무 생각도 안 들었다.

"너무 눈에 띄는 짓 하지 마."

내가 방방 뜨는 덕분에 후드가 흐트러졌는지, 모크샤는 내 후드 끝자락을 꾹 잡아 코끝까지 내리눌렀다.

시야가 일순 완전히 가려져 버리니, 나는 손만 버둥대어 모크샤를 밀치려 했다. 하지만 모크샤는 요리조리 잘도 피했다. 결국 항복한 것은 나였다.

"알았어, 알았어. 진정했어. 이것 좀 놔줘."

"인드라에 도착하긴 했지만 그래도 마음을 놓으면 안 된다고. 너를 쫓는 이가 아그니의 술탄이라면 인드라 술탄의 인가를 받지 못해도 곳곳에 밀정을 심어두는 일 정도는 할 수 있으니까."

"응……."

여기서도 계속 후드를 쓰고 다녀야 한다는 사실에 나는 시무룩해졌다.

숲속에서 사람을 만나지 않고 돌아다닐 때 장점을 하나 꼽는다면, 후드를 안 써도 된다는 것이었다. 이게 은근히 거추장스럽고 귀찮았다.

그렇게 우리는 인드라에 도착하기는 했지만, 모크샤의 말대로 혹시 모르는 일인지라 인드라와 아그니 국경에 있는 마을은 그냥 지나쳤다.

인드라에 도착해서도 계속되는 노숙이 불만이었지만, 만전에 조심을 기하여 나쁠 것은 없었다.

다음 마을에 도착하고 나서야 우리는 드디어 간만의 문명을 만끽할 수 있었다.

인드라는 확실히 아그니와는 달랐다.

아그니는 모랫빛 건물들로 꽉 짜인 계획도시 같은 느낌이 강했다면, 아그니는 자유롭게 쌓아 올린 듯 불규칙한 조화가 있었다. 그리고 결정적으로, 길 바로 옆에 흐르는 수도와 그 위로 올려진 다리들이 신기한 느낌이었다.

"와, 여기는 되게 수로가 잘되어 있네."

수도에는 작은 돛단배들이 오가고 있었다. 과일을 그득 실은 배는 인도를 오가는 사람들에게 호객행위를 하고 있었고, 다른 배에서는 건너까지 가는 데 동전이 몇 푼이니 하는 이야기를 나누고 있었다.

물가 바로 옆이라서 그런지 물비린내가 코를 찌르고 꿉꿉한 습기가 스며들었지만, 그 나름대로 신선한 맛이 있었다.

"인드라는 물이 많아. 제일 양질의 물을 얻을 수 있는 곳이 인드라지. 그래서 인드라 사람들이 주신에게 올리는 술을 빚는 걸 허락받게 된 거야."

들은 적 있던 이야기였다.

인드라에 있는 신군에 집중하느라 별생각을 못 했는데, 생각해보니 인드라는 주신제 때 신주를 바치는 역할을 했었다. 나는 반사적으로 되물었다.

"신주?"

"그래. 마셔봤어?"

"아니."

"너라면 마실 수 있을 텐데."

"왜?"

"술은 오로지 신만이 즐길 수 있는 음료거든. 인간은 마시면 정신을 놓아버리니까."

모크샤는 안타깝다는 듯 덧붙였다. 신주뿐만이 아니라 술 자체를 마셔본 적이 없는 것 같았다. 생각해보면 이곳 사람들은 물담배를 피우거나 커피 같은 차를 마시기는 해도, 술을 마시는 걸 본 적은 없었다.

"그러고 보니 여기선 술을 안 마시네."

"인간에게 허락된 음료가 아니니까. 신성모독죄라고. 신주를 담당하는 사제들도 혀를 한끝 대보는 것밖에 할 수 없어. 오로지 인드라의 술탄만이 신주를 마시는 걸 허락받았지."

그게 뭐야. 나는 얼굴을 찌푸렸다.

마치 디오니소스가 나타나기 전까지 넥타르를 독점하던 그리스 로마의 신들 같았다.

"아그니의 술탄이 주신의 목소리를 들을 수 있고, 바르나의 술탄이 신어를 읽을 수 있는 것처럼, 인드라 술탄은 유일하게 신주를 마시고도 홀리지 않는 인간이지."

모크샤는 어깨를 으쓱였다. 유난히 신주에 관한 이야기가 되니 말이 길어졌다.

평소 이렇게까지 주절주절 설명하는 타입이 아닌데. 나는 모크샤를 빤히 바라보았다. 모크샤의 붉은 눈동자가 몽롱하게 빛났다.

"신주가 어떤 맛인지 궁금해?"

"어린 시절부터 신주에 대한 환상을 듣고 자랐으니 당연히 궁금하기야 하지. 내가 절대 마실 수 없으니까 그러려니 하고 넘기는 거고. 어차피 내가 신주를 마실 기회조차 오지 않을 테니까."

인드라의 사람들이라면 누구나 신군이 되기를 갈망하며, 신주를 선망한다.

신주를 담당하는 사제가 인드라에서 최고의 명예직인 동시에 고위직인 것 또한 그 때문이었다. 이야기로 들었을 때는 그러려니 했는데, 실제로 호불호를 강하게 드러내지 않는 모크샤가 이런 반응을 보이니 확실히 느낄 수 있었다.

그때, 저쪽에서 사내들이 투닥거리며 주먹다짐을 했다. 행색을 보아하니 용병들 같았다. 네가 빚을 떼먹니 갚았니 뭐니 한참 소란스러웠다.

"그만 싸워, 이것들아!"

옆에 있던 사내가 그대로 물가에서 양동이째 물을 퍼서 용병들에게 쏟아부었다. 용병들은 쫄딱 젖은 채, 저희에게 물을 부은 사내를 노려보았다.

그러고는 이제 셋이서 싸우기 시작했다. 싸움의 이유에 영업 방해가 추가되었다.

확실히 아그니에 비하면 거친 사내들이 많았다. 허리춤에 칼을 꽂고 다니는 이들의 비율도 훨씬 높아 보였다.

"용병도 많네."

"용병의 나라니까."

모크샤는 쾌활히 말하며 발을 옮겼다. 소란스레 싸우는 세 사람 옆을 지나가며, 혹시라도 부딪힐까 싶었던 나는 모크샤의 등에 착 달라붙어 지나갔다. 거의 모크샤의 등에 업힐 정도였다.

마을 구경을 더 하고 싶었지만 몇 주간의 노숙으로 지쳐 있던 우리는 바로 숙소를 잡았다. 뜨거운 물에 몸을 녹이고, 싸구려나마 머리에 향유를 바를 수 있었다. 찬물로 헹구기만 해서 부스스해진 머릿결이 한결 매끄러워졌다.

언제나 질겅이며 씹던 마른 육포 대신 오동통한 육질의 칠면조 고기를 뜯으니 입이 호화로웠다. 눈물을 글썽일 정도였다. 모크샤와 나는 엄청 먹어대었다. 모크샤가 많이 먹는 편이기는 했지만, 그걸 감안하고도 많이 먹었다. 점원이 놀랄 정도로 먹었다.

간만에 몸을 누인 침대는 푹신했고, 끌어안은 모크샤에게서는 좋은 냄새가 났다. 모크샤랑 이렇게 붙어 잔 것도 정말 오랜만이었다. 지금 이 순간만큼은 정말 평화롭고 행복했다.

다음 날 우리는 수도로 향하기 위한 배를 알아보았다. 배를 타기만 하면 수도까지는 일주일. 그걸 제외하더라도 배 여행이 궁금하기도 했다. 두근거리는 마음을 품고 나는 선착장으로 향했다.

모크샤는 평소 차별과 경멸의 시선에도 불구하고 얼굴을 훤히 드러낸 채 꿋꿋이 제 갈 길을 가는 편이었는데, 오늘은 웬일인지 후드를 뒤집어썼다.

그리고 나는 그 이유를 곧 알 수 있게 되었다.

"거, 수배자도 아니면 후드라도 벗어보시오."

"……."

뱃사공이 우리를 수상쩍은 눈으로 훑으며 말했다. 어디까지 자마드의 수배령이 퍼져 있는지 모르는 만큼, 내가 후드를 벗을 수는 없는 상황이있다.

모크샤는 혀를 찼다. 그러고는 후드를 벗었다.

모크샤의 붉은 눈동자가 드러나기가 무섭게 뱃사공은 히이익 놀라며 뒷걸음질 쳤다.

"저주받은 자를 태웠다가 배가 뒤집히기라도 하면 어쩌려고? 나는 그 짓 못 하오. 다른 배를 알아보시오."

그러며 손을 내젓고는, 부리나케 달아났다. 지금껏 모크샤를 만난 사람들이 보였던 반응에 비해 유난히 과장스러운 구석이 있었다. 마치 공포에 질린 사람 같았다. 모크샤는 이럴 줄 알았다는 듯 혀를 찼다. 차별에 대한 화를 내는 것도 아니고, 그저 곤혹스러운 태도였다.

"이럴까 봐 후드를 쓰고 온 건데."

"엄청 까탈스러운데."

나는 눈치를 보며 말을 받았다. 어지간해서 모크샤는 차별당하는 것에 대해 자기감정을 잘 내리누르는 편이었다. 애초에 차별당할 걸 짐작하고 마음의 준비를 하는 사람 같았다.

"뱃사람은 특히 저주받은 자를 기피하지. 위험한 직업이니까."

"뱃사람들은 이신(異神)을 모신다고 들었는데."

"배의 길을 밝혀주는 건 이신. 항해에서 목숨을 잡아주는 건 주신이니까."

모크샤는 어쩔 수 없다는 듯 고개를 내저었다. 그리고는 다른 배를 찾아보기 위해 발걸음을 옮겼다.

하지만 배를 타는 건 쉬운 일이 아니었다.

마을에 들어서는 것보다도 더 힘들었다. 마을에 들어설 때는 신분 패만 확인하면 되었지만, 이쪽에서는 신분 패를 확인하고 추가로 신원을 확인하기를 바랐다. 그러고는 모크샤가 저주받은 자라는 걸 알기가 무섭게 고개를 돌렸다.

몇 번을 퇴짜를 맞았다. 네 번째로 도착한 배의 주인이 다 같이 죽자는 생각이냐며 모크샤를 향해 삿대질했다. 모크샤의 위로 쏟아지는 온갖 날 선 말들에 참다못한 내가 대뜸 말했다.

"얼마면 되는데?"

"뭐요?"

"얼마면 태워줄 거냐고. 금전 10이든 20이든, 추가금은 충분히 지불하겠어."

배를 사서라도 가고야 말겠다. 그 순간만큼은 그런 생각이 들었다. 효율과 비효율의 문제가 아니라, 이건 자존심의 문제였다. 한번 퇴짜 맞을 때마다 모크샤의 마음 한쪽이 너덜너덜해지고 있는데, 까짓 돈으로 해결할 수 있는 일이라면 하고 싶었다. 마음만 같아서라면 내가 카마니, 나를 태우면 플러스 마이너스 제로 아니겠느냐 외치고 싶었다. 나는 입술을 질끈 깨물었다.

하지만 뱃사공은 고개를 내저었다.

"거, 됐소. 얼마를 줄 생각인지는 모르겠지만, 그 때문에 죽고 싶지는 않소. 이 일은 충분히 위험하고, 난 더한 위험을 짊어질 생각은 없소."

단호한 말에 우리는 뒤돌아설 수밖에 없었다. 나는 씩씩거렸다. 미신의 노예들.

이가 바득바득 갈렸다. 그렇게라도 안 하면 억울해서 눈물이 날 것 같았다. 정작 차별당한 모크샤는 당연하다는 듯, 애초에 이럴 걸 짐작했다는 듯 멀뚱히 서 있을 뿐이었다. 그러니 내가 더 분이 터졌다.

모크샤는 씩씩거리는 나에게 미안한 듯 덧붙였다.

"미안하군. 나 때문에."

왜 모크샤가 미안해하는지 이유를 알 수 없었다.

모크샤가 저주받은 자라서 수로로 가지 못하는 게 아니었다. 저들이 차별적인 인간이라 수로로 가지 못하는 것이었다. 저들이 저렇다면 굳이 배를 타고 가는 걸 고집할 필요도 없었다.

"미안하긴 뭘. 네 덕분에 인드라까지 온 건데. 그냥 육로로 가자. 어차피 한두 주 차이는 별거 아니니까."

나는 그리 말하며 어깨를 으쓱였다.

생각해보니 배 여행 따위, 별거 아닌 것 같았다. 잠시 들떴을 뿐이다.

육로로 가는 여행도 충분히 즐길 만하다. 나는 그렇게 자기 합리화를 했다.

⁂

육로를 택하고 나니 다른 고민이 불쑥 떠올랐다. 인드라에 도착하고 나서 잠시 묻어둔, 모크샤와의 계약 연장 및 수도에 도착하고 난 뒤의 행로에 관한 문제였다.

마을을 하나하나 지나, 수도에 다다를수록 나는 열심히 머리를 굴려보았다.

나무를 숨기려면 숲에 숨겨야 한다고, 역시 사람이 많은 수도에 정착하는 것이 옳나.

하지만 내 특성을 생각하면 사람들과 최대한 마주치지 않을 시골로 들어가는 게 옳았다. 그렇지만 시골이라 해서 내가 완전히 자유로워질 수 있을까?

장점을 생각하면 단점이 생각나고, 단점을 생각해서 다른 선택지를 고르면 또 그것의 단점이 떠올랐다. 마치 감자처럼, 단점이 덩굴째 줄줄이 딸려 나왔다.

머릿속에는 좁히지 못한 선택지가 수두룩이 늘어났다.

하지만 모크샤는 아무렇지도 않은지, 평소와 다를 바 없이 덤덤했다.

우리의 작별에 대해 별다른 생각이 없는 것 같았다. 그래도 제법 친해졌는데 저렇게까지 아무렇지 않을 수가 있나?

그러니 더 긴가민가했다. 우리가 수도에 가면 헤어지는 게 맞나? 아니면 내가 하도 계약 연장을 외쳐대니 자연스레 모크샤도 그렇게 알고 있는 건가? 하지만 선뜻 물어볼 용기는 나지 않았다.

결국 수도에 도착하기까지, 나오는 정확한 답은 없었다.

"자, 수도."

우리는 그렇게 인드라의 수도, 파베리티에 도착했다. 파베리티에 들어서고 나서, 모크샤가 나를 돌아보며 말했다.

"우리 계약은 여기까지다."

"……."

모크샤의 말이 끝나기가 무섭게 심장이 쿵 떨어졌다. 나는 뭐라 할 말을 잊고 애꿎은 옷자락만 쥐었다 놓기를 반복했다. 차게 식은 손끝은 옷에 몇 번을 문질러도 그대로였다.

나는 조심스레 모크샤의 눈치를 보았다. 갑이되 갑이 되지 못한 이의 서러움이 팍팍 밀려왔다. 사실 아직도 이게 모크샤와 나의 끝이라고는 믿어지지 가 않았다.

"저기, 모크샤. 그, 계약 연장……."

“수도에도 도착했겠다, 여기서 계약 연장해서 뭘 어떻게 하려고.”

“…….”

“그러고 보니 너 계속해서 나한테 평생고용이니 뭐니 했었지. 그렇게 고용해서 뭘 시킬 건데?”

모크샤가 딱 끊었다. 머릿속에서 생각했던 건 많은데 무엇 하나 논리정연하게 흘러나오는 게 없었다.

모크샤와 헤어지고 난 뒤의 일정을 그려보았다. 당장 여관 예약부터가 막막했다. 첫 마을에서 용병소에 다짜고짜 쳐들어갔던 용기 있던 나는 어디로 갔는지, 이곳 전부가 낯설고 두렵기 그지없었다. 모크샤와 함께하면서 계속 그의 도움을 받다 보니 그에 적응된 모양이었다.

그렇다 해서 고작 타인과의 접촉을 대신해줄 사람을 찾는다 말하자니 모크샤의 자존심을 상하게 할 것 같았다. 안 그래도 그에 쐐기를 박듯, 모크샤가 인상을 쓰며 읊조렸다.

“그냥 동정 때문에 날 데리고 있으려는 거면 사양이야.”

나는 아무런 대꾸도 하지 못했다. 동정심이 아니었다. 이기심이었다. 하지만 그것을 내 입으로 직접 내뱉기에는 용기가 없었다.

하지만 되레 모크샤의 얼굴이 일그러졌다. 알 수 없는 비참함이 그의 얼굴에 언뜻 스쳤다.

어째서? 지금 상황에서 울고 싶은 건 나라고. 나는 억울한 심정을 억누른 채, 모크샤를 잡기 위해 떠오르는 대로 다급하게 덧붙였다.

"호, 호위! 호위로 고용할게."

"그러니까……."

"잠깐. 거기, 후드 쓴 사람. 수상쩍어서 그런데, 후드 좀 벗어 보지?"

그때 우리를 잡아채는 목소리가 들렸다. 껄렁껄렁한 차림새와 태도를 보아하니 용병들이었다. 그들은 어디서 나타났는지 우리를 우르르 에워쌌다.

나는 엎친 데 겹친 격, 좋지 않은 상황에 연이은 돌발 상황에 짜증이 났다.

나는 기분 나쁜 기색을 그대로 풀풀 풍기며 물었다.

"……왜 그러는데?"

"우리가 찾는 사람이 있는데, 아무리 봐도 너 같아서 말이야."

용병 중 한 사람이 앞서 나서며 말했다. 칼등으로 어깨를 툭툭 치면서 위협하는 것이, 좋은 말로 할 때 따라오라는 뜻 같았다.

누가 순순히 따라갈 줄 알고. 나는 이를 악물고 칼자루를 향해 조심스레 손을 뻗었다. 저들이 찾는 것이 정말 나일지, 아니면 다른 사람을 쫓고 있는데 나로 착각한 것인지 알 수는 없었다.

하지만 중요한 건 여기서 빠져나가야 한다는 것이었다. 나는 좀 더 상황을 살피며 물었다.

"찾는 사람이 누군데?"

"거꺼정 알 필요 없고. 최대한 곱게 모시라 했으니 곱게 모시려고 합니다. 최대한 말입죠."

다른 용병이 나서며 말했다. 곱게 모시라 했다라. 나는 본능적으로 저들이 찾는 것이 내가 맞다는 걸 깨달았다. 용병들이 이렇게 산처럼 모여서 곱게 모셔 가야 할 정체불명의 사람. 그런 사람이 둘이기는 쉽지 않을 터였다.

그러고 보니 아그니의 용병소에 들렀을 때의 일이 퍼뜩 생각났다.

—돈이 있어도 지금 사람이 없다니까? 안 그래도 바쁜 철인데, 남은 사람까지 술탄께서 득득 긁어서 고용해 갔다고.

—술탄이? 왜?

—사람을 찾는다나…….

용병을 어디에 풀었나 했더니, 인드라와 바르나에 풀어둔 모양이었다.

아그니와 인드라, 바르나 세 나라는 주신을 모신다는 명목 아래 수교하고는 있지만 군대를 주둔시키는 건 또 다른 문제였다. 내 행방불명을 비밀로 하는 한 아그니군이 인드라나 바르나 내에 체류할 명목을 찾는 건 쉽지 않은 문제였다.

설령 그들에게 내 실종을 알리고 협력을 구해도 인드라와 바르나에서 군의 체류를 허락해줄 확률은 낮을 것이다. 그렇게 손발이 맞는 긴밀한 관계는 아니니까. 나는 세 술탄 사이에 흐르던 미묘한 기류를 떠올렸다.

그렇기에 용병을 고용했을 테지. 용병은 군대가 아닌 만큼, 그들이 주둔한다 하여 다른 나라의 술탄이 대놓고 무어라 할 수 없을 테니까. 나는 혀를 찼다.

인드라는 용병의 나라. 용병의 수로 따지면 세 나라 중 으뜸이었다. 이 나라에는 자마드의 포고령이 내리지 않았을 거로 생각하고 안도했더니, 이런 식으로 뒤통수를 칠 줄이야. 앞길이 막막하다 못해 끔찍했다.

내가 아무 말도 하지 못하고 머뭇거리자, 용병들이 발을 좁혔다. 나는 이곳에서 어떻게 빠져나가야 할지 타이밍을 보았다. 아직도 나는 모크샤의 실력이 어느 정도 되는지 알지 못했다. 모크샤는 싸움을 피하고 자기가 무시당하는 걸 택하는 사람이었다.

여차하면 내가 모크샤를 지켜야 할지도 모른다. 그렇다면 선수 필승.

적의 허점을 찌르고 도망가자. 나는 그리 생각하며 단숨에 칼을 뽑아 들어 앞에 있는 용병을 향해 휘둘렀다.

"크아아아악!"

하지만 내 검이 용병에게 닿기도 전에 내가 목표로 했던 용병이 스러졌다.

무너져 가는 용병의 육신을 짓밟고 뛰어오르는 검은 그림자가 내 시야를 잠식했다. 허공에서는 검은 매처럼 목표를 향해 발톱을 드러내었고, 땅에서는 검은 표범처럼 적들의 목덜미를 취했다. 맹수같이 날쌔고 날카로우며, 규칙 없고 본능적인 움직임이었다.

나는 빼 든 칼을 그대로 멈춘 채 입을 벌리고 모크샤가 일기당천 찍는 걸 멍하니 바라보았다. 모크샤는 강했다. 수십의 용병을 상대로 하나 움츠러들지 않았고, 되레 그들을 압도할 정도였다.

“저, 저주받은 자!”

“젠장…… 역귀 같은 놈!”

“저놈이 얽혀 있다는 이야기는 없었잖아!”

모크샤를 알아본 용병들이 욕설을 내뱉었다. 모크샤의 간격 내에 있는 이들은 신음을 흘리며 바닥을 뒹굴고 있었고, 멀쩡한 이들은 차마 다가서지 못하고 주춤주춤 뒷걸음질 쳤다. 모크샤는 그들을 향해 칼끝을 겨누고 견제한 채로, 나에게 가깝도록 물러섰다. 그러고는 용병들과 한참을 눈싸움하더니, 갑자기 냅다 내 팔목을 휘어잡고는 달음박질치기 시작했다.

“뛰어!”

"어, 어어!"

나는 얼결에 모크샤에게 한쪽 팔을 잡힌 채 열심히 달렸다. 이별의 갈등 와중 쫓기는 상황에 부닥치고, 그 뒤 손을 잡고 골목길로 뛰어 도망치다니. 어지간한 로맨스 코미디가 따로 없었다.

심장이 쿵쿵쿵 뛰었다.

알지 못했던 모크샤의 숨겨진 일면을 발견했다는 것에 설레기도 했지만, 동시에 어떻게 해야 모크샤를 잡을 수 있을지에 대한 고민이 머리를 잡고 흔들었다.

모크샤 덕분에 수월하게 빠져나왔지만, 그가 이렇게 강한 무인이라는 게 마냥 반겨지지가 않았다. 이 정도 실력이라면 모크샤가 저주받은 자라 할지라도 괜찮은 의뢰를 많이 받을 것이다. 그러면 더더욱 그가 나와 함께할 이유가 없었다.

나는 내 팔을 잡아당기는 모크샤의 단단한 손을 바라보았다.

저 손이 내 팔을 놓는 순간. 그 순간이 헤어질 찰나이리라. 가슴이 아렸다.

나는 정말, 이대로 모크샤와 헤어지고 싶지 않았다.

>

간신히 용병 무리를 따돌린 모크샤와 나는 후미진 골목에서 헉헉 숨을 몰아쉬었다. 이렇게 될 줄은 생각도 못 했던지라 머리가 새하얗게 변했다. 너무 뛴 탓에 뇌에 산소가 부족한지 머리가 어질어질했다. 뭐라 말을 하고 싶어도 턱 끝까지 차오른 숨 때문에 바람 빠지는 소리밖에 나지 않았다. 폐는 쪼글쪼글, 바짝 마른 것처럼 산소를 갈구했다. 모크샤는 턱에 송골 맺힌 땀을 손등으로 훔쳐내며 중얼거렸다.

"정말 어지간히도 단단히 찍힌 모양이로군. 술탄 나리에게."

"젠장."

나는 골목 밖을 흘겨보았다. 이 도시에 카마가 있다는 정보가 일파만파로 퍼진 듯, 곳곳에서 웅성거리는 소리가 점점 커졌다. 인드라가 용병의 나라라더니, 정말 지천으로 깔린 게 용병이었다. 그것도 날 찾으려는 용병들.

자마드가 얼마나 돈이 많은지는 몰라도 기가 찼다.

저걸 다 고용했단 말이야? 나는 나름 그래도 자마드가 선물해준 옷에서 뜯어낸 보석을 도피자금으로 쓰는 것에 죄책감을 가졌는데. 쥐가 고양이 생각해주는 꼴이었다. 죄책감이 순식간에 사그라졌다.

아무리 반신의 육체와 함께 예니체리에게 사사한 무술 실력을 갖추고 있는 나라 해도, 무장한 베테랑 용병들을 몇이나 제칠 수는 없는 노릇이었다. 모크샤가 아니었다면 꼼짝없이 잡혔겠지. 그러고는 포승줄에 묶인 채 아그니의 수도, 아리귤라까지 질질 끌려갔을 것이다.

나는 처음 본 모크샤의 검술 실력을 회상하며 혀를 내둘렀다. 그래도 몇 달간 몸을 부대끼며 여행해온 사이였는데, 용병 일에 뼈가 굵다고는 생각했지만 저런 실력자인 줄은 꿈에도 몰랐다. 나는 목소리를 한껏 낮춘 채 감탄의 비명을 질렀다.

"그나저나 너 뭐야. 완전 사기야!"

"사기는 뭐가 사기야."

모크샤는 고개를 홱 돌리고 툴툴거렸다. 터번 밑 귀 끝이 벌건 것이, 아무래도 칭찬받는 게 부끄러운 것 같았다. 하지만 정말 감탄밖에 나오지 않았다. 락시타와 비슷한가, 아니면 좀 더 강한가. 하여간 모크샤는 내가 봤던 사람 중 제일 강한 것 같았다.

지금껏 이런 실력을 숨기다니, 애초에 알았으면 무술 훈련 좀 시켜달라고 하는 건데. 모크샤라면 날 건드려도 상관없으니까 막대기에 의지한 지도가 아닌, 제대로 된 지도를 해줄 수 있었을 것이다. 뒤늦은 아쉬움이 혀끝에 감돌았다. 다행히 하나 남은 이성이 아쉬움을 입 밖으로 토로하지 않도록 잡아주었다. 지금 와서 그런 이야기를 해보았자 뒷북이요, 후회밖에 남지 않는다. 질척질척, 미련 넘쳐 보이잖아. 나는 긍정적인 감탄만 남긴 채, 남은 감정의 찌꺼기는 꾹꾹 속으로 내리눌렀다.

"엄청 세잖아. 왜 비밀로 한 거야?"

모크샤는 거듭되는 칭찬에 여전히 고개를 돌린 채, 중얼거리듯 대꾸했다.

"참 나, 비밀은 무슨. 실력 발휘할 일이 없던 게 다행이지. 그리고 호위로 고용한 놈이 세면 좋지, 사기는 무슨 사기."

"뭐?"

입이 떡 벌어졌다. 나는 내가 제대로 들은 것이 맞나 다시 한 번 되짚어보았다. 분명 고용했던 놈이 아니라, 고용한 놈이라고 했다. 사소한 단어 하나에 내 가슴이 쿵쾅쿵쾅 뛰었다. 내가 생각하고 있는 게 맞는 거지? 내가 확대해석하는 거 아니지?

아까는 숨이 차 토할 것 같았다면 지금은 너무 기뻐서 토할 것 같았다. 나는 고개를 돌리고 있던 모크샤의 팔을 덥석 잡아 내 쪽으로 그를 휙 돌렸다. 그의 얼굴을 보고, 제대로 다시 확신을 받고 싶었다. 모크샤의 팔 근육이 천 너머로 손바닥을 가득 메웠다. 표정 관리를 할 여유도 없었다.

내 얼굴은 기대로 범벅일 게 분명했다. 나는 덜덜 떨리는 목소리로 모크샤에게 물었다.

"너, 너너, 호위해주는 거야?"

"호위가 필요한 이유를 알았으니까."

모크샤는 피식 웃으며 여상히 대꾸했다. 지금껏 계속 내가 호위호위, 계약 연장을 외쳤던 이유가 뭐라고 생각했는지. 나는 바락 소리를 질렀다.

"진즉 필요했다고!"

내가 외치기 무섭게 모크샤가 손으로 내 입을 틀어막았다. 그제야 나는 흥분한 나머지 너무 크게 외쳤다는 걸 깨달았다. 나는 조심하겠다는 뜻으로 고개를 작게 끄덕였다. 모크샤의 손이 서서히 떨어져 나갔다. 모크샤는 조심성 없는 내 행동에 한숨을 지으며 말을 이었다.

"솔직히 지금까지 여행에서 첫 마을을 제외하고 호위가 필요할 만한 일이 없었잖아. 아그니 국경에서야 아그니 술탄의 범위 내니까 까다로웠던 거였고, 인드라랑 바르나에서는 나랑 같이 다니는 게 되레 더 독이니까. 실제로 수로를 이용하지 못하기도 했고. 굳이 호위라고 있어봐야 네 발목만 잡을 뿐이었거든. 하지만 아그니 술탄이 용병을 고용했다면 이야기가 달라지지."

나는 그제야 모크샤가 내 제안을 거절했던 이유를 알게 되었다. 하지만 여전히 이해는 가지 않았다. 동정이든 뭐든, 고용주인 내가 상관없고 내가 좋다는데. 용병은 그냥 고용하면 일해주는 거 아닌가? 무슨 신념이라도 있나? 나 홀로 파악하기에 모크샤는 너무 어려웠다. 그리고 복잡했다. 생각보다 섬세한 남자였다. 하지만 그래도 싫지 않았다.

모크샤는 나를 빤히 내려다보았다. 골목길에 구름이 드리우니 순간 그늘이 졌다. 모크샤의 얼굴 위로 어둠이 내리 앉으니, 그의 붉은 눈동자가 유독 선명하게 내 시선을 옭아맸다. 그의 눈에 일렁이는 붉은빛은 석양의 아련함도, 불꽃의 격렬함도 품고 있었다. 무의식중에 내 손이 움찔댔다. 그의 얼굴을 부여잡고 키스하고 싶은 충동이 나를 부채질했다.

그걸 깨닫기가 무섭게 내 마음속 어딘가가 사늘하게 식었다. 심장이 바닥에 패대기쳐지듯 쿵, 거세게 뛰더니 그 뒤로 딱딱하게 굳은 것처럼 몸을 움직일 수가 없었다.

그 순간 내 머릿속에 든 생각은 「이렇게 될 줄 알았다.」였다.

솔직히 내가 모크샤를 좋아하게 되지 않는 게 더 이상한 상황이었다. 언제나 그와 함께하고, 그와 붙어 있고, 변변찮은 대화 상대도 그밖에 없고, 이 세계에서 유일하게 접촉할 수 있는 상대인데, 대화도 잘 통한다. 의지할 만하고, 가끔은 아련 터지기도 하고. 짠내도 나는 게 가슴 한구석을 자극하기도 하고. 몸도 좋고, 생기기도 잘생겼고. 우와, 늘어놓고 보니 지금까지 나, 잘도 의식 안 하고 버텼구나. 나는 다른 의미로 감탄했다.

나는 주먹을 꾹 쥐었다. 그래도 모크샤는 안 돼. 게다가 모크샤는 날 이성으로 좋아하지 않는걸. 내 권능도 통하지 않고. 허무한 짓이야. 모크샤와는 딱 지금의 거리가 좋아. 동반자라든가, 러닝메이트라든가, 계약 관계라든가. 욕심내지 마. 과욕은 지금 가진 것도 망쳐버려.

내가 모크샤에게 집착하는 순간, 지금껏 애써 쌓아온 신뢰와 애정, 모든 노력이 수포로 돌아갈 게 분명했다. 자마드가 고백한 뒤의 나처럼 모크샤는 나를 거부하고 달아날 것이다. 그리 생각하니 끔찍했다.

어차피 나에게 욕망의 대상은 많았다. 비록 내가 바란 상대가 아닐지라도. 나는 모크샤를 굳이 성욕이라는 욕망에 끼워 넣고 싶지 않았다. 그는 카마의 권능이라는 저주에서 벗어난 유일무이한 존재였다. 나에게 있어서 오롯이 「정상적인」 존재. 좋아하면서도 좋아하고 싶지 않다니, 모순적인 감정이었지만 어쩔 수가 없었다. 애초에 내 존재부터가 불합리하고 비합리적인 모순으로 가득 차 있지 아니하던가.

모크샤는 이런 내 심정, 짐작도 못 하겠지. 그리고 나 또한 모크샤가 무슨 생각을 하는지 알 수 없었다. 그게 당연하다. 사람들끼리라면. 간만에 쌍방 통행적인 교류를 하려니 참 힘들었다. 그래도 포기할 수는 없었다. 이게 나에게 남아 있는 유일하게 인간다운 관계였기 때문이다.

모크샤는 물었다.

"넌 내가 필요하지?"

"물론."

나는 모든 갈등과 갈망을 꽁꽁 감춘 채, 밝게 대답했다. 씩 입꼬리를 잡아 올려 웃으며 가식의 가면을 썼다. 모크샤는 피식 웃었다. 그러고는 손을 뻗어 내 터번 위로 후드 두건을 푹 눌러 씌웠다. 얼마나 깊게 눌러 씌운 건지, 코끝까지 후드가 내려오면서 고개가 절로 숙여졌다. 그런 내 머리 위로 모크샤의 가벼운 확답이 떨어졌다.

"계약서 비싸게 후려칠 거야."

"좋아!"

이러니저러니 해도 계약을 하면, 모크샤는 내 곁에 남아줄 것이다. 그게 비록 계약서에 명시된 관계일지언정. 그것만큼은 지금껏 모크샤의 행동패턴으로 보아 확신할 수 있었다.

최대한 계약서 기간을 길게 잡아야지. 아주 남은 인생 전부 걸어두면 좋겠다. 나는 협상가로서의 마음가짐을 가다듬었다. 내 인생에서 일생일대의 계약인 만큼, 신중하고 쪼잔하고 치사해질 수밖에 없었다. 모크샤가 필요하다는 말은 거짓이 아니었다. 그러니 계약이라는 수단으로 그를 옭아매려는 속셈을 품고 있는 것에 대해 양심의 가책 따위는 느껴지지 않았다.

나는 그렇게 자기합리화를 했다.

CHAPTER 11
신군, 가우란

얼마를 처먹은 건지, 아니면 현상금이 내걸린 것처럼 추가 포상금이 있는지, 용병들은 끈질기게 따라붙었다.

우리는 인드라의 수도 파베리티에 도착해서 짐 한번 풀어보지 못한 채 계속 용병들에게 쫓기고 있었다.

모크샤가 파베리티의 지리를 속속들이 알고 있지 않았더라면 잡혀도 진즉 잡혔을 것이다.

나는 모크샤의 뒤를 쫓아 파베리티의 뒷골목을 이곳저곳 누볐다. 어느 마을을 가더라도 대로가 아니라 뒷골목으로 다녀야 한다니, 슬프기 그지없나.

나는 혀를 찼다.

"여기 지리 진짜 잘 안다."

"파베리티에서 의뢰 몇 개 받다 보면 잘 알 수밖에 없거든."

그리 말하기가 무섭게 우리 앞에 용병 하나가 불쑥 튀어나왔다. 깜짝 놀란 내가 뒤로 물러서는 것과 달리, 모크샤는 용병이 우리를 인지하기가 무섭게 그를 단칼에 베어 넘겼다.

붉은 핏줄기가 허공에 흩뿌려지며 모크샤의 검은 옷에 튀었다. 검은 옷에 붉은 피는 티도 나지 않았다.

나는 그제야 왜 모크샤가 검은 옷을 선호하는지 알 것 같았다. 나는 바닥에 쓰러진 용병을 살금살금 피하며 중얼거렸다.

"깜짝이야."

"내 뒤에 바짝 따라와. 골목 사이사이에서 눈치 보고 있는 놈들이 있다고. 엉뚱하게 정신 놓고 있다가 그대로 끌려갈라."

"헉, 정말? 아무것도 없는데?"

모크샤의 말에 나는 화들짝 놀라며 주위를 홱홱 살펴보았다. 하지만 보이는 것은 아무것도 없었다. 모크샤는 혀를 차며 내 팔을 잡아끌었다.

"용병은 심부름꾼도, 호위도, 길잡이도 될 수 있지만 암살자도 될 수 있지. 게다가 인드라에는 암살에만 특화된 용병 가문이 있는데, 아그니 술탄이 그들을 고용했다면 큰일이야. 그들은 일대일로 정정당당히 붙어도 이기기 힘든 실력자들이거든. 그들이 끼어든다면 판도가 완전히 바뀌니까 주의하라고."

모크샤가 엄히 주의시키는 말에 나는 겁에 질려 고개를 끄덕였다. 암살자라니, 생각도 못 한 상대였다. 하지만 그 와중에도 불가능하다고 말하지 않는 모크샤가 굉장히 의지가 되었다.

골목길을 지나갈 때마다 용병들이 밀려왔다.

모크샤가 쓰러트린 수도 꽤 되었는데, 줄어들 기미가 보이지 않았다.

용병들은 정말 개미처럼 바글바글 많았다. 개미소굴에 끌려온 애벌레가 된 심정이었다.

모크샤가 검을 한번 휘두르자 용병 둘이 쓰러졌다. 칼끝의 예리함과 순간적으로 상황을 파악하는 그의 날카로운 결단력은 맹수의 어금니처럼 용병의 생명 줄을 끊어놓았다.

물 흐르듯 유려하며, 바람 불듯 가벼웠다. 사람이 죽기 일보 직전인 상황에서 감탄하는 건 좀 그랬지만, 그래도 진짜 탄성이 절로 나왔다.

"너 진짜 세다."

"어렸을 때부터 검 잡는 거 말고는 해 먹고 살 게 없으니까."

모크샤는 코웃음을 치며 칼에 묻은 피를 허공에 떨쳐내니 후드득, 붉은 피가 모랫바닥에 떨어졌다.

모크샤는 둘이든 셋이든 쉽게 상대했다. 사방에서 둘러싼 검을 어찌도 그리 잘 막아내는지, 미꾸라지가 따로 없었다. 나는 한둘 막아내기도 정신없을 거 같은데. 나는 순간 든 궁금증을 참지 못하고 물었다.

"한 번에 몇 명이나 상대할 수 있어? 다섯 명? 열 명?"

"이 정도면 한 스무 명……?"

"스무 명? 끝내준다!"

"……진영을 꾸려서 제대로 덤벼드는 놈들이 아니니까. 각자 고용된 용병이라 차라리 상대하기가 더 쉬워. 조직적으로 움직이는 용병단이었거나 군대였으면 불가능했을 거야."

모크샤는 자신이 실력을 과대 포장한 것 같은 죄악감이 들었는지 변명하듯 덧붙였다. 그러고는 쑥스러워하며 큼큼 헛기침했다. 하지만 아무리 진을 꾸리지 않고 덤벼든다고 해도 우리를 잡으려고 하는 용병 개개인이 내로라하는 실력자라는 건 나도 알 수 있었다. 나는 다시 한 번 존경 어린 눈동자로 모크샤를 보았다.

"저기 있다!"

그때, 저 멀리에서 우리를 향해 손가락질하는 용병이 보였다. 모크샤는 혀를 차며 다른 방향으로 노선을 틀었지만, 그쪽에서도 용병들이 우르르 몰려왔다.

돌아갈까 해도 이미 퇴로는 막힌 채였다.

한 명, 두 명, 세 명. 눈짓으로 용병 수를 헤아려보았다. 조, 좋아. 아직 스무 명이 되려면 멀었어. 저 정도라면 모크샤가 처리할 수 있을 거야. 그렇게 믿기가 무섭게 용병들이 순식간에 밀려들어 왔다.

스무 명, 서른 명, 계속해서 불어나는 용병들에 나는 입을 떡 벌렸다.

아무리 모크샤라고 해도 이런 상황에서 저들을 전부 상대할 수는 없을 것이다. 당황한 나는 모크샤의 망토 자락을 꼭 쥔 채 모크샤에게 물었다.

"여기서 어디로 도망가야 해?"

모크샤는 상황을 살피듯 날카로운 눈으로 주변을 살폈다. 그의 붉은 눈동자에서 슈퍼맨처럼 레이저 빔이라도 나와서 용병들을 쓸어버리면 얼마나 좋을까, 하는 생각이 순간 머릿속에 치밀었다.

모크샤는 절레절레 고개를 내저었다.

"저거 다 뚫고 가야 해."

"가능해?!"

"해봐야지, 뭐."

모크샤는 혀를 내두르고는 칼을 다잡았다. 나 또한 모크샤에게 가세하기 위해 칼을 빼 들었다.

모크샤는 최대한 자신의 등 뒤에 붙으라며 속삭였다. 말만 들으면 퍽 쉽게 느껴졌다. 하지만 우뚝 서 있는 것도 아니고 미꾸라지처럼 이리저리 슥슥슥 움직이는 모크샤의 뒤에 어떻게 붙는단 말인가.

자신이 없었던 나는 울상을 지었다.

모크샤가 칼을 치켜든 순간, 그때 하늘에서 떨어진 번개가 우리 바로 앞에 내리꽂혔다.

우르릉 쾅! 전조 없이 땅으로 떨어진 번개에 깜짝 놀란 나는 하늘을 올려다보았다.

하늘은 먹구름 없이 푸르디푸를 뿐이었다. 흙먼지가 모락모락 시야를 가렸다.

갑작스러운 상황에 영문을 모르는 나는 칼을 치켜든 채 눈만 깜빡깜빡 떴다.

바로 내 앞에 있던 모크샤는 흙먼지를 노려보며 나직이 중얼거렸다.

“인드라의 신군……!”

모크샤의 얼굴이 딱딱하게 굳었다.

신군이라니. 생각도 못 한 존재의 언급에 당황한 나는 모크샤와 흙먼지를 번갈아 쳐다보았다. 그러고 보니 인드라의 신군이 번개를 다룬다는 이야기를 들었다.

그러니까, 지금 내리친 번개가 신군의 소행이라, 그거지? 신군도 이 상황에 개입한다는 거야? 왜?

나는 어찌할 바를 알지 못하고 사색이 되어 모크샤를 바라보았지만, 모크샤는 굳은 얼굴로 뿌연 흙먼지에 시선을 고정한 채 경계를 풀지 않았다.

우리를 쫓던 용병들 또한 사색이 되어 있었다.

동료가 모크샤의 검에 몇이나 죽어 나가도 변함없던 그들의 얼굴에 공포와 경외심이 깃들었다.

흙먼지가 서서히 사라지면서, 그 안에 우뚝 선 세 사람의 모습이 보였다.

번개가 내리꽂히기 전에는 없었던 이들이었다. 그들은 고개를 들어 나를 바라보았다.

그들과 눈이 마주친 순간, 나는 뻣뻣이 굳어 꿈쩍도 할 수 없었다. 나에게 고정된 그들의 홍채는 모두 황금색이었는데, 번쩍번쩍 빛나는 것이 마치 태양빛이 내리쬐는 것 같아 기묘한 경외와 두려움을 주었다.

신군들은 모크샤와 나를 향해 걸어왔다.

그들은 내 앞을 가로막은 모크샤를 지나, 내 앞에 무릎을 꿇었다. 나는 당황하여 뒷걸음질 쳤지만, 그다지 멀리 가지는 못했다.

신군들은 무릎을 꿇은 채 나를 올려다보며 말했다.

"저희와 함께 가주십시오."

내 얼굴이 딱딱하게 굳었다.

이들은 내가 누군지 알고 있다. 아니, 애초에 내가 목적이었을 것이다. 모크샤라고 해도 이자들에게서 벗어날 수는 없을 것이다. 번개라니. 미친 거 아냐? 주신은 자식이라는 나에게나 저런 능력을 주지, 이런 하등에 쓸데없는 성욕 같은 거나 주고.

번개, 간지 나고 좋잖아. 아니면 발화 능력 같은 거. 그랬으면 다 태워버리고 도망칠 수 있을 텐데.

그렇게 내가 반신으로서 주신의 자식이라는 것에 대한 불합리성에 대해 잔뜩 투덜거리고 있는 동안, 용병들 또한 저들끼리 수군거렸다. 얼마 지나지 않아 용병 중 하나가 용기 있게 나섰다.

"그자는 저희의 목표물입니다! 신군이라고는 하시나 이곳은 용병의 나라, 인드라. 용병의 권리가 술탄에 의해 보호받는다는 사실을 잊으신 건 아니겠지요?"

나는 확신할 수 있었다. 내 목 값이 진짜 장난 아닌가 보다. 당장에라도 도망가고 싶어 덜덜 떠는 다리로도 용케 외치다니, 어지간히도 내 목 값이 탐나는 모양이었다.

"우리는 그저 신군으로서의 명분을 다할 뿐."

세 명의 신군 중 제일 앞에 나선 이가 입을 열었다. 그저 사실만을 전달할 뿐인 고저 없는 그 목소리에서는 상대를 인간으로 생각하지 않는 듯, 감정의 열기가 느껴지지 않았다.

"너희의 권리는 알 바가 아니다."

"그 무슨!"

용병이 바락 반론했다. 하지만 그의 말은 마저 끝을 맺지 못했다. 그가 말하기 무섭게 하늘에서 벼락이 떨어져 내렸기 때문이었다.

아까처럼 땅바닥이 아닌, 용병들의 정수리를 향해 내리꽂히는 번개는 마치 빛의 화살 같았다.

금빛의 화살이 용병들을 꿰뚫기가 무섭게, 용병은 불꽃 위의 기름처럼 파닥파닥 사지를 버둥거리며 튀었다. 괴로운 고통의 비명조차 단말마로 끝날 뿐이었다.

용병들이 처리된 것은 순식간이었다. 단백질 타는 냄새가 역겹게 사방에 진동했다. 피 냄새도 멀쩡히 견뎠지만, 이건 정말 못 견디겠다. 나는 결국 토기를 견디지 못하고 몇 번이나 헛구역질했다.

근처의 용병들은 지금의 일격으로 다 죽은 것 같았다. 다행히도 모크샤는 멀쩡했다. 나는 계속해서 헛구역질하면서도 손을 뻗어 모크샤를 내 근처로 잡아끌었다.

신군들은 아무것도 하지 않은 채, 그저 내 앞에 부복하고 있었다. 도대체 어떤 메커니즘으로 번개를 내리치는 건지 알 수 없었다.

신군 중 제일 앞선 사내가 나를 올려다보며 담담히 입을 열었다.

"저는 신군 가우란이라고 합니다."

아, 그래. 네가 신군 가우란이구나. 그래서 뭐 어쩌라고. 설마 이런 상황에서 내 소개를 바라는 것은 아니겠지. 나는 모크샤의 팔에 꼭 매달린 채, 입을 꾹 다물고 그들을 노려보았다.

내가 조금이라도 모크샤에게서 떨어지면, 저들이 모크샤를 향해 벼락을 내리꽂을 것 같았다.

그들은 내 적대감에도 아랑곳하지 않았다. 내가 이런 반응일 줄 알고 있었다기보다, 내가 무슨 반응이든 그들이 말할 이야기는 변치 않아서 그런 것 같았다. 그들은 카마에 대한 엄중한 예를 갖춰 인사를 건넸다.

"카마를 만나 뵙게 되어 영광입니다."

"그러게, 상황은 진짜 마음에 안 드는데."

나는 한껏 비아냥대며 말했다. 술탄 궁을 떠나고 모크샤를 만나면서 숨겨뒀던 가시 돋친 반항심이 간만에 하늘을 향해 불쑥 고개를 들이밀었다.

"이렇게 강압적으로 모시게 된 것은 죄송합니다."

역시 아니나 다를까. 가우란이라고 자신을 소개한 신군은 아랑곳하지 않고 말을 받았다. 머리를 조아리고는 있지만 수그러진 표정은 석가면이 따로 없을 정도로 딱딱했다. 나는 더 비위가 상했다.

"그래서, 신군이 나에겐 무슨 볼일이야?"

"인드라의 술탄께서 찾으십니다."

놀랍지도 않았다. 이렇게 파베리티에서 난리를 쳐놨는데 술탄이 모르는 게 더 이상했다. 인드라의 술탄. 이름이 뭐였더라. 칼……. 아, 그래. 칼리프.

나는 기억 속에 가물가물하게 묻혀 있던 칼리프의 이름을 떠올려 내고는 자화자찬했다.

주신제 이후 자마드의 행각들이 너무 충격이었던지라, 그전에 있었던 일들은 기억이 잘 나지 않았다. 칼리프의 이름을 기억해낸 것이 신기할 정도였다.

나는 모크샤를 보았다.

모크샤의 표정은 내가 처음 보는 것이었다. 머리끝까지 긴장으로 가득 찬 날 선 태도. 잔뜩 털을 세운 채 경계하는 고양이 같았다.

용병 수십을 눈앞에 두었을 때도 아랑곳하지 않던 모크샤가 이렇게 긴장할 정도의 상대. 그렇다면 내가 저항해보았자겠지. 나는 한숨을 푹 쉬었다.

신군에게서 벗어나는 일이 요원하다 보니, 내가 선택할 수 있는 건 그다지 많지 않았다.

내가 기어들어 갈 곳이 지옥일지, 아니면 천국으로 갈 수 있는 구원의 길일지 확인하기 위해선 우선 들어가 보는 수밖에 답이 없었다.

내 고개가 무겁게 끄덕여졌다. 반갑지 않은 초대에 대한 승낙의 표시였다.

❧

번개처럼 나타났기에 번개처럼 사라질 줄 알았지만, 신군은 정말 상상 외의 길로 앞장섰다. 그들이 향한 곳은 우리가 지금껏 헤매던 골목보다도 더 깊숙하고도 음침한 곳이었다. 모크샤 또한 이 길은 처음인 듯, 그의 붉은 눈동자가 가는 길을 샅샅이 훑었다.

저벅저벅, 나는 성난 발걸음으로 가다가 돌부리에 걸렸다. 내가 몸을 기우뚱하기가 무섭게 주변을 살피던 모크샤가 손을 뻗어 나를 낚아챘다.

"조심 좀 해라!"

모크샤는 이 상황에서도 칠칠치 못하게 넘어지기나 한다며 몇 마디 더 구시렁거렸다.

갑작스러운 소란에 앞서 나가던 신군 가우란과 뒤에서 따라오던 신군들 모두 나를 향해 시선을 집중했다. 가우란의 황금빛 눈동자가 유난히도 빤히 나를 바라보았다.

"되게 구석진 곳으로도 가네."

나는 이 민망한 상황의 화살을 신군들에게 돌렸다. 그래. 내가 주의력이 없는 게 아니라 돌투성이의 길로 가라고 이끄는 신군들의 잘못이다. 입술이 절로 삐죽여졌다.

가우란은 투덜대는 내 말이 지당하다며 고개를 끄덕였다. 그러고는 무척이나 안타깝다는 듯 엄숙히 답했다.

"마음만 같아서는 흰 코끼리에 모시고 술탄 궁의 정문으로 당당히 입성하게 해드리고 싶습니다만……. 카마의 행적을 아그니 술탄이 모르게 하기 위해서는 이런 샛길밖에 방법이 없었습니다. 다른 방법을 찾지 못한 저희의 불찰입니다."

"신군이 그렇게 벼락 내려치면서 사방팔방 광고하면서 등장했는데, 칼리프랑 상관없다는 걸 자마드가 잘도 믿겠다. 당연히 칼리프에게 날 내놓으라고 연락할 텐데."

가우란의 말은 옳았지만, 워낙 보는 눈이 많았다. 내가 인드라로 넘어갔다는 소식은 당연히 자마드에게 넘어갔을 터다. 거기에 돌연 내리친 벼락. 신군이 개입했다는 걸 알게 된 자마드는 당연히 칼리프에게 연락을 취할 것이다. 나는 자마드에게 붙잡힐지도 모른다는 초조함에 손톱 끝을 깨물었다.

설령 칼리프가 자마드에게 협조하지 않을지라도, 그가 나에게 무슨 꿍꿍이를 가졌는지 모르는 이상 마냥 그 상황을 반길 수도 없었다. 심지어 칼리프는 신군을 움직일 수 있었다.

이번에 날 찾기 위해 신군을 동원한 것처럼 그가 만약 신군을 이용하여 날 겁박한다면, 나로서는 아그니의 술탄 궁이 아닌 인드라의 술탄 궁을 무덤으로 삼아야 할지도 몰랐다.

하지만 가우란은 내 걱정이 기우라는 듯, 흔들림 없이 답했다.

"신군이 인드라에서 태어나기는 하나, 저희는 인드라 술탄의 소속이 아닙니다. 저희는 주신의 노예. 주신과 관련된 일이 아니면 나서지 않습니다. 이번은 예외적인 일인 지라 술탄과 저희가 협력을 꾀하고 있습니다마는……."

즉, 주신의 자식인 나를 보호하는 일이기에 협력했을 뿐이지, 술탄과 신군은 서로 독자적인 존재라는 말이었다. 그나마 듣던 중 다행인 소식에 나는 가슴을 쓸어내렸다.

은연중에 저 무시무시한 신군에게 쫓길지도 모른다고 얼마나 걱정했는지 몰랐다.

"아그니 술탄이 카마의 행적을 물어온다면, 인드라 술탄이 최대한 무마하기 위해서라도 카마께서 인드라의 술탄 궁에 입성하시는 걸 비밀로 해야 합니다. 불편하시겠지만 조금만 참아주십시오."

심증은 남길지언정 물증은 물 샐 틈 없이 지워내야 한다는 소리였다.

그곳에 있던 용병들은 죽었고, 내가 신군을 따라갔다는 「증거」는 남지 않았다.

심지어 신군은 인드라 술탄의 소속이 아니니 설사 따라갔다 하더라도 술탄 궁에 갔다는 말은 되지 않는다.

사건 정황이 뻔히 보일지라도 자마드와 칼리프가 술탄과 술탄의 동등한 관계인 이상, 원하는 정보를 얻기 위한 협박이나 불합리한 강요가 불가능했다. 칼리프는 오리발만 내밀면 되는 일이었다.

하지만 내가 인드라의 술탄 궁에 있다는 결정적인 증거가 남는다면 칼리프 또한 언제까지 거짓말할 수는 없겠지. 그제야 상황을 이해한 나는 고개를 끄덕였다.

"그러니까 발뺌할 건덕지라도 있어야 한다 이거네. 근데 내가 인드라 술탄 궁에 들어갔다가 그대로 구금당하기라도 하면? 사실 난 술탄이고 뭐고 잘 못 믿겠거든. 선례가 있다 보니까."

내 얼굴에 의심의 기색이 비쳤다.

솔직히 내가 자마드를 얼마나 믿었고 얼마나 잘해줬는데. 그런 상대에게 뒤통수를 맞다 보니 칼리프의 제안이 마냥 순수하게 보이지가 않았다.

신군들에게는 나를 위하는 척 속살대놓고는, 막상 내가 술탄 궁에 들어서면 손바닥 뒤집듯 태도를 바꿀지 어떻게 아느냔 말이다. 그러다가 모크샤가 어떻게 되기라도 하면.

그렇게 생각하기가 무섭게 락시타와 모카의 일이 떠올랐다. 병사들에게 몸이 헤집어지던 모카의 시체가 모크샤로 변했다.

그 순간 몸에 오한이 들었다. 손끝이 차게 식고, 몸이 제멋대로 부들부들 떨렸다. 얼굴은 허옇게 질렸을 게 분명했다.

세상 모든 것에 대한 불신을 담은 눈길이 억울함과 분노로 피어올랐다.

가우란은 그런 나를 빤히 바라보았다. 아까부터 느낀 건데, 그는 참으로 감정 변화가 드물었다. 내가 무슨 태도를 취하든, 무슨 말을 하든. 흔들림 없이, 그의 아침 햇살 같은 눈빛은 고요하기만 할 뿐이었다.

신군은 모두 저러나. 어딘지 모르게 조금 섬뜩했다.

가우란은 내 앞으로 걸어왔다. 그의 돌발행동에 나는 깜짝 놀랐지만, 첫 만남 때처럼 뒷걸음질을 치거나 하지는 않았다. 가우란은 내 앞에 부복하며 결연히 말했다.

"그럴 일은 없겠지만, 만약에라도 그런 일이 벌어진다면……. 저희 신군. 주신께 맹세코 목숨과 영혼을 걸고 카마를 구해드리겠나이다."

뭐 그리 거창하게 반응할 것까지야, 라고 생각했지만 내 말을 되짚어 생각해보니 가우란이 예민하게 나서는 것도 알 것 같았다.

술탄에게 감금될까 두려워한다는 이야기는, 술탄이 감금하도록 신군이 묵인할 거라는 암시나 다름없었으니까.

안 그래도 다르마인들은 신앙심이 높은 편이었다.

그중에서도 신군은 주신에게 선택받은 존재이다 보니, 일반인들과 비교가 안 될 정도로 주신의 철저한 신도라는 이야기를 들었던 적이 있다.

그런 그들에게 주신의 자식인 내가 신군들의 존재 자체를 배제한 채 「너네 실력을 못 믿겠다.」고 뻗대었으니, 그들로서는 하늘이 무너지는 것이나 마찬가지였을 것이다.

괜히 엎드려 절 받기처럼 그들의 내심을 찔러본 꼴이었다. 나는 내가 한 짓을 깨닫고는 얼굴이 벌게졌다.

그래도 신군의 확답을 받고 나니 마음에 안도가 찾아왔다. 그래. 신군이 술탄의 편이 아니라 내 편이라면, 굳이 칼리프를 두려워할 필요가 없었다.

칼리프를 만나기 전에 가우란에게 몇 가지 당부를 해두면 되겠지.

혹여 왕궁에서 모크샤를 죽이려고 하거든 막아달라거나, 내가 며칠 이상 감금되면 구하러 오라거나. 대책이 생기고 나니 그제야 꽉 막혔던 숨통이 트였다.

나는 모크샤를 흘끔 보았다. 모크샤가 죽는 것만큼은 피해야 했다. 내가 마음을 준 사람이 나 때문에 죽는 것만큼은 더는 사양이었다.

게다가 모크샤는 내가 이 세계에 와서 제일 오래 사귄 사람이고, 나를 사람처럼 살게 해준 사람이었다.

그가 나 때문에 휩쓸려 죽는 건, 생각하기도 싫을 정도로 정말 끔찍했다.

바라본 모크샤의 표정은 여전히 좋지 않았다. 그는 못마땅한 표정으로 가우란을 노려보고 있었다.

우리 편이라는데 뭐가 마음에 안 든 것일까. 나는 고개를 갸웃댔다.

그 순간 모크샤와 눈이 마주쳤다. 모크샤는 나를 물끄러미 보더니 평소 잘 쉬지 않던 한숨을 푹 내쉬었다. 지금 상황이 어지간히도 불안한 모양이다.

당연했다. 술탄에게 쫓기는 카마를 호위하는 것부터가 평범한 계약은 아니었지만, 그래도 끽해야 용병들이나 예니체리나 상대할 줄 알았을 테지.

신군이나 되는 이들이 등장할 거라고는 나도 생각지 못했다.

나도 당황하기는 했지만, 나보다도 더 당황했을 모크샤를 안정시키기 위해 나는 애써 아무렇지도 않은 척 담담하게 농담했다.

"한숨 쉬면 빨리 죽어."

"지금 상황에서 그런 농담이 나오냐?"

모크샤는 어처구니없는 듯 얼굴을 찌푸리며 버럭 반박했다. 모크샤가 큰소리치기가 무섭게 신군이라는 이들의 허연 눈동자가 일제히 모크샤에게 내리꽂혔다. 마치 불경죄라도 저지른 죄인을 보는 듯, 날카롭고도 경멸 어린 표정이었다.

지금 설마 모크샤가 나한테 반박했다고 저러는 건 아니겠지. 당황스럽기도 하고 짜증이 나기도 했다. 안 그래도 나 때문에 고생하고 있는 모크샤다.

저런 취급을 해서 모크샤가 못 해먹겠다, 계약 파기하겠다고 하면 어쩌란 말인가. 나는 괜히 모크샤에게 들러붙으며 살갑게 굴었다.

내가 모크샤랑 얼마나 친한 줄 알면, 저들도 모크샤에게 함부로 못 할 거라는 계산에서였다.

"농담 아닌데. 걱정이거든."

싱글싱글 웃으며 모크샤의 팔에 팔짱을 꼈다. 모크샤의 눈이 가늘어졌다. 얘가 무슨 생각으로 이러나 파악하려 하는 게 분명했다.

신군들도 모크샤에게서 시선을 돌려 나를 보았다. 번쩍번쩍한 금빛 눈동자 세 쌍이 일제히 나를 바라보고 있는 것은 쉽게 적응하기 어려웠다. 그들이 나를 카마라고 여기며 극진히 모시는데도 이렇게 부담스러운데, 아까 적대감 어린 시선을 한 몸으로 받은 모크샤는 얼마나 짜증 나고 귀찮았을까. 정말 모크샤에게는 미안한 것투성이였다.

나는 금방 그들이 시선을 거두고 걸음을 재개할 거로 생각했지만, 그들을 비롯하여 모크샤까지, 나를 빤히 보고 있을 뿐이었다.

민망해진 나는 되레 과장스레 왜들 이러고 있느냐며, 빨리 가자 큰소리를 쳤다. 내가 엉덩이를 걷어찬 상황에서 미적거릴 수 없던 그들은 발을 옮겼다. 신군의 눈동자가 떨어지기가 무섭게 나는 한숨을 푹 내쉬었다.

그러자마자 내 바로 옆에 있던 모크샤가 내 옆구리를 팔꿈치로 푹 찔렀다.

나는 화들짝 놀라며 모크샤를 보았는데, 모크샤는 낯빛 하나 바뀌지 않은 얼굴로 뻔뻔하게 말했다.

"너야말로 한숨 쉬지 마. 빨리 죽는다며."

"난 반신이라 괜찮아."

"말이 되는 소리를 해야지."

그렇게 대꾸하는 모크샤의 목소리가 평소보다 조금 더 크게 느껴졌다.

마치 주변에 있는 신군들 들으라는 듯이. 게다가 착각인지는 모르겠지만, 면박을 주는 말투 밑에는 신군들을 향한 은은한 견제가 깔린 것 같기도 했다.

그런 생각을 한 나는 이내 곧 피식 웃었다. 다른 사람도 아니고 모크샤다.

모크샤는 남들에게 상처받을지언정 그들에게 맞추기 위해 자신을 바꾸지 않는 이였다. 그건 모크샤 나름의 생존 방법이었다.

저주받은 자로서 주변에게 배척당하면서 모크샤는 선택해야 했을 것이다. 휘청휘청 휘어지며 자신을 주변에 맞출 것인가, 빳빳이 굳은 채 자신을 주변으로부터 지킬 것인가.

모크샤가 택한 것은 후자였다. 자신을 유지하기 위해 견고하게 쌓아올리고 닦아 내린 자아는, 쉽게 굽혀지고 바뀌는 성질의 것이 아니다. 그런 모크샤가 고작 신군들 들으라고 답지 않은 짓을 할 리가 없었다.

착각인 게 분명했다.

그렇게 생각하기가 무섭게 모크샤의 손이 내 어깨를 휘감았다. 어깨를 틀어쥔 손이 그대로 나를 모크샤의 가슴팍으로 끌어당겼다. 내가 먼저 모크샤의 팔에 매달리듯 달라붙기는 했지만, 이건 좀 많이 가까웠다.

내 몸을 감싸듯 휘감은 모크샤의 체온이 바로 가까이서 느껴졌다. 이건 절대, 절대, 절대 모크샤답지 않았다. 나는 당황하여 아무 말도 못 한 채 눈만 껌뻑이며 모크샤를 올려다보았지만, 모크샤는 이게 당연하다는 듯 아무렇지도 않아 보였다. 뭐, 뭐지. 아까 모크샤가 머리를 잘못 맞기라도 했나. 그래서 이러나. 나야 좋지만.

내 동공이 미친 듯이 흔들렸다.

내 어깨를 단단히 잡고 있는 모크샤의 손은 쉬이 떨어질 생각을 하지 않았다.

언제나 모크샤에게 달라붙는 건 나였고, 모크샤는 나에게 손을 내밀지언정 이유 없이 먼저 닿아온 적은 없었다. 그러니까 지금 이것도 이유가 있겠지. 무슨 이유인지는 모르겠지만. 하여간 모크샤가 그와 내 사이가 상당히 친밀하게 보이기를 바라는 것 같다는 건 알겠다.

나는 손을 뻗어 모크샤의 허리에 감았다. 둘둘 매인 허리띠 밑에 있을 그의 근육이 손끝에 느껴졌다. 모크샤가 움찔하면서 내 어깨를 틀어쥔 그의 손에 힘이 들어갔다. 하지만 하지 말라고 하거나 손을 떼어내거나 하지는 않았다.

모크샤와 내가 투닥거리는 소리가 시끄러웠는지, 우리보다 앞서 나가던 가우란이 뒤를 흘끔 돌아보았다. 나와 눈이 마주친 그는 여전히 표정을 읽기 어려운 모호한 얼굴이었다. 가우란의 시선이 내 얼굴에서 내 어깨에 올려진 모크샤의 손으로, 그리고 모크샤의 허리를 감고 있는 내 손으로, 마지막으로는 모크샤에게로 향했다.

아무리 눈치 없는 나라고 해도 모크샤와 내가 어떻게 보일지 대충 짐작이 갔다. 얼굴이 다 홧홧했지만, 난 뻔뻔스레 고개를 치켜들었다. 뭐, 끽해야 카마인 내가 모크샤를 능력으로 홀렸다고 생각하겠지.

가우란의 시선은 그리 오래 우리에게 머물지 않았다. 가우란은 휙 돌아서더니 다시 앞장서서 걷기 시작했다.

이 정도면 보여주기용으로 충분했던 것 같은데, 모크샤는 나를 끌어안은 손을 풀지 않았다. 나도 손을 떼라고 말하고 싶지는 않았다. 그렇게 인드라 술탄 궁까지 가는 동안 우리는 떨어지려야 떨어질 수 없는 비극의 연인, 아니 거의 이인삼각 수준으로 착 달라붙어 있었다.

⁂

우리는 인드라 술탄 궁의 쪽문으로 향했다. 배수관 비슷한 곳이었는데, 아그니 술탄 궁에서 빠져나오며 있었던 안 좋은 기억이 스멀스멀 피어올랐다.

나는 아무렇지 않은 척하려고 노력했지만, 모크샤의 허리를 잡은 손에 힘이 들어가는 것까지는 어쩔 수 없었다. 배수관 입구에 도착하자마자 얼굴이 새하얘지는 내 모습에, 가우란은 몇 번이고 고개를 숙이며 사죄했다.

"이런 곳으로 모시게 되어 거듭 죄송합니다."

"별로. 괜찮아."

까탈스러워 보이고 싶지 않았던 나는 아무렇지도 않은 듯 대꾸했지만, 목소리 끝이 약간 떨렸다.

모크샤가 조용히 내 어깨를 두드려주지 않았더라면, 아무 말도 하지 못한 채 딱딱하게 굳어 있었을 것이다. 그나마 다행인 것은, 배수관이 그리 길지 않았다는 것이었다. 하지만 어둡고 축축하며 꽉 틀어막힌 공간에 있다는 사실만으로도 내 몸은 식은땀으로 범벅되었다.

가우란은 우리를 별궁으로 데려갔다. 술탄이 자주 찾지 않는 키오스크인 듯, 변두리에 있지만 한때의 화려함을 간직하고 있었다. 나를 데려오기 위해 정리를 했는지, 내부는 깔끔하게 정리되어 있었다.

아그니 술탄 궁에서 반신 대접만큼은 톡톡히 받았던 나야 이 정도로는 눈 하나 깜짝 안 했지만, 모크샤는 이렇게 화려한 곳은 처음 보는지 약간 위축되어 있는 것 같았다.

"먼저 씻으시겠습니까?"

"아니. 칼리프부터 불러."

"네."

미적미적 시간을 보내는 것 보다, 빨리 속전속결로 처리하고 떠나고 싶었던 단호한 내 말에 가우란은 바로 고개를 끄덕이고는 다른 신군에게 손짓했다.

"그럼 잠시 쉬고 계십시오. 차게 식힌 라씨를 올리도록 할까요?"

"아니. 됐어."

라씨에 뭘 탔을 줄 알고. 라씨에 자마드가 해놓았던 수작질이 떠오르니 인상이 절로 찌푸려졌다. 가우란의 제안을 모조리 거절한 나는 휘적휘적 소파로 향했다. 하지만 모크샤는 방 한가운데서 딱딱하게 서 있을 뿐이었다. 용병들과 혈전을 벌이며 피와 먼지, 땀으로 더러워진 옷 때문에 어딘가 선뜻 앉기 힘든 것 같았다. 방 안에 있는 것은 무엇 하나 허투루 고른 것이 없었다. 한마디로 하나하나 전부 비싸고 귀한 것들이라는 이야기였다. 평소 내가 돈으로 별짓을 해도 이래도 흥, 저래도 흥 하던 모크샤였지만 본격적인 술탄의 돈 지랄의 현장에는 차마 할 말이 없는 모양이었다.

애초에 비루한 여행객을 반쯤 납치하듯 끌고 온 건 저쪽인걸. 더러운 복장 따위 전혀 개의치 않은 나는, 모크샤를 잡아끈 채 성큼 소파로 다가가 털썩 주저앉았다. 등과 엉덩이에 푹신한 쿠션이 닿으니 몸의 근육이 찌르르르 풀리는 것 같았다. 모크샤는 소파에 앉아서도 허리를 뻣뻣이 세운 채 긴장한 기색을 감추지 못했다. 그 모습이 조금 귀여워 보였다.

그리 오래지 않아, 소란스러운 소리와 함께 발걸음 소리가 점점 크게 들렸다. 술탄 궁에서는 모든 이들이 나긋나긋하고 조용하다. 시종들은 물론이거니와, 일국의 장관이나 예니체리들마저도 술탄 궁에 들어서면 발걸음 소리를 죽인다.

지금 우리를 향해 다가오는 이는 그런 술탄 궁에서 발걸음 소리를 죽일 필요가 없는 유일한 사람, 바로 나를 인드라의 술탄 궁으로 초대한 인드라의 술탄, 칼리프였다. 문 너머에서 등장한 칼리프는 나를 발견하기가 무섭게 몸을 바닥으로 낮추었다.

"카마를 뵙습니다."

"어어. 간만이네."

나는 일어나라는 듯 손을 흔들었다. 내 옆에 앉은 탓에 얼떨결에 술탄의 절을 받아버린 탓인지 모크샤의 얼굴 안색이 새하얗게 질려 있었다. 귀엽긴. 모크샤의 저런 색다른 모습을 본 것만으로도 술탄 궁에 온 보람이 느껴졌다.

칼리프는 몸을 일으키더니, 다시 한 번 고개를 숙이며 입에 침을 잔뜩 바른 말을 했다.

"카마를 모시게 되어 영광입니다. 주신제 때만 하더라도 이렇게 일찍 다시 만나 뵐 수 있을 거라고는 생각도 못 했는데요."

"그러게. 나도 그때만 해도 널 이렇게 빨리 보게 될 줄은 몰랐지."

칼리프야 좋은 의도에서 한 말이었지만, 내가 듣기엔 비아냥거림일 뿐이었다. 나는 불퉁한 심기를 감추지 않은 채, 노골적으로 적의를 담아 대답했다.

하지만 거짓말은 아니었다. 주신제 당시만 해도 자마드 편을 들어주는 게 우선이었으니까.

그러니만큼 자마드가 정치적으로나 종교적으로나 안정될 때까지 한 5년 정도는 아그니에 콕 박혀 있을 생각이었다. 그런데 어쩌다 이렇게 되었는지, 사람 운명이라는 건 참 예측할 수가 없다. 나는 가볍게 혀를 찼다.

날 선 내 태도에도 불구하고 칼리프는 씩, 쾌활한 웃음을 지었다. 뭐가 재미있다고 웃는지. 내 표정은 더 딱딱하게 굳었다.

칼리프의 시선이 심드렁한 나를 지나, 내 옆에 뻣뻣이 굳은 채 앉아 있는 모크샤에게 닿았다. 그는 모크샤를 보기가 무섭게 화들짝 놀랐다. 나에게 일행이 있다는 건 신군에게 보고받아 진즉 알고 있었을 텐데. 아주 배우가 따로 없다.

"그러고 보니 이쪽은……?"

말끝을 흐리며 내 눈치를 보는 것이, 나에게 있어 모크샤의 가치를 재보는 것 같았다. 카마인 내가 옆에 꼭 끼고 있으면서 떨어트리려고 하지 않는 남자라니, 엄청 애첩 같은 느낌 아닌가. 자신이 이런 오해를 받고 있다는 것을 알게 되면 모크샤도 기분이 나쁠 것이다. 나는 칼리프가 헛소리하기 전에 딱 잘라 말을 끊었다.

"내 호위."

"흠……."

칼리프의 시선이 가늘어졌다. 칼리프가 별로 듣기 좋은 이야기를 할 것 같지는 않았다.

나는 칼리프가 입을 열기 전에 선수 쳐서 후닥닥 말을 돌렸다.

"나는 네가 신군을 보낼 줄은 몰랐지."

"그냥 예니체리를 보내면 카마께서 경계하실 거로 생각했으니까요."

칼리프는 눈을 내리깔고 웃었다. 내가 말을 일부러 돌린다는 걸 알면서도 넘어가 준다는 표정이 맘에 들지 않았다.

"그랬겠지. 신군을 보내면 내가 도망도 못 가고. 일거양득이었겠네."

나는 피식 웃으며 대꾸했다. 예니체리가 왔다면 그래도 도망치려는 시도는 했을 텐데. 난데없이 벼락과 함께 나타난 신군의 압도적인 무력에 기가 질렸던지라 변변한 저항도 못 하고 그대로 끌려왔다. 칼리프는 호탕하게 껄껄 웃었다.

"하하, 너무 그렇게 아픈 말씀 하지 말아주십시오. 카마께서 절 싫어하시면 마음이 아픕니다."

이내 처량한 척 잘 뻗은 눈썹을 찡그렸다. 예전이었다면 고통스러운 척 가증 떠는 칼리프의 모습을 진심인 줄 알고 깜빡 속았을지도 모르지만, 이미 자마드에게 뒤통수를 거하게 맞아 아주 학을 뗀 뒤였다. 참 나, 호랑이랑 사자들이 갈기 숨기고 아닌 척한다 해서 고양이가 될 리가 있나.

"예전부터 느낀 건데, 술탄들은 참 느물느물, 약한 척 잘하는 거 같아."

"카마께 아프지 않은 주신의 종도 있나이까. 제 말은 언제나 진심입니다, 카마시여."

칼리프는 계속해서 거리를 두는 내 태도에도 아랑곳하지 않고, 도리어 내 발에 입맞춤이라도 할 것처럼 굴었다. 하지만 나는 코웃음 쳤다. 저런 입 발린 소리, 허울 좋은 태도는 자마드 때도 많이 겪은 것들이었다. 칼리프는 자마드보다 말수도 많았고, 더 노골적으로 구는 만큼 내가 파악해내기도 쉬웠다. 물론 대놓고 저리 나와주니 나로서는 별달리 생각 안 하고 벽을 칠 수 있어서 편하긴 했다.

"그나저나, 자마드가 수배령을 내린 게 나인 줄은 어떻게 안 거야?"

"숨기려고 했겠지만, 눈치 빠른 자들은 그 소문만 듣고도 알지요. 금전 5000이 그만저만한 여자에게 붙이기엔 어마무시한 거금 아닙니까. 게다가 사로잡아 오라니, 밖에 나돌아 다닌 여자를? 카마가 아니고선 말도 안 되는 일이죠."

칼리프가 우습다는 듯 답했다. 그의 말을 듣고 보니 나도 고개가 절로 끄덕여졌다. 어지간해서 다들 내가 아그니 술탄 궁을 탈출했다는 걸 다 알고 있겠구만.

우습게도, 그 순간 내 머릿속에 치민 생각은 다름 아닌 자마드에 대한 걱정이었다. 카마라는 명분마저 잃은 그가, 자신의 흔들리는 정통성을 주장하기 위해 어떻게 하고 있을지에 대한 우려가 머릿속에서 슬쩍 고개를 들었다. 애초에 「카마」라는 존재가 아그니에 없었다면 모를까, 주신제도 그렇게 치러놓고 사라졌다는 사실은 자마드의 정통성을 좀먹어 들어가다 못해 예전보다도 못한 상황으로 패대기쳤으리라.

물론, 당사자인 나는 순순히 잡혀줄 생각이 없을뿐더러 기를 쓰고 도망 다니고 있었다. 그런 와중에 그런 걱정을 하다니, 아주 쥐가 고양이 생각해주는 꼴이었다. 왜, 그렇게 걱정되면 목을 늘어트린 채 주둥이에 가서 물려주지, 아주. 나는 순간이라도 그런 걱정을 했던 나 자신이 화가 나고 우스웠다. 나는 나에 대한 분노의 화살을 괜한 칼리프에게 돌렸다.

"그래서, 날 데려와서 어쩔 건데?"

"어쩌다니요. 저로서는 카마께 도움이 되었으면 할 뿐이랍니다. 아그니 술탄처럼 분에 넘치는 바람을 가질 이유도 없고 말입니다."

칼리프는 가벼운 말투로 말했다. 그의 말에서, 나는 칼리프가 아그니 술탄 궁에서 있었던 사실에 대해 거의 전반적인 모든 내용을 파악했다는 걸 깨달았다.

나는 칼리프가 나에게 미련 없는 태도를 보이는 것에 대해, 딱히 거짓말을 한다고는 생각지 않았다. 칼리프는 자마드와 달리 아쉬운 게 없어 보였기 때문이었다. 하지만 굳이 나를 놔줄 필요도 없지. 카드게임에서 패가 다 손에 들어왔다 하더라도,

더 좋은 패가 나올 수도 있는 노릇이니 카드는 받아놓는 게 이득 아니던가?

그럼에도 칼리프가 나를 자유롭게 풀어준 채 전심전력으로 도와주는 건, 순전히 신군의 견제 때문임을 알았다. 신군을 어느 정도 통제하기 위해서라도, 반신인 내가 싫다는 일을 강제할 수는 없었다.

반신이라는 게 마냥 독이 되는 건 아니었지만, 이 모든 일의 원흉이 쓸데없는 내 권능 때문이라는 건 부정할 수 없었다. 그것 때문에 어디 한적한 곳에 가서 정착도 못 하고, 사람 많은 곳에 끼어 살지도 못하고, 일도 제대로 못 하고, 그저 한심할 뿐이었다.

아무리 생각해도 이 권능을 버리는 것이 제일 좋은 선택지였다. 권능을 잃은 반신은 인간이나 다름없다. 신의 은총이 거두어진 존재이기 때문이다. 그렇다면 반신이라는 내 타이틀이 필요한 자마드는 이 미친 짓거리를 그만둘 테고, 나도 좀 미친년이 아니라 정상인처럼 살 수 있을 테고. 완벽했다. 어떻게 하면 권능을 내버릴 수 있는지 방법을 모르는 것만 빼면. 답답한 속에 미간 사이에 주름이 자글자글 졌다.

"물담배라도 피우시겠습니까? 때마침 좋은 기구가 진상되었습니다."

"피워본 적 없어."

내 불편한 심기를 읽은 칼리프가 넌지시 물담배를 제의했다. 하지만 지금 그런 걸 피우고 자시고 할 때가 아니었다. 나는 복잡한 머릿속을 정돈하며 뚱하니 대꾸했다.

"하긴, 아그니에서 피워보셨을 리가 없지요. 자마드 그자는 고지식하기 짝이 없으니까요. 물담배 같은 걸 곁에 두지도 않지요."

칼리프는 킬킬 웃었다. 칼리프의 말대로, 아그니 술탄 궁에서 물담배를 본 적이 없었다. 이곳은 술마저도 금지되어 있었고, 그런 만큼 자마드가 도대체 뭐로 스트레스를 푸는지 알 수가 없었다. 꽉꽉 틀어막힌, 구멍 틈새조차 없는 상자에 자기 자신을 꾸역꾸역 밀어 넣고 있는 자마드의 모습이 눈에 선하게 그려졌다.

"조심하십시오. 고지식한 사람이 휙 돌아버리면, 정말 생각도 못 한 미친 짓을 하니까요. 지금까지의 일은 그저 시작일지도 모릅니다."

"그건 나도 각오하고 있어."

그것만큼은 누구보다도 뼈저리게 알고 있는 게 바로 나일 터였다. 평온한 표정으로 나에게 락시타의 죽음을 읊던 자마드의 모습이, 아무렇지도 않게 모카의 해체를 명하던 그의 모습이 아직도 눈에 선했다.

물론 이 세계가 사람과 사람 사이에 차등이 존재하는 거지 같은 세계라는 건 나도 알고 있다.

술탄으로서 부족함 없이 자라온 자마드는 다른 「일반인」들과 목숨의 무게가 달랐다. 자마드뿐만 아니라 칼리프도, 그리고 바르나의 술탄도 마찬가지였다. 이곳은 신에게 닿아 있는 거리만큼 생명과 영혼의 가치가, 무게가 정해진다. 정말 빌어먹게도 그러했다.

그렇게 더할 나위 없이 고귀한 자마드였지만, 실상은 항시 자신의 위치에 대한 의심과 위협을 계속해서 받고 있었다. 피라미드의 끝과 바닥. 언제든지 동전이 뒤집힐 수 있다는 그 괴리감과 자괴감이 자마드를 곪아 들어가게 했으리라.

그걸 참작하더라도 자마드는 어딘지 모르게 이상했다. 확고하게 만들어진 자신만의 세계관과 아집에서는 기이한 광기마저 느껴졌다. 모크샤도 사람을 죽이고, 칼리프도 사람을 죽일 것이다. 어쩌면 자마드보다도 더 쉽게 죽일지도 몰랐다. 하지만 왜일까. 사람의 목숨을 앗아갔다는 명제만큼은 똑같지만, 그 선행조건이 되는 생명의 무게라는 본질이 다른 것 같은 느낌은.

내가 자마드를 두려워하는 이유는, 그 사실을 본능적으로 눈치챘기 때문일 것이다. 그래서 더욱더 필사적으로 도망치는 걸지도 몰랐다. 아직은 내가 그에게 있어 「무거운」 목숨이지만, 쪼옥 무게를 빨려 나간 뒤에는 어떻게 될지 감도 잡히지 않았으니까.

한숨만 거듭 나왔다. 눈앞이 막막하니 거먼 것이 앞길이 보이지 않았다. 연거푸 한숨을 내쉬는 나에게, 칼리프는 다시 한 번 물담배를 권했다.

"이번 기회에 물담배를 배워보시는 건 어떻겠습니까?"

"됐어."

잠시 고민했지만, 나는 고개를 저었다. 내 정신 챙기기도 바빠 죽겠는데, 물담배니 뭐니 사치스럽고 여유로운 취미까지 즐길 여력이 없었다. 거절당했지만, 칼리프는 포기하지 않고 계속 말을 건넸다.

"그러면 이왕 인드라에 오셨는데, 소마라도 한잔하시고 가시는 건?"

"남의 집에서 취하는 취미는 없어."

그 유명한 신주 맛이 궁금하지 않은 건 아니었다. 안 그래도 저번에 모크샤가 궁금하다고 했던 게 떠오르기도 했다. 간만에 술이 당기기도 했다. 하지만 칼리프를 완전히 믿을 수는 없었다. 그의 심중을 대충 파악하기는 했지만, 술을 마실 정도로 마음을 놓은 건 아니었다.

"참으로 카마께서는 냉정하고도 잔인하십니다. 카마를 성심껏 모시고자 하는 이 추종자의 기슴에 꼭 그리 비수를 꽂으셔야겠습니까?"

제안을 계속해서 거절당한 칼리프는 안타까운 표정을 지었다.

드러나는 과한 실망감이, 마치 내가 못된 짓 한 것처럼 느껴졌다. 다 큰 성인 남자, 그것도 술탄이나 되는 자가 반신이라는 이유로 고작 나 같은 여자에게 절절매고 있었다. 겉으로는 한없이 떠받드는 척하면서, 속으로는 무슨 생각을 하고 있을까. 그들의 속내를 완벽히 파악해내기엔 내 내공이 너무 부족했다. 그러니만큼 내가 먼저 벽을 치는 수밖에. 그건 나 나름대로의 생존 방법이었다.

"씻기나 할래. 파베르티에 와서 내내 뛰어다녀서 찝찝하거든."

내가 말하기가 무섭게 칼리프의 표정이 활짝 피었다. 내내 거절하던 내가 무언가를 요구하니, 틈을 조금 내어준 걸로 착각하고 있는 모양이었다. 칼리프는 고개를 한 번 더 숙이며 말했다.

"이곳의 욕조는 꽤 근사합니다. 씻고 나오시면 한 상 거하게 차리게 시킬 테니, 그마저도 거절하지는 말아주시옵소서."

"그렇게 매정하진 않아."

지쳤는지, 내뱉는 대답의 목소리 끝이 힘없이 늘어졌다. 내 승낙에 칼리프의 얼굴에 화색이 돌았다. 칼리프는 시종들을 불러 욕조 준비를 시킨다 뭐 한다 부산을 떨며 자리에서 일어섰다. 나는 칼리프가 사라지는 모습을 심드렁히 바라보며, 모크샤 쪽으로 몸을 누였다. 모크샤의 딱딱한 어깨에 이마를 기대고 몸을 늘어트리고 있으니, 긴장이 풀리면서 몸이 늘어졌다. 모크샤의 몸에서 바짝 마른 철 내음이 진동했다.

검은 옷에 켜켜이 눌어붙어 있는 타인의 피는 천을 번드르르 보이게 할 정도였다. 나는 무릎 위에 꾹 쥐여 있는 모크샤의 주먹을 향해 손을 뻗었다. 심심했던 나는 모크샤의 손등에 울룩불룩 솟아 있는 힘줄을 손가락으로 꾹꾹 누르며 장난을 쳤다.

손을 장난감처럼 던져준 모크샤는 나를 빤히 바라보았다. 얼굴이 뚫릴 정도로 집요하게 보는 시선이 뜨거웠다. 모크샤의 시선을 견디다 못한 나는 그의 손을 내던지며 물었다.

"아, 왜."

"……너 정말 카마는 카마구나."

멍하니 중얼거리는 모크샤의 말이 어처구니가 없었다. 지금까지 카마라고 몇 번을 말했는데 웬 헛소리람. 나는 눈을 가늘게 떴다.

"카마라니까. 그럼 도대체 지금까지 뭐라고 생각했어?"

"알고 있었는데 쫓기는 거 말고는 실감이 안 나서. 술탄 궁에 오니까 확 느껴지네."

모크샤는 키오스크의 높은 천장을 올려다보며 말했다. 금장식이 조각된 천장에선 번쩍번쩍 빛이 났다. 나는 모크샤가 슬쩍 쿠션의 결을 쓸어내는 걸 보았다. 모크샤의 손끝은 대패질되지 않은 나무 조각처럼 거칠거칠했다. 그는 손끝에 느껴지는 매끄러운 비단의 감촉이 신기한 듯, 계속해서 천을 손끝으로 문질렀다. 그는 나에게만 들릴 정도로 낮게 속삭이며 말했다.

"솔직히 나는 술탄이 날 내쫓을 줄 알았어."

"왜?"

"저주받은 자니까. 재수 없다고. 나를 들였다가 주신의 눈 밖에 나면 큰일이잖아."

피식 웃는 입꼬리에 자조가 걸렸다. 나는 모크샤가 저렇게 웃는 게 싫었다.

우리가 오고 싶어서 온 것도 아니고, 억지로 끌려온 건데 왜 이런 생각을 하는지.

나는 미간을 찌푸리고는 짜증스레 대꾸했다.

"우리가 오고 싶어서 왔나. 걔네가 데려온 거잖아."

"네가 날 데려와서 그런 거지."

모크샤는 그건 아니라는 듯 단호하게 말했다. 그는 어깨를 으쓱였다.

"카마인 네가 날 데려온 게 아니었더라면 발끝도 못 붙였을 걸. 그래도 아무 말도 않고 넘어갈 줄은 몰랐어. 카마의 가호 아래라면, 저주받은 자도 상관없다는 건가."

정확히 말하자면 칼리프가 뭐라 트집을 잡으려고 했지만 내가 입을 틀어막았지. 모크샤가 더 상처받는 것을 원하지 않았던 나는, 그 사실을 거론하지 않는 대신 장난스레 모크샤의 팔에 매달렸다.

"내 유용성을 이제 알겠냐. 그러니까 평생 계약 맺자. 응?"

"그니까, 날 뭐에 쓰려고 평생 계약 같은 걸 제안하냐고. 지금 보니까 널 지킬 신군들도 많고 많은 거 같은데."

툴툴거리는 모크샤의 대답은 내가 원하는 게 아니었다. 얘는 꼭 이렇게 한 번씩 튕겼다. 내가 절절매는 걸 본인이 모를 리도 없고. 계속 호위해주기로 했으면, 이왕지사 그냥 평생 계약도 해주면 좋잖아. 안 되는 다른 이유가 있는 것도 아니고. 몸값 엄청 높여요. 나는 불만스레 중얼거렸다.

"……신군은 안 돼. 날 못 만지거든. 진짜 여차할 때 도움이 안 돼."

"신군도 안 돼?"

모크샤는 그건 몰랐다는 듯 놀람을 감추지 못한 채 대답했다. 나는 어깨를 으쓱였다.

"확신은 못 하지만 안 될걸. 그리고 굳이 도전하고 싶지도 않아. 신군을 누가 말려?"

"그도 그렇지만."

모크샤가 심각하게 중얼거렸다. 신군이 내 권능 때문에 날 덮치기라도 하면, 그걸 누가 말린단 말인가? 수마트인 노예 때는 주변 사람들이 대신 말려줬지만, 신군은 그럴 만한 존재도 없었다.

물론 내 아버지인 주신이 나서면 되는 일이겠지만, 주신은 전혀 아랑곳하지도 않겠지.

날 사랑한다는 주신의 말은 믿을 수가 없었다. 몇 번 말을 나눠보지는 않았지만, 주신의 태도는 사랑하는 자식을 아끼는 아버지 같지가 않았다. 자신이 생각하는 「카마」에 맞춰서 나를 재단하려고 하는 그의 모습을 보고 있자면, 마치 나를 애완동물이나 마음에 드는 인형처럼 여기는 것 같았다. 아주 사랑하고 아끼지만, 자식은 아닌 그런 존재처럼.

"나한테는 너밖에 없단 말이야. 그러니까 평생 계야아악하자아아."

"야! 야야야야!"

"평새앵 계야악~."

나는 그리 생떼 어린 주장을 하며 모크샤의 허리를 와락 끌어당겼다. 모크샤는 갑자기 붙어오는 나에게 화들짝 놀라며 내 어깨를 밀었지만, 몸무게를 실어 그에게 들러붙는 나를 떼어내기란 쉬운 일이 아니었다. 투닥거리며 실랑이가 몇 번 일어나니, 모크샤의 몸이 기우뚱 흔들렸다. 얼마나 내가 밀어붙인 건지, 내가 모크샤를 깔아뭉갠 것처럼 우리 둘은 그대로 소파 위로 털썩 무너져 내렸다.

"카마시여, 목욕 준비가 끝났습니다."

그때 입구 쪽에서 목소리가 들렸다. 신군, 가우란이었다. 그의 표정은 변함없이 무뚝뚝했지만, 어딘지 모르게 당혹스러운 느낌이 났다.

그의 눈동자가 나와 모크샤 사이를 오가더니, 그는 절도 있게 고개를 숙였다.

"……방해했다면 죄송합니다. 물러나겠습니다."

나는 그제야 모크샤와 내 꼴이 어떤 꼴인지 객관적으로 파악할 수 있었다. 영락없이 내가 모크샤를 덮치고 있는 것 아닌가. 가우란이 무슨 착각을 했을지 짐작이 간 내 얼굴이 벌게졌다. 하지만 아니라고 변명하기도 구차했다. 믿어주지도 않을 터였다.

"아냐, 아냐. 씻을 거야."

으으윽. 나는 속으로 골치 아픈 신음을 흘리며 모크샤의 위에서 내려왔다. 영락없이 음탕한 카마로 찍혔겠네. 모크샤 미안. 나 때문에 네 혼삿길이 막힐지도 몰라. 그래도 평생 계약만 해주면 내가 네 하렘을 위해 최선을 다해줄게. 나는 속으로 줄줄이 사죄의 중얼거림을 늘어놓았다. 물론 입 밖으로 내어 괜한 부스럼을 만들지는 않았다.

나는 어깨를 으쓱이며 모크샤에게 손짓했다.

"휴, 하여간 좋아. 대답은 천천히 듣기로 하고, 일단 씻자."

"……집요하기는."

"원래 원하는 건 쟁취하는 거랬어."

내 대답에 모크샤는 못 말리겠다는 듯 고개를 내저었다. 나와 모크샤는 투닥거리며 욕실이 있는 곳으로 향했다. 원래 이렇게 커다란 키오스크쯤 되면, 욕탕이 두 개 이상 있는 법이었다.

설마 욕탕 준비를 하나밖에 안 해두지는 않았겠지. 하나만 해뒀으면 하나 더 준비하라고 하지 뭐. 나는 별생각 안 하며 그저 물에 몸을 누일 생각에 들뜬 발걸음을 옮겼다.

그렇게 다른 곳에 온통 정신이 팔렸던 나는, 내 바로 뒤에 따라붙는 묘한 시선의 정체를 눈치채지 못했다.

근육 사이사이 켜켜이 누적되어온 피로가 찌르르르 풀리면서 몸이 축 늘어졌다. 케케묵은 더러움을 씻어내니 마음이 다 산뜻했다. 머리까지 비워낸 듯 복잡했던 생각들도 싹 사라졌다. 이런 걸 생각하면 하루빨리 정착하고 싶다니까. 유혹이 살랑살랑 나를 시험하는 것을 느꼈다. 하지만 몸 편하자고 쉽게 주저앉을 수는 없지. 나는 내 몸을 잡아끄는 따듯한 물의 유혹을 뿌리치고 몸을 벌떡 일으켰다.

개운한 몸을 일으켜 나오니, 땀과 먼지로 찌든 옷 대신 살랑살랑 가볍고 산뜻한 새 옷이 준비되어 있었다.

거적때기든 뭐든 걸칠 수만 있으면 된다고 큰소리 탕탕 쳤었지만, 그래도 오래간만에 입는 질 좋은 옷에 기분이 좋았다.

건너에 있는 다른 욕실에서 몸을 씻고 나온 모크샤도 새 옷을 걸치고 있었다. 평소 질리도록 입는 검은 옷이 아닌 푸른 바다색 옷이었는데, 붉은 눈동자와 대조되어 훤칠하니 잘 어울렸다. 그는 비단옷이 생소한지 몇 번이고 팔을 들었다 내리기를 반복했다.

"그렇게 입으니까 귀족가 도련님 같네."

"너야말로. 이제야 좀 카마 같다."

"뭐야, 그럼 지금까지는 뭐 같았는데."

"음……. 가출한 도련님?"

"그게 뭐야."

"정말 첫인상이 그랬다고."

모크샤와 투닥거리며 시종들의 안내에 따라 발걸음을 옮겼다. 이 넓은 인드라 술탄 궁에 친한 사람이라고는 서로 둘뿐이니, 평소보다도 더 과장되게 농담하는 면이 있었다. 침묵의 어색함에서 벗어나기 위해, 낯선 공간에서도 아무렇지 않은 척하기 위해.

안내된 방에는 따듯하고 질 좋은 카펫이 깔려 있었고, 사락사락 붉은 촛불이 방을 밝히고 있었다. 창문 너머로 보이는 어두운 밤하늘이, 창틀의 금박 장식을 더욱 선명하게 부각시켰다.

씻고 나오는 데 시간이 꽤 많이 지난 모양이었다. 칼리프가 먼저 방 안에 앉아 우리를 기다리고 있었다.

"목욕은 괜찮으셨습니까?"

"어어. 좋던데."

내 칭찬에 칼리프는 흡족한 듯 껄껄 웃었다. 그러고 보면 이쪽 사람들은 은근히 씻는 거 신경 많이 쓴단 말이야. 목욕탕에 투자하는 것도 그렇고. 향유나 목욕 제품들 또한 많은 종류가 있었다. 이 세계에서 제일 마음에 드는 게 뭐냐 물으면 목욕시설이라 대답할 정도로 이 세계는 목욕 문화가 발달하여 있었다.

우리가 자리에 앉자, 눈치 빠른 인드라의 시종들이 요리를 내왔다. 수로가 많은 만큼 물고기가 많이 잡히는 건지, 아그니에서는 쉽게 보지 못한 생선 요리가 유난히 많았다. 침이 꼴깍 넘어갔지만, 먹는 방법을 몰라 선뜻 손을 대지 못했다.

이 세계는 젓가락이 없었다. 주로 음식은 손으로 먹기 쉽게 돌돌 말려서 나오거나 꼬치로 꿰어져서 나왔고, 고기 같은 것은 손으로 잡고 북 뜯어 먹는 편이었다. 이런 상황에서 통째로 구워 나온 생선 요리는 난관이었다.

나는 먹을 만한 음식을 깔짝이며 모크샤와 칼리프가 어떻게 먹는지를 유심히 바라보았다. 하지만 그들은 쉽게 생선에 손을 대지 않았다. 내가 주저주저하며 음식에 손을 대지 않자, 칼리프가 우려스럽다는 듯 물었다.

"입맛에 안 맞으십니까?"

"아, 아니. 그건 아니고. 맛있어. 맛있는데……."

나는 우물쭈물 말끝을 흐렸다. 음식은 다 맛있었다. 여행 식량은 물론이거니와 여관 음식에 비할 바가 아니었다. 차마 먹는 법을 몰라 먹지 못하는 생선구이도 냄새만 맡으면 침이 꼴깍꼴깍 넘어갔다. 그냥 다른 음식을 먹을까. 아니야, 그래도 생선이 저렇게 맛있어 보이는데.

생선을 가르면 기름기 넘치는 뽀얀 속살이 반드르르하게 그 모습을 드러낼 것이다. 생각만 해도 행복했다. 결국, 식탐에 굴복한 나는 순순히 나의 무지를 자백했다.

"생선, 어떻게 먹는 건지 몰라서."

"하긴, 아그니에서 오셨지요. 제가 배려하는 걸 잊었습니다."

칼리프가 곤혹스러운 표정을 지었다. 괜히 요리에 트집 잡은 것 같았던 나는 성급히 덧붙였다.

"난 주로 생선살만 발라먹거든. 그, 젓가락이라고 나무막대기를 이용해서. 여기서는 어떻게 먹는데?"

"이렇게 그냥 한입에."

옆에서 가만히 먹고 있던 모크샤가 생선을 집어 들더니 쑥 그대로 입 안에 삼켰다. 볼이 미어터지도록 생선을 입에 담은 그는, 한참을 우물거렸다. 그의 이빨 사이로 나는 우둑우둑 소리에 경악한 나는 화들짝 놀라 물었다.

"뼈도 씹어 먹어?"

"그렇긴 한데……. 다른 나라 사람들은 힘들어하더라고."

꿀꺽 삼킨 모크샤는 턱을 긁적이더니 쩝, 입맛을 다셨다. 시선이 다른 생선으로 향하는 걸 보아하니, 어지간히도 맛있는 모양이었다.

"카마께서 익숙지 않으시다니, 생선 요리를 다시 해 오게 시키겠습니다."

"음……. 그래 주면 고맙지."

통째로 먹을 자신은 없었고, 그렇다고 다시 요리해 오라고 하는 건 번거로운 일이니 어지간해서는 괜찮다 넘겼을 테지만, 모크샤가 저리 맛있게 먹는 걸 보니 침이 고여 참을 수가 없었다. 나는 내가 먹기 쉽게 요리해 온다는 칼리프의 말을 쌍수 들고 반겼다. 그리고 그렇게 먹게 된 생선 요리는, 정말인지 극락이 따로 없는 진미였다.

인드라의 요리는 다 맛있었다. 나는 흡족함에 배를 두드렸다. 후식으로 바클라바와 커피가 나왔다.

빵 겹 사이에 꿀이 녹아들 정도로 푹 절인 바클라바는 달곰하기 그지없었다.

나는 끽해야 두 조각이 한계였는데, 이 세계 사람들은 저 미치도록 단 과자를 열몇 개씩 잘도 먹었다. 나는 바클라바 대신 커피나 홀짝였다.

"그나저나, 이제 어떻게 하실 예정입니까? 만약 가실 곳이 정해져 있지 않으시다면, 인드라에 좀 더 머물러주시옵소서."

순간 갈등하지 않았다면 거짓말이리라. 확실히 뜨끈한 목욕과 더불어 맛있는 음식의 이 연타는 좀 타격이 컸다. 식사하면서 처음의 어색한 분위기도 많이 화기애애해졌고, 무엇보다도 모크샤가 공기 취급당하지 않는 게 제일 내 마음을 편하게 했다. 하지만 나는 느슨해지고 해이해지려는 마음을 바싹 잡아 조였다. 탱자탱자 놀고 있을 때가 아니었다. 나는 어색하게 웃으며 힘겨운 거절의 말을 꺼냈다.

"아니, 뭐. 이왕 이렇게 나온 거 세상 구경도 좀 하고, 볼일도 있어서 말이야."

"그러면 어디로 가실 예정인지 정해져 있으십니까?"

칼리프는 끈질겼다. 정확한 계획이 있는 건 아니고, 그저 주먹구구식으로 떠날 생각을 했던 나는 할 말이 없는 면구스러움에 쩝 입맛을 다셨다.

"딱히 예정이 정해진 건 아니지만……. 그러게. 내 권능을 버리려면 어디로 가야 하려나?"

"권능을 버리신단 말입니까?"

혼잣말 어린 뒷말에 칼리프는 화들짝 놀라 소리를 높였다. 모크샤 또한 기겁 어린 표정으로 나를 보았다. 두 사내의 열렬한 시선에 나는 순간 겁을 먹고 움찔했다.

하지만 내가 왜 눈치를 본단 말인가. 주신의 말도 안 되는 배려로 인한 희생자가 바로 난데. 나는 도리어 코를 하늘로 치켜세운 체 뻔뻔스레 말했다.

"뭐, 도움 되는 거 하나 없고, 귀찮기만 하거든. 자마드도 내가 권능을 가진 반신이라서 들러붙는 눈치고."

물론 내가 권능을 버린다 해서 주신의 자식이 아니게 되는 것은 아니었다. 하지만 적어도 평범한 사람처럼 살 수는 있겠지. 이렇게 역병신처럼 사는 게 아니라.

권능을 버리면 다른 사람과도 욕정 없이 접촉할 수 있게 될 테고, 그러면 모크샤에게 매달리듯 집착하지도 않을 것이다. 물론 권능을 버린 뒤 다른 사람들과 평범하게 접촉할 수 있게 된다 해서 모크샤에 대한 고마움을 잊지는 않을 것이었다. 모크샤는 정말, 내 꽉 틀어막힌 어두컴컴한 인생에서 단 한 줄기의 빛이었으니까.

모크샤도 내가 이렇게 들러붙는 것이 마뜩잖을 것이다. 지금이야 착한 모크샤가 미운 정도 정이랍시고 나에게 맞춰주는 거 같은데, 이게 과연 얼마나 갈지 알 수 없었다.

싫다는 모크샤를 카마라는 권위로 억압해서 묶어두고 싶지는 않았다. 그건 자마드가 나에게 한 짓과 똑같으니까. 그러니만큼 모크샤와의 관계를 평범하게 되돌리고, 새로운 우정과 건전한 애정을 쌓는 것이 시급했다.

하지만 그런 내 생각에 칼리프는 공감하지 못하는 것 같았다. 왜 권능을 버리는지, 이해 자체가 안 되는 표정이었다. 자마드도 그랬었다. 도통 알아들을 생각을 하지 않았지. 그는 신의 사랑을 갈구했으니까, 가진 것을 내다 버리기 위해 기를 쓰는 나를 이해하지 못했고, 결국은 나라는 인간을 통째로 집어삼키는 선택지를 택했다.

그때 퍼뜩 머릿속에 모크샤가 떠올랐다.

주신의 사랑을 받지 못해서 인생 망친 걸로 따지자면, 단연하건대 모크샤를 따를 이가 없었다. 자마드조차도 모크샤에게는 한 수 접고 들어가야 했다. 나는 조심스레 모크샤의 안색을 살폈다. 권능은 주신의 사랑의 징표였다. 그런 권능을 갑작스레 버린다니, 배부른 자가 투정한다며 모크샤가 나를 경멸하면 어쩌나 심장이 뛰었다.

상한 우유를 먹은 듯 배 속이 울렁거렸다.

하지만 모크샤는 조금 놀란 표정일 뿐, 평소와 같았다. 도리어 서운할 정도로 신경 쓰지 않는 모습이었다. 네가 선택한 결과이니 네가 알아서 하라는, 모크샤다운 매정한 다정함이 엿보였다. 나는 한숨을 내쉬었다. 안도와 섭섭함이 버무려진, 복잡하고도 미묘한 속내가 담겨 있는 숨결이었다.

어느 정도 정신을 차린 칼리프가 진중한 표정으로 물었다.

"주신께 부탁해보셨습니까?"

"주신께 말씀드려보긴 했는데, 귀찮으니까 필요 없다는 걸 잘 이해 못 하더라고."

"주신께서 권능을 거두지 않는 이유가 있지 않겠습니까?"

아, 그 이유. 입술을 비집고 피식, 바람 빠지는 소리가 나왔다. 주신이 이유랍시고 댄 것이 「권능이 있는 쪽이 네가 살기 편하지 않으냐.」라는 말이어서야, 듣는 술탄 생각해서라도 민망해서 말을 못 하겠다. 하지만 칼리프는 주신에게 모종의 깊은 이유가 있을 거라고 단단히 믿는 표정이었다. 나는 그의 환상을 지켜주기 위해 입을 다물고 말을 돌렸다.

"뭐, 별건 아니었고……. 그나저나 주신을 다시 만나는 방법은 아그니로 가는 수밖에 없는 거야? 주신께 다시 요청하고 싶은데."

"주신과 통할 수 있는 유일한 길은 아그니 술탄 궁의 제단뿐입니다. 다른 장소는 없어요."

칼리프는 단호하게 고개를 내저었다. 하늘이 무너지는 것 같았다. 입 밖으로 뛰쳐나오지 못하는 주신에 대한 원망이 입 안에 그득그득 쌓였다.

참 나, 신이나 되면 내가 어디 있든 대답해주고 얘기할 수 있고 그래야 하는 거 아니야? 명색이 세상에 단 넷뿐인 신 중 하나인데. 하지만 아무리 이렇게 속으로 까대어도 주신에게서는 아무런 대답이 돌아오지 않았다.

종종 홀로 벽을 보고 외치듯 하늘을 바락 핏발 선 눈으로 노려보았지만, 하늘은 푸를 뿐이었다.

주신이면 이 모든 걸 알고 있을 텐데, 왜 자마드를 막지 않는 거지? 날 사랑한다며. 그러면 내가 싫어하는 일은 못 하게 막아줘야 하는 거 아니야? 하지만 주신은 나를 방치했다. 별거 아니라고 생각한 건지, 아니면 내가 자마드에게 잡혀가길 바라는 것인지, 아니면 뒤에서 나에게 도움이 되도록 손을 써둔 건지를 내가 알 수는 없었다.

내가 능력을 거둬달라고 좀 더 간절히 말했더라면 무언가 달라졌을까. 아니다. 주신은 절대 내가 간청하고 말고 하는 걸로 생각을 바꿀 이가 아니었다. 그에게 있어서 카마는 내가 아니었다. 사내를 좋아하고, 오만하며, 사람을 턱 끝으로 부리는, 성욕의 신이라는 명성에 걸맞은 전생의 나. 그에게 있어 카마는 「그런」 존재였다.

주신이 나에게 전생의 프레임을 씌운다는 걸 눈치챈 건 꽤 되었다. 그는 나를 사랑한다고 말하는 것과 달리 기이할 정도로 이상한 태도를 보였다. 마치 자식을 소유물처럼 여기는 가부장적인 아버지 같았다. 처음에는 신의 사랑이란 그런 것인 걸까 고민했는데, 자마드에게서 도망쳐 나오면서도 묵묵부답으로 아무런 반응을 보이지 않는 주신의 모습에 모든 기대를 놓아버렸다.

나는 몇 번이고 얼굴을 쓸어내었다. 한숨이 푹푹 나왔다. 나는 꾹 한숨을 눌러 삼킨 대신, 칼리프에게 물었다.

"그러면 권능을 버리기 위해서는 어떻게 해야 하지? 방법 아는 거 있어?"

"정말로 단단히 각오하셨군요."

칼리프의 목소리에는 감탄마저 서렸다. 마치 싯다르타라도 보는 듯한 표정이었다. 왕족이었음에도 불구하고 모든 걸 버리고 나와 결국은 열반에 올라 부처가 된 이. 물론 이 세계에는 부처의 존재가 없을뿐더러, 나는 싯다르타처럼 깊은 뜻이 있어 권능과 이익을 버리려고 하는 건 아니었다. 나는 투덜거리며 불만을 토로했다.

"이건 진짜 겪어봐야지만 알아. 얼마나 거추장스럽고 짜증나고 화나는지."

내 말이 칼리프는 입을 다물고 곰곰이 생각했다. 칼리프가 무언가를 떠올리려고 하는 모습에 나도 선뜻 입을 열 수는 없었다. 묵묵히 침묵하던 모크샤도 덩달아 입을 꾹 다물었다. 그렇게 침묵이 길어졌다. 창밖의 새가 두어 번 울음소리를 냈다. 그제야 칼리프가 짝, 가볍게 손뼉을 치며 나를 보았다.

"아무리 생각해보아도 인드라에는 권능을 버리는 법에 대해 전승되는 구절이 없습니다. 그렇다면 바르나로 가보십시오. 그곳은 인류의 모든 기록이 있는 곳. 그곳이라면 무언가 선례에 대한 기록이 있을지도 모릅니다."

"과연 있을까?"

"바르나에도 알려진 것이 없다면, 다시 아그니로 돌아가는 수밖에 없습니다. 아니면 바로 아그니로 가시는 건 어떠하시겠습니까? 카마가 무얼 원하는지 신군들이 알게 되었으니, 아그니의 술탄이 카마를 감금하는 것을 그들은 두고 보지 않을 것입니다. 신군은 신의 군대. 카마께서 아그니의 제신대에 당도하실 수 있도록 엄중히 호위할 것입니다."

그런 방법은 생각도 못 했다. 그렇게 명쾌한 방법이 있다면 괜히 빙 돌아갈 것 없지 않을까. 인드라까지 오는 건 고된 길이었다. 바르나까지 가는 것 또한 힘들 것이다. 그렇게 생각한 순간 내 마음이 미친 듯이 흔들렸다.

하지만 머릿속에서는 경고음이 울렸다. 본능적인 경계가 내 대답을 가로막았다. 나는 잠시 입을 다물고 마음속에 켕기는 것이 무엇인지 찬찬히 살폈다. 그리고 나서야 나는 내 불길한 예상이 무엇인지를 눈치챘다. 바로 주신의 존재였다.

신군은 자마드에 비해 날 우선시할 테지만, 주신과 내가 부딪친다면 그들이 누구 편을 들지는 뻔한 이야기였다.

나는 주신을 믿을 수 없었다. 그가 하는 행동 모두가 의심스러웠다. 내가 권능을 버린답시고 신군을 앞세워 아그니 술탄궁으로 쳐들어간다고 해보자.

그렇게 주신을 만났는데, 주신이 내가 권능을 버리는 것을 바라지 않았더라면? 도리어 내가 헛생각을 품고 있다며, 신군을 시켜 나를 가두라고 하기라도 한다면? 물론 그러리란 확신은 없지만, 마냥 신군과 주신을 믿는 건 불안했다.

"……그건 일단 뒤로 미뤄보고. 우선 바르나부터 가볼래."

전대 카마의 행적, 그의 기원, 그와 주신과의 관계, 나는 그 모든 것에 대해 아무것도 몰랐다. 아그니에 있을 때는 일부러 모르는 척했다. 전생의 나에 대해 알게 되면, 은연중에 지금의 나를 전생의 그와 비교하게 될 것 같았기 때문이었다.

하지만 지금은 우선 뭐라도 알아야 손안의 패로 쓸 수 있는 것이 많아질 것이다.

옛날엔 우습게 생각하고 넘겼던 정보였지만, 이제는 아니다. 나는 절실히 바르나에 들를 필요성을 느꼈다.

칼리프 또한 그쪽이 낫겠다는 듯 고개를 끄덕였다.

"바르나의 술탄은 인류 지식과 문명의 보고(寶庫). 그라면 분명 현명한 대답을 해줄 것입니다. 저같이 소마를 빚는 팔자 좋은 술탄과는 다른 이니까요."

칼리프는 그리 말하고는 킬킬거렸다. 칼리프는 확실히 자마드에 비해서도 많이 느슨한 면이 있었다. 그러나 내가 그의 도움을 받았다는 것만큼은 변치 못할 사실이었다. 나는 칼리프에게 고개를 숙였다.

"그래도 네 덕에 살았어."

"영광입니다."

칼리프도 화답하듯 고개 숙여 절을 했다.

바르나로. 새로운 목표와 목적지가 생기고 나니 해야 할 일이 하나둘 생각났다. 한동안 가슴을 꽉 메우고 있던 체증이 쑥 내려간 기분이었다.

하지만 마음이 편해졌다 해서 상황이 좋아진 건 아니었다. 아직 해결되지 못한 문제가 남아 있었다. 칼리프는 그 점을 지적했다.

"바르나까지 가는 길은 험난할 것입니다. 아그니의 술탄이 고용한 용병의 수는 생각보다 어마어마합니다."

"너 용병왕이잖아. 네가 어떻게 계약 파기를 해주거나 그럴 순 없는 거야?"

인드라에서 바르나로 가는 길에는 아그니 예니체리가 개입할 수 없으니, 용병들만 없어도 보다 수월한 여행이 될 것이다. 나는 기대 어린 눈으로 칼리프를 보았지만, 칼리프는 애석한 표정으로 고개를 내저었다.

"카마를 위해서라면 몇 번이고 그러고 싶습니다만, 안타깝게도 저는 용병을 지배하는 자가 아닌 조율하는 자입니다. 그런 권한은 없어요."

"아쉽지만 어쩔 수 없지."

힘들다는 일을 권위를 내세워 하라고 시킬 정도는 아니었다. 유독 파베리티에서 많은 용병에게 쫓긴 건 사람이 많은 수도였기 때문일 수도 있었다. 우선 파베리티만 빠져나가고 나면 그냥저냥 할 만한 여행을 할 수 있을 것이다. 나는 그렇게 생각했다. 실제로 모크샤를 믿는 면도 있었다. 나는 모크샤의 옆구리를 쿡 찌르며 조용히 속삭였다.

"어때? 바르나까지 갈 수 있을 거 같아?"

"일단 파베리티만 빠져나가면 그다지 힘든 일은 아닐 거 같은데. 바르나가 초행도 아니고."

모크샤도 같은 생각인 듯 조용히 대답했다. 내 귓가에 속삭여지는 모크샤의 목소리가 근지러웠다. 나는 킥킥 작게 웃은 뒤, 모크샤에게 대답하려 했다.

"그러면 일단 지원만 받아서……."

시종이나 군사는 필요 없고, 자금과 말 정도만 뜯어내면 좀 더 편한 여행이 가능할 것이다.

모크샤와 나, 단둘이 하는 여행에 다른 사람을 끼워 넣을 생각은 추호도 없었던 나는 당연히 물질적인 지원만을 염두에 두고 입을 열었다.

하지만 우리 앞에 있는 칼리프는 전혀 그렇게 생각하지 않는 듯, 천연덕스러운 표정으로 마른하늘에 날벼락 같은 소리를 내던졌다.

"제가 용병을 물러드리지 못하는 대신, 신군을 붙여드리겠나이다. 신군 쪽에서도 카마를 모시기를 학수고대하고 있습니다."

"뭐? 신군? 아냐, 필요 없어."

나는 예상치 못한 상황에 황급히 손을 내저었다. 신군이라니, 귀찮기 짝이 없을 게 눈에 선했다. 인드라에서 용병들이 몰려왔을 때는 좀 당황스러웠지만, 그래도 모크샤와 나, 단둘이서 충분히 해결 가능한 수준이었다. 좀 더 솔직히 말한다면, 안 그래도 모크샤와 좋은 관계를 유지하고 있는데 괜한 이물질을 끼워 넣어 상태를 어그러트리고 싶지 않았다. 우리 모크샤, 안 그래도 섬세한 아이인데. 나는 속으로 구시렁대며 신군의 개입을 막기 위해 필사적으로 거부했다.

"난 이미 호위가 있는걸."

"제가 불안해서 그럽니다, 카마시여. 신군이라면 아그니의 예니체리들에게 붙들려도 능히 그들을 상대할 수 있습니다."

하지만 칼리프는 끈질겼다.

그는 거듭 고개를 조아리며 말했다.

"신군은 주신을 모시고, 제 명령보다도 카마의 명이 우선시합니다. 저주받은 자보다 충실한 종복이 되어줄 것입니다."

칼리프의 「저주받은 자」라는 단어에 내 미간이 꿈틀댔다. 지금껏 별로 신경 쓰지 않는 것처럼 보였는데, 나와 친해 보이니 입 다물고 있었던 것인가 보다.

저주받은 자라는 단어도 나를 자극했지만, 그보다도 더 가슴을 깊숙이 후벼 파는 것은 바로 「충실한 종복」이라는 단어였다. 무슨 뜻이야? 내가 모크샤를 종처럼 부리고 있다는 거야? 우리는 그저 정당한 계약 관계일 뿐이고, 좀 더 친밀한…….

나는 변명하려 입을 벙긋거렸지만, 마음속 어딘가 도사리고 있는 찝찝함이 입을 틀어막았다. 차마 제대로 변명하지 못한 채, 나는 무릎 위에 놓인 주먹만을 꽉 쥐었다. 나는 억지로라도 웃는 표정을 지어 보이며, 아무렇지도 않게 대꾸하려 애썼다. 입술이 바들바들 떨렸다.

"난 그러니까, 얘 아니면 안 된다니까."

"……제가 그자를 내치라 하는 게 아닙니다. 혹시 모르는 상황을 대비하기 위함이니 동행만 허해주시옵소서."

칼리프는 쉬이 포기하지 않았다. 끈질기기로 따지면 자마드도 장난 아니었는데, 칼리프도 만만치 않았다. 이 세계 술탄의 특성이 뻔뻔함과 집착과 끈질김인 모양이다. 답답한 걸 넘어 궁금했다. 나는 칼리프를 빤히 바라보며 물었다.

"왜 그렇게 걱정하는 거야?"

칼리프가 왜 저렇게까지 나에게 신군을 못 붙여서 안달인지 이해하지 못한 나는 고개를 갸웃거리며 되물었다. 칼리프의 멀끔한 얼굴이 나를 빤히 바라보았다. 굵직한 눈썹 아래의 눈동자가 한참을 나에게 고정되어 있었다.

진짜 몰라서 묻느냐는 시선이었다. 나는 어깨를 으쓱하는 것으로 대답을 대신했다.

"카마께서 잘못되기라도 하면 큰일이니까요. 카마께서는, 자신이 죽게 되면 이 나라가 어찌 되는지 아시지 못하니 그러시는 겁니다. 아니, 혹여 아시더라도 제가 강제할 수 없는 부분이긴 합니다만."

칼리프의 얼굴이 일그러졌다. 그의 눈 깊은 곳에는 한탄이 유난히도 선명히 남아 있었다. 혹여라도 그가 그냥 나를 보냈다가 잘못되기라도 하면, 인드라가 그 후폭풍을 뒤집어쓸지도 모른다 우려하는 기색이 절절히 느껴졌다.

나는 그럴 리 없다 생각했다. 애초에 벌을 내릴 거라면 인드라가 아닌 아그니가 선타자일 테니 걱정하지 말라는 말이 머릿속에 떠올랐다. 그러나 나는 한 가닥 남은 이성으로 그 말을 내뱉지 않을 수 있었다. 아그니일지라도 다를 바는 없었다. 무고한 이들이 죽는 건 매한가지였다.

아니, 그렇게 걱정할 정도면 애초에 나한테 무슨 일이 생기기 전에 주신이 해결해주면 되는 일 아닌가.

이해할 수 없는 일이 많고 많았지만, 막상 많은 이들의 목숨이 내 사소한 행동에 걸려 있다는 말도 안 되는 중압감에 토할 것 같았다.

철없는 어린아이가 되어 떼를 쓰는 기분이다.

나로서는 타당한 주장이었지만, 남들 보기에 우스울 걸 생각하니 얼굴이 다 화끈거렸다.

인드라의 명운이 좌지우지되는 일이라는 주장을 들고 나오면, 나로서는 쉽게 거절하지 못했다. 내가 거절하는 이유가 딱히 신념이나 사람 목숨에 관한 것도 아니었고, 단순히 모크샤와 단둘이 떠나는 여행을 방해받고 싶지 않았기 때문이었기에 더 마음이 찔렸다.

나는 입을 꾹 다물었다. 이기적인 생각이 불뚝불뚝 튀어 올랐지만, 나는 못내 그의 제안을 수렴하는 수밖에 없었다.

"……고민해볼게."

연회가 파하고, 적막한 방 안에 나와 모크샤 단둘만이 남았다. 침대는 모크샤와 나 둘이 누워도 자리가 넉넉히 남을 정도로 널찍했고, 침구는 비단이었다. 누인 몸은 편했지만, 마음은 불편하기 짝이 없었다.

아까 그 자리에 모크샤도 있었지만, 자리가 파하고 난 뒤 그가 신군의 동행 문제를 입에 올리는 일은 없었다. 가슴에 바윗덩어리가 올라간 듯 묵직했다. 어떻게 하지. 신군을 데려간다고 했다가 모크샤가 자기는 필요 없는 거 아니냐며 동행을 거절하면 어떡해. 어떻게 하게 된 계약 허락인데. 나는 불안함에 잠도 이루지 못하고 계속 뒤척였다.

"……네가 편한 대로 해."

내 등 뒤에서 들리는 모크샤의 목소리에, 나는 심장이 쿵 떨어진 듯 깜짝 놀랐다. 나는 모크샤를 향해 몸을 돌렸다.

모크샤는 손으로 머리를 받친 채, 나를 물끄러미 내려다보고 있었다. 어둠 속에서도 선명한 그의 붉은 눈동자는 횃불 같았다. 뭘 편한 대로 하라는 건지 목적어는 생략되어 있었지만, 그의 흔들림 없는 시선은 내가 빗겨 생각할 여지조차 주지 않았다.

"……그래도."

나는 힘겹게 답했다. 바람이 빠져나가는 듯, 새된 소리는 작게 모크샤와 나 사이를 맴돌았다. 모크샤와 내 시선이 무척이나 가까운 곳에서 얽혔다. 모크샤의 숨결이 내 눈꺼풀 위에 닿았다. 나는 느릿하게 눈을 깜빡였다.

그때, 뺨에 무언가 뜨끈한 것이 닿았다. 내 뺨을 근지럽히는 것의 정체는 바로 모크샤의 손가락이었다. 내가 눈동자만 도록 굴려 모크샤의 손가락을 확인하기가 무섭게, 모크샤의 표정이 딱딱하게 굳더니 그의 손이 허공으로 어색하게 들렸다. 왜 갑자기 뺨을 건드린 건지는 몰라도, 모크샤가 떨어져 나간 게 무척 아쉬웠다.

모크샤는 허공에서 갈 길을 찾지 못하고 방황하던 손을 조심스레 내 팔 위로 올렸다. 무척 딱딱하고 이상한 것이, 거리감이 잔뜩 느껴지는 자세였다. 그는 그대로 토닥토닥, 내 팔을 두드렸다. 마치 위로라도 하는 것 같았다.

"확실히 용병이 그만큼 붙었다면, 나와 너로는 무리야. 너 잡혀 들어가는 건 싫잖아."

"그렇긴 한데."

"그러면 답은 정해졌네."

어깨를 다독이는 모크샤의 손길이 점점 내 심장 소리와 맞아 들어갔다. 아까까지만 해도 전전긍긍 불안하게 마음을 졸였던 것이 거짓말인 것처럼, 순식간에 몸이 축 늘어지며 노곤해졌다. 나는 무의식중에 손을 뻗어 모크샤의 허리를 끌어안았고, 그의 품에 쏙 안기는 꼴이 되었다. 순간 모크샤의 손이 멈췄다. 하지만 나는 모크샤를 붙든 손을 놓지 않았다. 모크샤의 낮은 숨에 섞여든 목소리가 귓가에 스며들었다.

"신군이라면 그렇게 많이 따라붙지 않아도 용병들은 충분히 저지 가능할 거야. 한 놈만 붙여달라고 해."

"우리 계약은 유효한 거지?"

나는 그의 가슴팍에 고개를 묻은 채, 중얼거렸다. 이미 상황이 흘러가는 분위기가 있음에도, 육성으로 확답을 받아야지만 마음을 놓을 수 있을 것 같았다. 나는 차마 고개를 들지 못했다. 그런 내 머리 정수리를 타고 모크샤가 피식 웃는 소리가 전해졌다.

"무력은 신군한테 뒤져도, 용병 경험 우습게 보지 마라. 여행할 때 용병 하나는 끼고 가야지."

"응응."

모크샤의 품에서 나는 고개를 끄덕였다. 마치 새끼 캥거루처럼 나는 모크샤의 품으로 파고들었다. 한참을 어색하게 내 어깨 위에 놓여 있던 모크샤의 팔이, 내 등을 휘감듯 넘어왔다. 넓은 침대가 마치 일인용 침대라도 된 것처럼, 우리는 한 몸처럼 딱 달라붙어 있었다. 심장이 거세게 뛰었다. 내 몸이 모크샤에게 삼켜지는 것 같았다. 모크샤에게 닿은 부분이 화끈거리듯 타올랐다. 모크샤의 허리춤을 쥔 손에 힘이 꾹 들어갔다.

"……넌 내가 필요하지?"

모크샤는 나직이 중얼거렸다. 깃털이 바람에 실려 바닥에 안착하듯, 무척 조용하고도 낮은 속삭임이었다. 너무 당연한 질문이었다. 나는 언제나 모크샤에게 절설매었다.

같이 있자고, 돈은 얼마든 줄 수 있다고, 젊은 미남을 꼬시는 늙은 재벌 마님 같은 대사도 쳤었다.

그토록 매달렸는데 모크샤가 그 사실을 모를 리 없다. 어쩌면 모크샤 또한 나에게 확인받고 싶은 것이 아닐까. 확신이라면 얼마든지 줄 수 있다. 그게 내 진심이니까. 나는 단호하게 고개를 끄덕였다.

"응."

"그럼 됐어."

그리 답한 모크샤는 나를 끌어안은 팔에 더 꽉 힘을 주었다. 그건 지금껏 모크샤와 접촉했던 수많은 행위 중, 가장 가까우면서도 모크샤의 적극성이 느껴지는 것이었다. 괜히 마음이 벅차올랐다. 모크샤의 허락을 받아 기쁜데, 이상하게도 울고 싶었다.

꿈을 꾸었다. 몇 번인지 셀 수도 없는 악몽이었다. 꿈속의 나는 언제나 사내에게 난도질당했다. 처음에는 헛구역질이 날 정도였지만, 그것도 한두 번이어야지. 같은 꿈을 이렇게까지 많이 꾸게 되니 익숙하다 못해 지루할 정도였다.

하지만 내가 그리 생각하기가 무섭게 꿈이 주는 끔찍함의 강도는 나날이 정도를 더해갔다.

꿈은 바뀐 것이 없었다. 여전히 사내는 나를 노려보고, 칼을 치켜들고, 그대로 나를 내리치고의 반복이었다.

다만 지금까지 그저 현상을 지켜볼 뿐이었던 것과는 달리, 사내의 날붙이가 내 몸으로 파고드는 감촉이 생생하게 느껴지기 시작했다는 것이 문제였다. 칼끝이 내 살가죽을 파고드는 기이한 감촉부터 시작해서, 그대로 근육을 가르고 뼈에 닿기까지의 고통이 나를 울부짖게 하였다. 울음이 절로 나며, 다리가 풀리고 땅에 주저앉아 몸을 비틀었다.

그것으로 끝이 아니었다. 내가 고통에 신음하며 사내를 올려다보면, 사내의 얼굴이 바뀌어 있었다. 증오와 경멸로 범벅된 얼굴은, 내가 알고 있는 자의 것이었다. 모크샤. 그는 익숙한 얼굴로, 익숙하지 않은 표정을 지으며 나를 몇 번이고 칼로 쑤셨다.

칼에 찔려 죽어가면서도 카마는 모크샤의 얼굴을 한 그의 팔에 매달렸다. 그가 한 번이라도 입 맞춰주기를 바라며, 차가운 금속의 감촉 대신 따듯한 그의 품을 갈구하며 카마는 자신을 살해하는 살인자에게 손을 뻗었다.

나는 도망칠 수도, 달아날 수도 없었다. 전생의 카마의 껍데기 안에 갇힌 채 그가 하자는 대로 움직일 뿐이었다. 할 수 있는 것은 옴짝달싹 못 한 채 고통으로 괴로워하는 것밖에 없었다.

하지만 더 웃긴 건, 카마가 아닌 내 의지로 움직일 수 있었을지라도, 나 또한 카마처럼 행동했으리라는 것이었다. 상대가 모크샤의 얼굴을 하고 있으니 더욱더 절실히 공감되었다. 모크샤에게 매달리며, 그의 동정심 어린 손길 한 가닥을 바라며 죽음 앞에 처연히 목을 떨구고 있을 것이 눈에 선했다.

어쩌면 이건 예지몽일지도 모른다. 전생의 카마처럼 나 또한 모크샤의 손에 죽을지도. 왜 모크샤가 나를 죽이려 할지는 전혀 감도 잡히지 않았지만. 나는 흐릿해지는 의식 아래 눈을 감았다. 몇 번째인지 기억조차 나지 않는 꿈속의 죽음이었다.

나는 헐떡이며 잠에서 깼다. 숨이 턱 틀어막혀 색색 바람 빠지는 소리만이 나왔다. 가슴을 쥐어뜯으며 고통스러워하기가 무섭게, 몸이 번쩍 들리는 느낌이 들더니 누워 있던 자세에서 일으켜졌다. 그러고는 커다란 손이 내 등을 세게 두드렸다. 나는 토악질하듯 헛구역질을 몇 번이나 해댔다. 머리가 어질어질하고, 시야가 흐릿했다.

"헉, 허억……!"

"괜찮아?"

귓가에 들리는 낮은 목소리에 나는 마음이 안정되는 것을 느꼈다. 나는 눈물 어린 눈을 들어, 나를 끌어안고 있는 모크샤를 올려다보았다.

모크샤의 얼굴에 걱정이 그득 묻어 있었다.

꿈속에서 증오 어린 표정으로 나를 도살하던 그와 같은 얼굴로, 다른 표정을 짓고 있었다. 나는 애써 입꼬리를 잡아당겨 웃었다.

"괜, 찮아. 그냥, 꿈꿨어."

"……."

모크샤는 아무 말도 하지 않았다. 대신 나를 꼭 끌어안은 채, 다정하고 섬세한 손길로 등을 쓸어내릴 뿐이었다. 척추 선을 훑어 내리는 모크샤의 손끝을 느끼며, 나는 모크샤의 가슴팍이 이마를 댄 채 살며시 눈을 감았다.

예전에는 내가 억지를 부려야지만 같은 잠자리에 들던 모크샤였지만, 내가 수시로 악몽으로 괴로워한다는 걸 알게 된 이후로는 아무 말 하지 않고 순순히 내 곁에 몸을 누였다.

그리고 내가 악몽을 꾸고 나면, 모크샤는 평소보다도 더 친절하고 다정하게 굴었다. 먼저 끌어안아 주고, 손을 잡아주고. 그게 고양이나 강아지 어르는 듯한 손길이라 해도 나는 족했다.

이런 이점이 있어서라도, 나는 악몽을 꾸는 것이 마냥 끔찍하지 않았다. 어쩌면 그렇게 합리화하는 것일지도 몰랐다. 견딜 수 있다. 별거 아니다. 그런 식으로 세뇌하여 애써 견뎌내고 있는 것이라면, 이 한계의 끝은 과연 어디쯤일까. 나는 과연 언제까지 제정신을 유지할 수 있을까.

지금도 썩 멀쩡한 건 아닌 거 같은데. 나는 모크샤의 품에 축 늘어진 채 한참을 헐떡이며, 불안함에 몸을 떨었다.

왜 자꾸 이런 꿈을 꾸는 건지 알 수 없었다. 꿈이 나를 비웃기라도 하는 것 같았다. 꿈은 뇌의 기억이 되짚어 나오는 거라던데, 내 머릿속의 본성은 언제나 나를 엿 먹이고 싶었던 것일지도 모른다. 왜 하필 그 남자의 얼굴에 모크샤를 뒤집어씌우는 거지. 나는 힘이 들어가지 않는 손가락을 애써 오므라트려 주먹을 꾹 쥐었다.

악몽으로 밤새 고생한 덕에 내 얼굴에는 퀭한 그늘이 졌다. 다음 날 안부 인사를 건네러 온 칼리프가 화들짝 놀라며, 잠자리가 불편하셨느냐 거듭 물었지만 나는 그저 고개만 내저었다. 그러고는 내가 할 말만을 대뜸 내뱉었다.

"한 놈."

"네?"

갑작스러운 말에 어리둥절한 칼리프가 고개를 갸웃댔다. 나는 심드렁한 표정으로 단호하게 고개를 끄덕였다.

"신군으로 군대 만들 생각하지 말고, 한 놈만 데려간다고. 한 명이어도 충분히 일당백 할 거 같은데. 설마 날 잡자고 자마드가 천만 대군을 꾸려서 쫓진 않을 거 아냐. 내 곁에 신군이 같이 있다는 걸 알릴 수 있는 정도면 충분해."

칼리프는 얼굴을 찌푸렸지만, 더 우겼다가는 한 명마저도 데려가지 않을 거라는 강경한 내 의지를 읽었는지, 이내 고개를 끄덕였다.

"알겠습니다. 그러면 신군에게 동행할 한 명을 선택하도록 전해놓겠습니다."

"좋아."

"언제쯤 떠나실 예정입니까?"

"최대한 빨리."

"그러면 카마께서 떠나시기 위한 준비를 재촉해보겠습니다. 그때까지 푹 쉬십시오."

칼리프는 고개를 숙이고는 방을 나섰다. 굳이 여행 준비를 챙겨줄 필요는 없는데. 그래도 준다는 건 고맙게 받아야지. 이래서 명예직이 좋구나. 나는 오래간만에 생긴 여유를 즐기며 느긋느긋 늘어졌다.

하지만 모크샤는 술탄의 환대가 영 불편한 듯 몸 둘 곳을 몰라 했다. 좋은 침구도, 좋은 옷도, 귀한 음식도, 온종일 늘어져 있는 것도 모두 어색한 것 같았다.

밖에서 노숙하는 게 더 마음 편한 것처럼, 딱딱하게 긴장한 채 떨떠름한 표정을 짓고 있는 모크샤를 보며 나는 낄낄 웃었다. 모크샤를 편하게 해주기 위해서라도 하루빨리 인드라 술탄 궁을 나서야 할 것 같았다.

어느덧 떠나기로 약속된 날이 다가왔다. 칼리프의 안내를 받으며 술탄 궁의 뒷문으로 향했다. 어디까지나 내가 인드라의 술탄 궁에 들어왔다 나가는 건 비공식적인 일인 만큼, 정문인 태양의 문으로 오갈 수는 없는 일이었다.

뒷문인 별의 문에는, 세필의 말과 함께 한 사내가 서 있었다. 그는 다가오는 우리를 향해 고개를 숙이며 인사했다.

"신군, 가우란입니다. 앞으로 카마를 보필하게 되었으니, 잘 부탁합니다."

"아아."

아주 처음 보는 사람보다는 그래도 한두 번 안면을 익힌 사람이 낫지. 나쁘지 않았다. 나는 고개를 끄덕임으로써 가우란의 동행을 허했다. 칼리프는 미소를 띤 채 말을 받아 이었다.

"가우란은 신군 중에서도 특히 신력이 높은 이이니만큼, 카마께 위협이 되는 이들을 효율적으로 배제할 수 있을 것입니다."

칼리프가 하는 말이 유독 무섭게 들렸다. 효율적으로 배제라니. 차라리 노골적으로 모두 죽여 없앨 수 있다고 하는 게 덜 무섭겠다. 나는 침을 꿀꺽 삼켰다.

"바르나는 사막도시이니, 국경쯤 가서 낙타로 갈아타시는 것이 좋을 것입니다. 이건 제가 국경의 관료에게 보내는 서신이니, 이걸 국경 마을에 제시하시면 좋은 낙타를 내어줄 것입니다."

"고마워."

"마음만 같아서는 바르나까지 흰 코끼리 가마를 태워 보내드리고 싶은 생각입니다만……."

"하하, 타보고 싶긴 하네. 나중에 상황이 좀 호전되면 잘 부탁해."

"그때를 기약하겠습니다."

칼리프와 나는 마주 보고 낄낄 웃었다. 칼리프와 시선이 마주했다. 쾌활하니 잘생긴 호남인 그는 시원시원한 생김새처럼 성정도 시원시원했다. 이러쿵저러쿵 싫은 소리를 많이 하긴 했지만, 덕분에 도움을 많이 받은 건 사실이었다. 나는 감사의 마음을 담아, 고개를 숙였다.

"정말 고마워."

칼리프는 미소 지었다. 그 또한 고개를 마주 숙이며, 내 여행의 안전과 편안의 가호를 빌었다. 나는 피식 웃으며 말에 올라탔다. 새로운 여행의 시작이었다.

처음 인드라에 발을 디딜 때만 해도 이렇게 될 줄은 예상도 못 했다. 바르나에 가게 될 줄도 몰랐거니와, 신군과 동행하게 되리라는 것도 마찬가지였다.

그때의 내 머릿속에는 모크샤와의 계약 연장만이 빼곡히 메우고 있었으니까.

생각해보면 아그니 술탄 궁을 탈출할 때부터 정말 아무 계획도 없었지. 나는 피식, 낮게 웃었다. 그 와중에도 꾸준하고도 부지런히 움직였구나 싶었다. 아그니에서 1년간 빈둥빈둥 놀았던 값을 톡톡히 치르고 있는 것 같았다.

말에 올라탄 채이다 보니, 술탄 궁과 수도 파베리티가 순식간에 멀어졌다. 나는 뒤로 멀어지는 파베리티를 아쉬움 어린 눈길로 돌아보았다. 용병에게 쫓겼던 것만 제외하면 좋은 도시였는데. 다음에, 자유로워지면 다시 놀러 와야지. 흰 코끼리도 타보고. 그때는 신주도 마셔봐야지. 나는 그리 다짐하고는 다시 말의 고삐를 쥐었다.

그렇게 나와 모크샤, 그리고 가우란, 이렇게 세 사람은 인드라의 수도 파베리티를 떠나 사막의 나라, 바르나를 향해 말머리를 돌렸다.

CHAPTER 12
양손의 꽃

앞으로의 여행길을 축복이라도 하는 듯 간만에 날씨가 좋았다. 하늘은 높고 푸르렀고, 녹음이 코끝을 간지럽혔다. 하지만 내 옆에서 걷고 있는 칙칙한 사내 두 사람을 보고 있자니, 밝은 햇빛이 아무런 쓸모도 없는 것처럼 느껴졌다.

가우란이야 어색한 사이니까 그렇다고 해도, 모크샤는 또 왜 이리 죽상인지. 말할 때는 평소처럼 농담도 잘 받아주고 했지만, 조금이라도 침묵이 찾아오기가 무섭게 얼굴이 못생긴 감자처럼 일그러졌다.

신군이 동행하는 게 마음에 안 드나? 정 싫으면 말을 하지, 왜 한 명 정도는 괜찮다는 식으로 말해서. 아니면 가우란이 특히 마음에 안 드는 걸까?

나는 고개를 갸웃댔지만 가우란이 바로 옆에 있는 상황에서 대놓고 모크샤에게 물어볼 자신은 없었다. 어쩔 수 없지. 내가 더 조잘조잘 떠들어 이 어색한 분위기를 상쇄시키는 수밖에. 그리 다짐한 나는 일부러 쾌활함을 가장한 채 목소리를 높였다.

"나 바르나에 대해서 잘 모르는데. 사막이면 아무래도 더 힘들려나?"

"모래바람이 거추장스럽긴 한데 후드 쓰고 있으니 상관없고, 낙타도 있으니까 썩 힘들진 않을 거야. 밤낮의 온도 차가 심해서 노숙이 힘들다는 게 제일 큰 문제인데……."

"카마를 노숙시키다니, 신군의 명예를 걸고 말도 안 되는 일입니다. 최대한 마을에 일찍 들어서 숙소에서 묵도록 할 터이니 너무 걱정 마시옵소서."

가우란의 말이 모크샤의 말을 끊고 들어왔다. 마치 내가 노숙이라도 했다가는 지구, 아니, 이 세계가 멸망할 것처럼 굴었다. 아무리 모크샤라 할지라도 자신의 말에 대놓고 딴죽을 거는 가우란이 좋게 보일 리가 없다. 모크샤의 눈썹 위 근육이 꿈틀거렸다. 모크샤는 기가 찬 표정으로 대꾸했다.

"그런 식으로 좋은 말만 해서 괜히 애가 마음 놓게 했다가, 막상 노숙하게 되면 어쩌려고 그러십니까?"

"그럴 일은 없으니 걱정 말지."

두 남자 사이에 신경전이 파르르 흘렀다.

노숙이야 까짓, 할 수도 있고 안 할 수도 있지. 별거 아닌 일 가지고도 서로 주장을 우기며 자존심을 세워댔다. 게다가 둘 사이에 거론되는 말의 주제가 나라는 건 별로 달갑지 않은 일이었다. 나는 고작 한마디 던졌을 뿐인데 여파가 장난 아니었다. 차라리 입을 다무는 게 낫겠다. 나는 도로 입을 닫았다. 모크샤와 가우란은 한참을 이견을 좁히지 않더니, 누가 먼저랄 것도 없이 서로 동시에 입을 다물었다. 다시 침묵이 우리 사이에 눌러앉았다.

어색한 분위기는 쉬이 풀리지 않았다. 가우란과 모크샤의 기싸움이 나에게까지 여실히 전해졌다. 숨이 틀어막혔다. 이럴 줄 알았으면 그냥 신군, 필요 없다고 잡아떼는 건데. 압박감으로 속이 울렁이면서 토할 것만 같았다.

나는 최대한 긍정적인 생각을 하기 위해 노력했다. 이미 주사위는 던져졌고, 말을 뒤로 보낼 수 없다면 앞으로 보내는 수밖에. 아이고, 잘생긴 청년을 양팔에 끼고 다니니 전생의 카마가 부럽지 않다. 나는 그런 시답잖은 생각으로 나를 위로했다.

그러고 보니 의도치는 않았지만, 가우란과 모크샤 둘 다 눈색이 특이했다.

저주받은 자만이 지닌 붉은 눈과 신군만이 지닌 황금빛 눈. 그 사이에 있는 평범한 나. 일부러 이런 파티를 꾸리라고 해도 힘들겠다.

곰곰이 생각해보니 되게 웃긴 조합이었다. 모크샤는 나한테 반말하지만 가우란에겐 반쯤이나마 존대했고, 가우란은 나에겐 존대했지만 모크샤에게는 반말을 했다. 남들이 보기엔 되게 이상해 보일 테지. 나는 홀로 킥킥 웃었다.

그렇게 침묵의 여정이 지속하던 와중, 우리는 도시에 도착했다. 해가 어둑어둑 저물기 직전, 그리 크지 않은 도시라 그런지 성문 앞은 한산했다. 가우란은 성문의 수문장 앞에 서서, 당당히 자신의 존재를 드러냈다.

"신군, 가우란이다. 총관을 만나고 숙소를 요청하려 한다."

"시, 신군께서 오셨습니다!"

수문장은 호들갑을 떨며 총관에게 전령을 보냈다. 그러기가 무섭게 총관이 버선발로 뛰쳐나왔다. 신군의 증거인 황금빛 눈동자로 총관을 물끄러미 바라보기만 했을 뿐인데, 총관은 가우란의 신분을 확인조차 않은 채 그를 도시 안으로 안내했다. 덩달아 가우란의 일행인 우리 또한 별다른 절차를 치르지 않고 무사히 마을에 입성했다. 이런 장점이. 신군의 존재가 프리패스나 다름없다는 사실은 가우란을 돌려보낼까 하던 내 마음의 저울을 슬쩍 반대쪽으로 밀어내었다.

"이야, 완전 신분 패가 따로 없는데. 좋네."

"카마께 도움이 되었다니, 기쁩니다."

내 감탄 어린 칭찬에 가우란은 수줍게 웃었다.

처음 만났을 때부터 조각처럼 표정 없이 딱딱할 뿐이었던 가우란이 볼을 옅게 물들이고 슬며시 웃는 모습에 나는 당황하여 말을 얼버무렸다.

"어, 어어."

이래서 사람이란. 나쁜 사람이 착한 일을 하는 게 파급이 더 큰 것처럼, 평소 안 웃던 사람이 웃으니까 충격이 더 컸다. 나는 내가 제대로 본 게 맞는지 확인하기 위해 가우란의 얼굴을 다시 보았지만, 그의 얼굴은 평소 석가면이던 그대로였다. 내가 잘못 봤나. 나는 턱을 긁적였다. 가우란은 딱딱한 목소리를 한껏 누그러트린 채 공손히 말했다.

"총관의 저택이라면 용병들도 쉽사리 손을 쓰지 못하죠. 카마께서 이곳에 계신 걸 그들이 알게 되더라도 별다른 수가 없을 것입니다. 신군의 영향력이 미치지 않는 바르나에서는 불가능하지만, 인드라에 있는 동안은 별다른 걱정을 하지 않으셔도 될 것입니다."

"그래도 인드라에 있는 동안 마음 놓는 게 어디야."

생각보다 바르나까지 가는 길은 수월할 것 같았다. 바르나에서 해결할 수 있으면 좋을 텐데. 난 그리 생각하며 우리에게 내어진 방으로 향했다.

방은 술탄 궁의 키오스크만큼은 못해도, 일반 여관에 비할 수 없을 정도로 호화로웠다.

신군인 가우란에게야 좋은 방이 내어지는 건 당연하다 싶지만, 그의 곁다리로 들어온 모크샤와 나에게까지 이런 방이 주어질 거로 생각지 못했던지라 나와 모크샤는 얼떨떨하게 주변을 둘러보았다.

얼마 지나지 않아, 총관과 몇 마디 말을 나누고 온 가우란이 우리 방에 들어섰다. 가우란은 흠, 고개를 끄덕이며 방 안을 둘러보았다. 나쁘지 않다는 표정이었다.

"카마께서 바르나로 향하는 것은 비밀로 숨겨야 하는 일인지라, 카마를 같은 비밀 임무를 맡은 귀족 자제로 소개했습니다. 카마로서 받으셔야 하는 대접에는 한참 부족할 터이지만, 대접이 박하지는 않을 것입니다."

"어, 방이 좋아서 깜짝 놀랐어."

"그래도 저에게 주어진 방보다는 부족함이 많군요……. 안되겠습니다, 카마시여. 저와 방을 바꾸시옵소서."

가우란은 고개를 내저으며 말했다. 갑작스러운 가우란의 말에 나는 당황하여 손을 내저었다. 나는 이 방 정도로도 충분히 만족했다. 굳이 바꾼다면서 호들갑을 떨어 사람 귀찮게 하고 싶지 않았다.

"뭐? 아냐, 일부러 카마라는 걸 숨기고 들어왔는데, 너랑 방을 바꾸면 이상하잖아."

"그도 그렇습니다만……."

"이걸로도 충분해. 나 노숙도 곧잘 한다고."

나는 걱정 말라는 의미에서 덧붙였다. 하지만 가우란의 눈이 가늘게 접히더니, 이내 모크샤를 향해 날카로운 눈빛이 꽂혔다. 가우란은 아무 말도 하지 않았지만, 그의 시선에 담긴 목소리가 쩌렁쩌렁 귓가에 울렸다. 감히 카마를 밖에서 재웠느냐며 질책하고 원망하고 있었다. 아니, 그럼 그 긴박한 상황 속에서 잠자리 가릴 새가 어디 있었겠는가. 모크샤보다도 더 어처구니가 없던 나는 배고프다는 말로 가우란의 주의를 흩트려 놓았다.

"저기, 나 배고픈데. 오래 기다려야 하려나?"

"바로 총관에게 식사를 준비하도록 말하겠습니다. 잠시만 기다려주십시오."

가우란은 부리나케 자리에서 일어났다. 쏜살같이 방을 뛰쳐나가는 그의 모습이 번개와 같이 빠른 것이, 가히 신군의 이름 그대로였다. 나는 잠시간의 틈에 숨을 돌렸다. 엄청 곤란하네. 일행 중 한 사람이 유난히 나를 챙기고, 다른 이를 적대하는 상황은 언제 어디서든 곤혹스러운 일이었다. 앞으로도 계속 이러다가 모크샤가 도망가면 어쩌지. 한숨이 절로 나왔다. 내가 한숨을 쉬기가 무섭게 바로 곁에서 모크샤의 타박이 들어왔다.

"한숨 쉬지 말랬지."

"난 반신이라서 괜찮다니까."

"말 어지간히도 안 들어요."

모크샤는 구시렁대며 창밖으로 시선을 돌렸다. 팔짱 낀 채 창가에 몸을 기대고 있는 그의 모습에서 괜히 벽이 느껴졌다. 나는 모크샤의 곁에 서며 슬쩍 가우란의 흉을 보았다.

"내가 누울 자리 봐가면서 눕다가 그대로 아그니 술탄 궁 하렘에 누워 있게 생겼는데, 노숙을 안 하고 어떻게 배겨?"

본인이 없는 사이 흠을 잡아 뒷담화를 하는 건 정말 싫다고 생각했는데, 정작 내가 그런 짓을 하고 있었다. 단지 모크샤의 기분을 맞추겠다는 의도로. 이게 무슨 반신이야. 자신에 대한 환멸이 슬쩍 고개를 들었다.

모크샤는 피식 웃으며 팔짱을 낀 채 어깨를 으쓱였다.

"신군이 따라온다고 했을 때 충분히 각오하긴 했는데, 상상 이상이긴 하네."

"헉, 진짜? 저 정도일 줄 알았다고?"

나는 화들짝 놀랐다. 저렇게 날 선 태도를 세울 줄 알고 있었다는 사실보다도, 그걸 알면서도 모크샤가 신군의 동행을 허락했다는 것에 놀랐다. 그가 모욕당할 걸 알면서도 신군과의 동행을 허락한 이유는 뻔했다. 나 때문이지. 나는 아랫입술을 지그시 깨물었다.

잔뜩 속이 상한 나와 달리 모크샤는 별거 아니라는 듯, 가벼운 어조로 말을 받았다.

"신군은 유명하니까."

"……?"

나는 의아한 듯 고개를 기울였다. 문맥상, 신군이 주신에게 받은 권능 때문에 유명하다는 이야기는 아닌 것 같았다. 모크샤의 입술이 비틀려 올라갔다. 모크샤는 어둠 속에서 붉게 빛나는 눈길로 방문을 노려보며, 조소 어린 목소리로 이죽이듯 말을 뱉었다.

"광신도로."

모크샤의 시선을 따라 방문으로 고개를 돌리고 보니, 거기에는 가우란이 서 있었다. 가우란이 있을 줄 몰랐던 나는 화들짝 놀랐다. 발걸음 소리가 들리지 않아 그가 와 있으리라고는 전혀 생각도 못 했다. 도대체 언제부터? 뒷목이 시렸다.

가우란은 광신도라는 모크샤의 말이 누굴 지목해서 한 것인지 뻔히 알면서도, 아무렇지도 않은 담담한 표정이었다. 내가 흔히 조각 같다는 표현을 자마드의 외모에 감탄하며 써먹고는 했는데, 이제부터 그 수식어의 주인은 가우란으로 바뀌었다. 그는 정말 조각처럼, 미동조차 없이 딱딱한 표정으로 고개를 숙였다.

"곧 식사가 준비될 것입니다."

"어, 어어. 고마워."

가우란의 태도가 너무 거리낌 없었기에, 되레 내가 당황스러웠다. 광신도라는 말, 보통 좋은 뜻으로 쓰이지는 않잖아?

나는 슬쩍 가우란의 눈치를 보았지만, 뒤이어 들어오는 커다란 접시 가득 메워진 요리의 향연에 말을 꺼낼 시기를 놓쳤다.

"드시지요. 본래라면 주인인 총관이 와서 대접하여야 마땅하나, 카마께서 불편해하실 것 같아 제가 물렀습니다."

가우란이 저리 말하니, 나는 할 말을 찾지 못했다. 기실 뭐라 물어본단 말인가. 모크샤가 너보고 광신도라고 한 거, 기분 안 나빠? 하지만 매끄러운 가우란의 얼굴을 보고 있자니, 물어보나 마나인 질문이라는 게 뻔히 느껴졌다. 그래. 잠시 평범한 사람의 기준으로 생각한 내가 바보였다. 이 세계 사람들은 나와 사고방식부터가 다르다는 사실을 종종 잊었다. 주신의 광신도라는 사실은, 눈앞의 사내에게는 비아냥거림의 대상이 아닌, 자명한 명제일 뿐이었다.

에라 모르겠다. 본인이 별로 개의치 않는 거 같은데 신경 쓰지 말고 그냥 밥이나 먹자. 나는 바로 내 앞에 놓인 그릇에 있는 닭고기 요리를 향해 손을 뻗었다.

하지만 내가 닭고기를 집기 전, 옆에 있던 모크샤가 내 어깨를 툭 치며 말했다.

"너 닭보다는 소 좋아하잖아. 먹어."

"오, 고마워. 소고기다, 소~고~기."

나는 모크샤의 손에 들린 소고기를 보며 입맛을 다셨다. 이 세계에서는 붉은 고기가 귀했다. 특히 소는 더더욱.

아직 농경이 중시되는 만큼 소는 귀한 동물이었다. 인드라 궁에서 떠나면서 제일 눈에 밟혔던 걸 꼽으라 하면 주저 없이 소고기를 택할 것 같았다. 나는 신나서 모크샤의 손에 들린 고기 한 점을 받아먹었다. 이곳에서 수저 안 쓰는 것도 참 신기했는데, 어느새 이렇게 자연스럽게 손에서 입으로 바로 받아먹게 될 줄이야. 적응 한번 제대로 했다 싶었다.

냠. 한입에 문 채로 그대로 호로록 입 안으로 집어넣은 뒤 우물우물 씹고 있으니, 지상낙원이 따로 없었다. 확실히 닭고기로 이런 야들야들한 맛을 내기는 힘들지. 내 얼굴에 행복한 미소가 번졌다. 아까 가우란의 일은 이미 까맣게 기억 너머로 사라진 지 오래였다.

모크샤는 내가 꼴깍꼴깍 잘 먹으니 계속 고기를 날랐다. 평소에는 넌 손이 없느냐 발이 없느냐며 파르르하고는 고기 접시째 내 앞에 밀어주곤 했는데 오늘따라 이상했다. 물론 나야 모크샤가 이상하게 잘해주는 데다 고기도 먹으니 일석이조, 마냥 좋을 뿐이었다.

"맛있냐."

"앞으로 몇 번이고 먹을 수 있을지 모르는 소님이니 맛있게 먹어드려야지."

"술탄 궁에 있었으면 계속 먹을 수 있잖아."

"야, 아무리 그래도 먹을 거 하나 때문에 주저앉는 건 아니지."

나는 모크샤의 옆구리를 팔꿈치로 쿡 찔렀다. 헛소리하지 말고 한 첩 더 가져다 달라는 뜻이었다. 모크샤는 내 대답이 흡족한 사람처럼 고개를 주억거렸다.

나는 거의 고기 한 접시를 다 거덜 내고서야 그 자리에 있는 다른 두 사람은 제대로 된 음식 하나 먹지 못했다는 걸 깨달았다. 모크샤는 날 먹여주느라. 그리고 가우란은 그런 우리를 유심히 지켜보느라. 큼큼, 너무 경우 없이 굴었나. 얼굴이 조금 벌게졌다. 나는 모크샤에게서 떨어지며 둘을 재촉했다.

"뭐, 뭣들 해. 둘 다 먹어. 나만 돼지 같잖아."

"카마시여."

"응?"

가우란은 음식을 먹는 대신, 묵직하게 운을 떼었다. 얼마나 무거운 주제를 꺼내려고 하는지에 대한 두려움에, 침이 꿀꺽 삼켜졌다. 볼에 우물우물 남아 있던 잘게 씹힌 고기도 같이 내려갔다. 가우란은 모크샤를 가리키며 물었다.

"저자는 카마의 권속입니까?"

"응? 모크샤가 권속이라니?"

권속이라는 뜻을 알지 못한 나는 고개를 갸웃댔다. 반면 모크샤는 가우란의 뜻을 제대로 알아들었는지, 기가 찬 웃음을 지었다. 뭐야. 나만 모르는 거야? 상황을 제대로 파악하지 못한 나는 어리둥절한 채 모크샤와 가우란을 번갈아 살펴보았다.

모크샤의 붉은 눈이 흉흉히 가우란을 노려보았다.

"그래. 격이 안 맞다 이거지."

모크샤는 이죽이듯 중얼거렸다. 크지 않은 목소리는 나뿐만 아니라 반대편에 있는 가우란이 들을 수 있을 정도로 컸다. 모크샤의 입꼬리가 비틀려 올라간 것과 달리 가우란의 얼굴은 여전히 흔들림 하나 없었다. 그는 담담하게, 사실을 적시하고 확인할 뿐이라는 듯, 모크샤의 말은 무시한 채 천연덕스레 말을 이었다.

"저자는 몇 번이나 카마와 접촉하였습니다. 카마께 손을 댈 자격을 갖게 된 권속이 아닙니까?"

달그락. 당황한 내 손끝이 바로 앞의 접시를 툭 쳤다. 접시 그득 담긴 음식이 흐트러지며 카펫 위로 떨어졌고, 곱게 물든 카펫에 벌건 물이 스며들었다.

하지만 그것보다도 더 벌겋게 달아오르는 건 바로 내 얼굴이었다. 그러니까 그 권속이라는 게, 내 권능으로 인한 노예 같은 걸 말하는 거야? 모크샤랑 내가 그렇고 그런 사이라고? 나는 획 모크샤를 바라보았다가, 그와 눈이 마주치기가 무섭게 흠칫 놀라 몸을 피했다. 가슴속에 뜨겁게 데운 돌을 집어넣은 듯 속이 더웠다. 모크샤와 내가 야릇한 분위기의 배경 아래서 서로 끈적끈적하게 들러붙어 있는 그림이 머릿속을 스쳐 지나갔다. 얼굴이 화르르 타올랐다.

모크샤에게서 고개를 돌리니 가우란이 대답을 촉구하는 듯한 빤한 시선으로 나를 바라보고 있었다. 사방팔방, 어디에 눈을 둬도 좋을지 알지 못한 나는 애꿎은 바짓단만 노려보았다.

확실히 지금의 나는 유난스러웠다. 평소라면 무슨 헛소리냐며 비웃듯 코웃음 쳤을 테지만, 지금은 대신 심장만이 쿵쾅쿵쾅 뛰었다. 손끝이 차게 식었다. 왠지 빨리 부정해야 할 것 같은 조급증이 들었다. 버럭 내지른 소리 끝은 덜덜 떨리다 못해 삐죽삐죽 새어 나갔다.

"뭐, 뭐, 뭐라는 거야! 그런 거 아니거든! 우리 모크샤를 그런 걸로 격하하지 말아줄래?!"

"우, 우리 모크샤……."

모크샤는 자기 이름 앞에 붙은 수식어에 질겁하듯 말을 흐렸다. 모크샤가 지적하고 나서야 내가 무슨 말을 내뱉었는지 깨달은 나는 눈을 크게 떴다. 은연중에 마음속으로 생각했던 본심이 튀쳐나간 모양이었다.

애써 억눌러 내린 감정이 반짝 빛을 발했다. 한번 타오르기 시작한 불꽃은 쉽게 사그라지지 않았다.

정말 별거 아닌, 단 하나의 단어였다. 어쩌면 사소하다 할 수 있을 정도로, 변명하려면 충분히 변명할 수 있는 말실수였다. 하지만 별것 아닌 그 단어가 도화선에 불을 지폈다. 화르르. 타들어 간 끝에 불이 옮겨붙었다.

나는 더는 내가 모크샤를 좋아한다는 걸 억누를 수 없다는 걸 깨달았다.

인드라에 도착한 나는 모크샤가 떠날까 불안해했다. 그때만 하더라도 나는 내 감정에 고개를 내저었다. 모크샤가 날 좋아하지 않을 거라는, 보답받지 못하는 사랑에 대한 두려움에 몸을 웅크렸었다. 그때만 해도 갈팡질팡하는 면이 없지 않았다. 내가 모크샤를 좋아한다며 놓지 못하는 건 나를 「평범한 인간」으로 만들어주는 「저주받은 자」에 대한 미련이었을까, 아니면 「내가 사랑하는 사람」을 놓치고 싶지 않다는 집착에서였을까.

이제야 눈앞을 자욱이 가렸던 안개가 물러서고 진실이 수면으로 올라왔다. 완전히 모습을 드러낸 감정은 질척하고 끔찍했다. 그럼에도 손을 놓을 수 없었다.

손끝을 차게 물들인 체기가 손바닥을 타고 퍼져왔다. 뜨거운 얼굴과 달리, 사지는 얼어붙듯 식어갔다. 그건 아마, 지금껏 눈가리고 아웅 하듯 아슬아슬하게 선 위에서 놀리던 발끝이 미끄러져 내린 줄광대의 심정과 비슷하리라. 나는 주먹을 꾹 쥐었다.

내 심경이 복잡하든 말든, 가우란은 차분한 어조로 말을 이었다.

"권속은 명예로운 자리입니다. 저주받은 자에게는 더욱이나 과분하죠."

"뭐?"

나는 고개를 치켜들고 가우란을 노려보았다. 과분하다는 가우란의 말에 순간 눈에 불길이 치솟았다. 왜 과분하다는 건데? 고작 그 저주받은 자라는 이유 하나 때문에? 내가 모크샤를 얼마나 아끼는지 티를 냈는데도 내 앞에서 저 이야기를 꺼내는 저의가 뭐야? 광신도라는 말처럼, 단순히 융통성이 없는 건가?

나는 심호흡을 했다. 아까만 하더라도 한껏 흔들리던 시선은 고개를 들고 목을 빳빳이 세우니 차분하게 가라앉았다. 진정할 수 있었던 나는, 아까의 흥분은 온데간데없이 사라진 싸늘한 시선을 가우란에게 던지며 적의 어린 목소리로 대꾸했다.

"아, 권속이 명예롭고 말고, 나한텐 저주받은 자의 가치가 더 높으니까 조용히 해."

나는 서열 관리라는 표현을 좋아하지는 않는다. 보통 좋은 쪽으로 사용되지 않는 단어기도 했다. 꽉 틀어막히고 답답한, 억압하는 권위주의의 상징. 흔히들 똥군기 잡는다고 하는 그것. 실제로 대학교 새내기 시절, 어지간히도 징하게 당해본 이후로 나는 저 표현에 치를 떨었다.

나는 내 한평생 저게 필요할 거라고는 생각해본 적도 없었다. 자기가 당하면서 욕했던 일을 그대로 답습하는 행위조차도 비웃었었다.

하지만 지금은 저것 외의 다른 방법을 찾지 못했다. 아마 내가 좀 더 냉정하게 상황을 볼 수 있었더라면 모크샤가 왜 나에게 중요한 사람인지 차근차근, 가우란에게 설명해줄 수 있었으리라. 하지만 지금의 나는 차오르는 사랑을 주체하지 못하는 뿔난 소였다.

확실히 모크샤와 가우란, 그리고 나 사이에 미묘하게 걸쳐 있는 위계질서를 다시 정립할 필요가 있었다. 이럴까 봐 사람이 하나 더 느는 것이 탐탁지 않았다. 가우란의 존재는 확실히 편했지만, 지금껏 순탄히 흘러가던 모크샤와 나의 여행에 불협화음을 일으켰다. 나는 한숨을 내뱉었다.

"나한테 잘해주는 건 고마워. 하지만 알아둬야 할 게, 나는 카마로서의 내 권능과 신성성을 그다지 좋아하지 않아. 칼리프한테 들었는지는 모르겠는데, 내가 바르나로 가는 이유도 이 권능을 버리기 위해서야. 그런 만큼 나는 권능으로 인한 권속이니 뭐니 하는 소리가 싫어. 알겠어?"

나는 눈을 부라리며 으름장을 놓았다. 내가 이렇게 반응할 줄 몰랐는지, 가우란은 드물게 당황한 표정을 지으며 말끝을 흐렸다.

"하지만 카마는……."

"그리고 모크샤는 내 권속이 아니야. 나에게 소중한 사람이지. 나에겐 모크샤가 유일해. 그러니까 모크샤에게 자꾸 시비 걸지 마, 가우란. 난 분명히 경고했어."

단호하게 말을 끊었다.

이에 관해선 더는 이야기하고 싶지 않았다. 설전을 벌이고 나니 식욕도 뚝 떨어졌다. 하지만 내가 안 먹고 먼저 자리를 떴다가는, 밥 한 술 제대로 못 떠본 모크샤와 가우란도 그대로 식사를 그만둘 것 같았다. 나는 쯧, 혀를 차고 손을 내저었다.

"이야기 그만하고, 먹자. 고기 맛있다."

모크샤와 가우란은 아직 하고 싶은 말이 많은 듯, 오묘한 표정이었지만 내가 상황을 일축하고 나니 선불리 입을 열지 못하는 것 같았다. 아까와 다른 의미로 분위기가 처참해졌다. 모크샤도, 가우란도, 선뜻 음식을 향해 손을 뻗지 못했다. 어색한 분위기가 한참을 지속하였다.

이래서 언제, 어떻게 바르나까지 가려나. 갈 길이 구만리였다.

그렇게 끔찍했던 저녁 식사가 끝났다. 심신이 지친 나는 늘어지듯 침대에 누웠다. 밥 먹고 바로 누우면 소 된다는데, 저녁 분위기 때문에 소가 되기는커녕 그대로 체기가 올라 죽을 것 같았다. 같은 방을 쓰는 모크샤는, 갑자기 옷을 꾸려 입더니 허리춤에 칼을 맸다. 나는 명치 부근을 주먹으로 툭툭 치며 모크샤에게 말을 걸었다.

"어디 가?"

"검술 수련이나 하게."

모크샤는 손을 쥐었다 폈다 반복하며 답했다. 모크샤의 대답이 떨어지기가 무섭게 나는 반사적으로 자리에서 발딱 일어섰다. 안 그래도 속도 답답하던 찰나였다.

"나도, 나도."

"너 지금껏 검술 수련 한 적 없었잖아. 허튼 일 하지 말고 그냥 좀 더 쉬어."

툭 하니 건네진 모크샤의 대답에선 귀찮음 반, 걱정 반이 느껴졌다. 그 와중에 슬쩍 내비치는 기색이 그다지 싫은 것 같지는 않았다. 나는 차마 떨궈놓을 수 없게 밝은 미소를 지으며 모크샤의 뒤에 따라붙었다.

모크샤를 좋아하는 걸 자각하고 나서도 차마 선뜻 인정하지 못하고 싱숭생숭한 기분이었는데, 이렇게 모크샤가 가는 곳마다 따라가고 싶은 걸 보아하니 푹 빠져도 단단히 빠진 뒤인 모양이었다. 너무 빠지면 곤란한데. 모태솔로인 나는 사랑조차 제대로 하는 법을 몰랐다. 첫사랑은 실패한다는 말이 괜히 기억나면서 기분이 확 나빠졌다.

그래도 이 정도는 괜찮잖아. 모크샤를 속박하는 것도 아니고, 그에게 강제로 뭘 하는 것도 아니고, 그냥 같이 검술 연습하는 것일 뿐인걸.

모크샤가 날 여자로 좋아하진 않아도, 인간적으로 호감이 없는 건 아니잖아. 그나마 다행 아니냐며 속으로 주억거린 나는, 얼굴에 아무렇지도 않은 표정을 띤 채 살갑게 모크샤에게 다가섰다.

“아냐, 움직이면 좀 나을 것 같아. 같이 대련하자.”

“네 실력으로?”

모크샤는 피식 코웃음을 쳤다. 거부하는 기색은 아니다. 예전이었다면 모크샤의 이런 화법이 나에게 벽을 세우는 건지 아닌지 전전긍긍했을 텐데, 이제는 단지 농담할 뿐이라는 걸 바로 깨달을 정도로 그에 대해 익숙해져 있었다.

나는 능청스레 그의 옆구리를 쿡 찔렀다. 몇 시간만 해도 아무 생각 없이 잘하던 행동이었지만, 지금은 그에게로 뻗는 손끝 하나하나가 다 떨렸다. 나는 천연덕의 가면을 뒤집어썼다. 지금만큼은 표정 변화가 없는 가우란이 부러웠다.

“왜 이래. 용병들한테 둘러싸였을 때 기억 안 나? 나한테 등 뒤를 맡길 땐 언제고, 인제 와서 못 믿겠다 그래?”

“그땐 고양이 손이라도 빌려야 하는 상황이었으니까 그랬지.”

“뭐야. 내가 고양이 정도밖에 안 돼?”

"그럼 뭐 정도 되는 거 같은데."

"음……. 호랑이? 표범?"

"허이고야."

기가 찬 듯 모크샤는 하늘을 보며 너털웃음을 터트렸다. 나직이 웃는 목소리가 귓가를 타고 내 심장도 울렸다. 웃으라고 한 실없는 농담이기는 했지만, 실제로 모크샤가 웃으니 가슴 구석이 간질간질했다.

모크샤와 나는 그렇게 만담을 주고받으며 숙소 뒤뜰에 있는 후원으로 향했다. 하지만 복도 끝 어둠 속에서 스며들듯 가우란이 등장했다.

모크샤와 투닥거리는 소리가 제법 컸던 모양이었다. 소리 소문 없는 그의 등장에 나는 화들짝 놀랐다.

"카마시여. 밤이 늦었습니다. 어디 가십니까?"

스르륵 등장한 그의 존재는 쉽게 적응되지 않았다. 나는 벌렁벌렁 뛰는 가슴을 애써 억누르며, 아무렇지도 않은 듯 덤덤히 답하려고 노력했다.

"응? 모크샤랑 같이 검술 연습하려고."

"저자……와 함께 말입니까?"

말끝을 애써 억누른 그는, 모크샤 쪽을 향해 정말 「흘끗」 시선을 주었다. 모크샤의 존재 자체를 인지는 하지만, 인정하지 않는 태도였다. 나는 고개를 끄덕임으로써 대답을 대신했다.

가우란은 잠시 고민하는 듯 입을 꾹 다물었다가, 신중히 운을 떼었다.

"다른 나라의 예니체리들도 저희 신군의 검술을 배우러 옵니다. 저도 몇이나 되는 예니체리들을 가르쳤습니다."

예니체리를 가르쳤다는 말에 락시타가 떠올랐다. 예상치도 못하게 직면한 락시타의 존재에 나는 숨을 헐떡였다. 락시타를 떠올리기가 무섭게 가슴이 아플 정도로 죄어들어, 불경하게도 나는 락시타를 기억 너머로 눌렀다.

미안, 락시타, 미안. 나는 눈을 꾹 감고, 나를 위해 그의 존재를 잊는 이기심을 사죄했다.

숨을 제대로 쉬지 못하는 내 몸을 옆에서 모크샤가 잡아주었다. 단단히 지지해주고 있는 그의 손바닥이 뜨거웠다. 나에게 접촉할 수 없는 가우란은 그저 안부를 물을 뿐이었다.

"괜찮습니까?"

"어어, 응. 괜찮아. 근데?"

나는 식은땀을 훔치며 물었다. 가우란은 갑자기 내가 휘청이며 끊겼던 문맥을 그대로 반복해서 설명하고는, 덧붙이듯 물었다.

"……저와 연습하시는 게 어떻겠습니까?"

나는 가우란의 말에서 숨겨진 「모크샤보다」라는 말을 알아챘다. 하지만 대놓고 이야기하지는 않는 것이, 가우란 나름대로 신경 쓴 결과이리라.

가우란의 말투는 여전히 못마땅했지만, 굳이 그 점을 지적해서 분위기를 또 이상하게 만들고 싶지는 않았다. 나는 어깨를 으쓱이며 모르는 척 답했다.

"아냐. 모크샤랑 하는 게 더 편해. 잘 가르쳐줘."

"……그렇습니까."

가우란의 대답은 한참 뒤에야 나왔다. 얼굴은 언제나 그렇듯이 종잡을 수 없는 무표정이었지만, 미묘하게 말끝이 올라갔다. 떨떠름해하고 있군. 가우란의 얼굴보다도, 그의 목소리에서 그의 기색을 살피는 게 더 빠르고 편했다. 물론, 파악만 할 뿐 그의 바람대로 행동해주겠다는 뜻은 아니었다. 나는 모르는 척 싱긋이 웃으며 철벽을 쳤다.

"제안해줘서 고마워. 나중에 물어볼 거 생기면 물어볼게."

"……알겠습니다."

"응, 먼저 들어가서 쉬어."

마지막으로 땅땅 쐐기를 박음으로써 나는 가우란을 내쫓다시피 방으로 몰아내었다. 가우란은 쉽게 발이 떨어지지 않는 듯, 뒤돌아서기까지가 나에게로 다가오는 발걸음보다 느릿느릿했다. 그의 뒤로 그림자가 길게 늘어졌다. 신속(迅速)의 신군(神軍), 번개의 현신이라는 말이 우스울 정도로 가우란의 뒷모습은 느리게 사라졌다.

가우란이 날 신경 써서 저러는 걸 왜 모르겠는가.

그의 호의에 호의로 답해주지 못하는 건 무척이나 미안하고 죄책감이 들었지만, 어쩔 수 없는 일이었다. 가우란으로서는 날 걱정할 뿐이겠지만, 내 입장에서는 가우란이 걸림돌일 뿐이었으니까.

나에겐 모크샤와의 10분이 더 소중했다. 단지 그뿐이었다. 반신이라는 작자가 이렇게 이기적인 걸 보면, 나에게는 카마의 위명이 어울리지 않는 것일지도 몰랐다. 반신. 신의 사랑을 받는 자. 주신의 유일한 자식. 그 모든 수식어가 무겁게 나를 짓눌렀다. 부담스러워 토할 것만 같았다.

평범한 사람이 되고 싶다. 아주 하층민도 아니고, 아주 고위 귀족도 아닌, 적당히 존중하고 존중받으면서 살 수 있는 그런 사람. 물론 이 세계에서는 그걸 평범하다고 부르진 않겠지. 입맛이 썼다.

모크샤의 검과 내 검이 맞부딪쳤다.

한밤중, 다들 잠이 들어 조용한 총관 저택 내부에 금속성 부딪히는 소리가 유독 선명히 울렸다. 검과 검 사이로 보이는 모크샤의 표정이 어딘지 모르게 침중했다. 방금 검술 연습하러 오면서 가우란과 맞닥뜨린 일을 신경 쓰는 건가? 나는 걱정스레 모크샤의 기색을 살폈다.

그러다 보니 자연스레 집중이 흐트러졌다. 모크샤는 그 사이를 놓치지 않았다. 모크샤의 검이 날카롭게 쏘아져 왔고, 그걸 막아내기엔 너무 늦었다. 모크샤의 검이 내 목에 닿기 직전에 아슬아슬하게 멈췄다. 턱밑으로 날카로운 예기가 서늘하게 느껴졌다. 나는 순순히 손을 들어 보이며 말했다.

"내가 졌네."

"정신을 엉뚱한데 두고 있으니까 그렇지."

너한테 둔 거지 엉뚱한데 둔 게 아닌걸. 하지만 나는 그저 어깨를 으쓱일 뿐, 입 밖으로는 아무 말도 내뱉지 않았다.

모크샤의 검이 서서히 떨어져 나갔다. 땀은 적당히 피부 위로 스며 나온 찰나였다. 모크샤와 거리가 어느 정도 떨어졌을까, 나는 검을 치켜들어 살랑살랑 흔들며 물었다.

"한 판 더?"

"한 판 더는 무슨. 정신 그렇게 빼놓고 있다가 다친다."

모크샤는 핀잔을 주었다. 그러면 신경 쓰이지 않게 그렇게 어두운 표정 짓지 말라고. 나는 속으로 궁얼거렸다.

분명 평소 모크샤가 연습하는 양으로 보아 아직 간에 기별도 안 찼을 텐데, 정말 연습을 그만둘 생각인 듯 모크샤는 순순히 검을 검집에 넣었다. 나도 모크샤를 따라 검을 칼집으로 도로 물렸다.

들어가서 잠이나 자자며 말하는 모크샤의 등 뒤로 밝은 달빛이 비쳤다. 오늘은 유난히 밝은 밤이었다. 나는 어슴푸레한 어둠 속에서 파르스름하게 빛나는 모크샤의 얼굴을 넋을 놓고 바라보았다. 고놈 참 잘생겼네. 콧대도 높고, 짙은 눈썹도 단정했고. 맨날 습관적으로 짓는 뚱한 표정만 아니었으면 더 인상이 좋았을 텐데. 나는 안타까움에 탄식했다.

무의식중에 모크샤를 너무 대놓고 바라봤는지, 그가 미간을 찌푸리며 물었다.

"얼굴에 뭐 묻었어?"

"아, 아니."

나는 황급히 고개를 내저으며 시선을 비껴 내렸다. 그만 돌아가자, 나는 모크샤를 뒤에 두고 먼저 돌아섰다. 지금까지와는 달리 모크샤 앞에서 표정 관리를 할 자신이 없었다.

적막한 회랑에는 모크샤와 내 발걸음 소리만 들렸다. 회랑 사이사이에 불을 밝히는 횃불이 일렁이듯 우리의 그림자를 길게 늘어트렸다. 적당히 걷다가 모크샤가 내 옆으로 다가올 줄 알았지만, 좀처럼 모크샤는 앞서 나올 생각을 하지 않았다.

모크샤는 계속해서 내 뒤를 따랐다. 그게 무척이나 초조하고, 불안했다.

길고 긴 회랑의 중간 정도 왔을까, 모크샤가 입을 열었다.

"너, 정말 권능 버릴 거야?"

모크샤의 말투의 느낌이 이상하게 불안했다. 떡갈나무처럼 딱딱하고 얼어붙은 빙하처럼 시렸다. 모든 걸 튕겨내는 듯한 서늘함. 나는 모크샤가 저렇게 정색한 목소리를 언제 내는지 알고 있다. 분명, 인드라에서 나와 헤어지자 이야기를 꺼냈을 때의 목소리가 저러하였다.

손바닥이 식은땀으로 축축이 젖어들었다. 모크샤의 검 끝이 목울대 바로 앞에서 멈췄을 때도 들지 않던 긴장이 지금 미친 듯이 솟아오르고 있었다. 나는 차마 뒤를 돌아볼 엄두가 나지 않았다. 나는 최대한 아무렇지도 않게 들리도록, 태연함을 가장하여 대답했다.

"어? 어어. 영 불편하니까……."

하지만 목소리 끝이 떨렸다. 나는 모크샤가 무슨 표정인지 궁금했다.

뒤통수에 눈이라도 달렸으면. 침묵이 길어지면 길어질수록 나는 뒤돌아보고 싶은 욕구에 시달렸다.

결국, 참지 못한 나는 휙 뒤로 돌아섰다. 나로부터 두어 발짝 떨어진 곳에서 따라오던 모크샤가 우뚝 멈췄다.

갑작스러운 내 행동에 그는 미처 표정을 숨기지 못했는데, 어딘지 모르게 탐탁지 않은 심정이 그대로 얼굴에 드러나 있었다.

초조해진 나는 나도 모르게 손을 뻗어 모크샤의 팔을 낚아채었다. 평소 뜨겁게 나를 데워주던 그의 체온은 밤바람에 차게 식어 있었다. 나는 손끝에 힘을 주었다. 그의 옷자락이 손안에서 와락 주름이 졌다. 주글주글한 주름이 마치 혼란스러운 내 마음 같았다.

나는 웃었다. 어색한 상황에서 나마저도 얼굴을 구길 수는 없었다. 최대한 내가 동요한 것을 감추고 싶었던 나는 입꼬리를 한껏 잡아당겼다. 하지만 그게 얼마나 효과적으로 보일는지는 알 수 없었다.

"내 권능을 버리는 김에, 네 저주를 푸는 방법도 찾아보자. 응?"

내가 모크샤를 꾈 수 있는 건 이런 것밖에 없었다. 그의 출신을 담보 잡아 휘두르는 것. 참으로 비겁하고도 옹졸했다. 더 못난 것은, 말은 이렇게 하면서도 내심 모크샤가 저주를 풀지 않았으면 하는 마음이 가슴 한구석에 웅크리고 있는 것이다.

만약 모크샤가 저주받은 자가 아니게 된다면.

그는 잘생기고 실력도 좋은 용병이니만큼 곧 하렘을 꾸릴 수 있게 될 것이다. 그렇게 생각하니 순간 속이 울렁거렸다. 그래도 나는 꾹 참았다. 내 개인적인 욕심으로 그가 행복해질 수 있는 미래를 재단하는 것이 무척이나 욕심으로 느껴졌다.

나는 내 말에 모크샤가 눈에 띄게 기뻐하지는 않아도, 내심 싫지 않은 기색을 보일 거로 생각했다. 「저주」는 그의 인생에 암운을 드리운 존재였다. 비록 모크샤가 저주를 없앨 수 있다는 것에 회의적일지라도, 그 가능성에 한 줄기 미소를 띨 것이다.

하지만 모크샤는 여전히 시리고도 억울한 시선으로 날 바라볼 뿐이었다. 자조도 아니었고, 말 그대로 분하고 답답한 표정이었다. 왜? 난 정말 영문을 알 수가 없었다.

⁂

침실로 오는 사이에 땀은 다 식어 증발했다. 인제 와서 씻기도 뭐하고. 나와 모크샤는 자기 위해 평상시처럼 한 잠자리 앞에 섰다. 모크샤는 무덤덤하게 침상에 덮인 이불을 들췄다.

침대 위로 올라 이불 사이에 몸을 누인 모크샤를 보며, 나는 머리를 망치로 얻어맞은 듯한 충격에 빠졌다. 지금까지 내가 어떤 표정으로, 어떤 자세로 모크샤의 곁에 누웠는지 전혀 떠오르지가 않았다.

소, 손을 잡고 잤었지. 맞아. 그래. 그리고 가끔은 모크샤에게 끌어안겨 잔 적도 있었고, 그의 가슴팍에 이마를 대고 잠든 적도 있었다.

나는 더듬더듬 기억을 되살렸다. 하지만 역효과였다. 떠올리면 떠올릴수록, 심장이 터질 듯이 뛰었다. 지금껏 모르는 척 눈가리고 아웅 해댔지만, 막상 모크샤를 좋아한다는 걸 깨닫고 나니 차마 그와 같은 침대에 누울 자신이 없었다.

모크샤는 침대에서 턱을 괸 채 나를 올려다보았다. 그의 붉은 눈동자가 내 마음을 알고 있는 것처럼 따끔따끔 심장을 찔러왔다. 나는 저 시선을 마주하며 잠을 잘 자신이 없었다.

정말 안 되겠다. 일단 오늘은 좀 진정할 필요가 있었다. 먼저 모크샤부터 재우고, 들뜬 머리도 식힐 겸 생각도 좀 하다가 느지막이 잠자리에 들자. 그렇게 생각한 나는 모크샤의 눈치를 보며 조심스레 입을 열었다.

“저, 저기 모크샤.”

“왜?”

“너 오늘 먼저 자.”

모크샤의 한쪽 눈썹이 치켜 올라갔다. 못마땅함이 그득 느껴지는 표정이었다. 내 말이 뭔가 이상했나. 하긴. 갑자기 먼저 자라고 하면 그 이유가 궁금하겠지. 나는 속으로 고개를 끄덕이고는 변명하듯 말을 덧붙였다.

"나는 달 좀 보다가 잘게. 오늘 달이 유난히 밝네."

딱 좋은 변명에 가식적인 미소까지. 팔자 좋다는 모크샤의 비아냥거림이 귓가에 선했다. 분명 「네 맘대로 하라.」며 오래간만에 자유로운 수면을 즐기기 위해 먼저 이불에 쏙 들어가 잘 거로 생각했다.

하지만 내 생각과는 반대로, 모크샤가 몸을 일으켰다. 침대에 앉은 그가 나를 노려보았다. 아까부터 계속 그의 얼굴에 떠돌던 불쾌감과 억울함이 뚜렷이 그 존재를 드러내었다. 그의 한쪽 입꼬리가 기이하게 올라갔다. 잔뜩 비틀린 열등감과 분노가 나를 향해 쏘아졌다.

"왜. 기분 나빠?"

"……모크샤?"

"신군놈 이야기를 듣고 보니, 같이 있고 싶지 않아졌어?"

모크샤의 칼날과 같은 말은 내 심장을 겨누었다. 갑자기 왜 이야기가 이렇게 튀지. 당황한 나는 모크샤를 보았다. 모크샤의 붉은 눈동자는 작열하는 태양빛처럼 나를 숨 막히게 했다.

심장이 쿵쾅거리며 주먹이 꽉 쥐어졌다. 차갑게 식은 손끝이 손바닥으로 찬기를 옮겼다. 시린 기운이 발끝에서 정수리까지 온몸으로 퍼져 나갔다. 마치 얼음물을 뒤집어쓴 것처럼, 갑자기 찬 바다에 내동댕이쳐진 듯한 섬뜩함이 나를 잠식했다. 뇌에 찬물이 들어차는 것도 같았다.

나는 황급히 고개를 내저었다.

"그럴 리가 없잖아."

"그런데 왜 갑자기 답지 않게 구는데. 너, 나랑 자는 거 좋아하잖아. 달구경은 무슨, 평소에는 열 일 제쳐놓고 침대로 가자고 했으면서."

모크샤와 자는 걸 좋아한다느니, 열 일 제쳐놓고 침대로 가자고 한다느니 하는 어감이 참 야시꾸리했다. 되게 성적인 의도로 들리는데. 나는 손가락을 꿈지럭거렸다. 얼굴이 자꾸 벌게졌다. 하지만 차마 모크샤에게 널 좋아해서 그렇다고 말할 용기가 없었다. 정확히는, 말할 용기가 있어도 거절당할 용기가 없었다. 모크샤가 웃기지 말라고 한다거나 자기한테 그런 거 기대하지 말라고 대답하면, 나는 어떻게든 상처받을 것 같았다. 내 용기는 반 푼어치였다.

"그게……."

나는 말끝을 흐렸다. 꺼낼 말이 없었다. 내가 주저주저하는 사이 모크샤가 이불을 박찼다. 갑자기 벌떡 일어난 모크샤의 모습에 나는 화들짝 놀랐다. 모크샤는 침대에서 걸어 나오더니 근처에 대충 던져두었던 옷을 꿰입었다. 나갈 생각이다. 모크샤가 그러리라곤 생각도 못 한 나는 깜짝 놀라 외쳤다.

"모크샤!"

"……먼저 자."

모크샤는 그리 말하며 외투로 걸치는 장포를 어깨에 걸쳤다. 소매와 옷깃에 금 자수가 놓여 있는 검은 장포는, 내가 모크샤에게 잘 어울린다며 사줬던 것이었다. 모크샤는 외투를 입고는, 허리춤에 검을 찼다. 검집과 검집이 부딪치며 절그럭거리는 소리가 유독 거슬렸다. 검술 연습하러 가나? 왜 갑자기 이 상황에서? 혹시 날 떠나는 건 아니겠지? 아직 잔금도 안 치렀는걸. 불안한 생각이 툭툭 튀어나왔다.

모크샤가 내 앞에 섰다. 방 안에 잔잔히 퍼져 나가는 촛불 빛이 모크샤에게 가려지니 내 시야는 어둠으로 가득 찼다. 깜깜한 아득함. 마치 내 심정과도 같았다. 모크샤의 입이 열렸다. 나는 그가 무슨 말을 할지 벌벌 떨었다.

"달구경한다며. 너 달구경하고, 먼저 자고 있으라고."

"모크샤, 미안. 내가 잘못했어. 가지 마. 응?"

나는 모크샤에게 매달렸다. 왠지 모크샤가 이 방을 나가면, 그대로 뒤도 안 돌아보고 떠나버릴 것만 같았다. 물론 그러지 않으리라는 걸 알았다. 모크샤는 칼만 허리춤에 찼을 뿐이고, 그저 아까 못다 한 검술 연습을 하러 나가는 걸지도 몰랐다.

하지만 난 모크샤를 놓아줄 수 없었다.

기분 나쁘냐고, 가우란의 이야기를 듣고 보니 같이 있고 싶지 않아졌느냐 뇌까리던 모크샤의 얼굴이 유독 선명히 떠올랐기 때문이다.

지금 내가 그대로 모크샤를 보내주면 그와 나 사이의 무언가가 단단히 틀어질 것만 같았다. 나는 그렇게 되지 않기 위해, 나도 모르는 새 모크샤와 사이에 벌어진 간극을 좁히기 위해 노력했지만 쉽지 않았다.

모크샤는 이를 악물고 얼굴을 잔뜩 일그러트린 채 나를 내려다보았다. 얼굴에서 절절히 느껴지는 괴로움에 그를 옥죄고 있는 손에 자연스레 힘이 빠졌다. 저렇게 나를 싫어하게 된 이유가 궁금했다. 분명 우리는 아까만 해도 괜찮았었다.

모크샤는 나를 떨궈놓고 그대로 방을 나섰다. 모크샤의 뒤를 따라가고 싶었지만, 너무 귀찮게 군다며 모크샤가 싫어할까 봐 차마 나는 그의 뒤를 따르지 못했다.

모크샤가 방을 떠난 뒤, 나는 쉬이 잠을 잘 수가 없었다. 방금까지 모크샤가 누워 있던 침대 자리에 몸을 겹쳐보아도, 모크샤의 온기는 사라진 지 오래였다. 차라리 악몽이 반갑겠다. 그리 생각한 내가 눈을 붙이고 꿈속으로 도피하려 해도, 쉬이 잠은 오지가 않았다. 모크샤가 사라진 것도 아니요, 그냥 나를 두고 나갔을 뿐이지만 바닥이 푹 꺼진 채 허공에서 고꾸라지는 것처럼 속이 울렁거렸다.

뭐가 문제였을까. 괜히 감정을 들키지 않도록 거리를 둔답시고 모크샤를 상처 준 건가? 모크샤는 어디서부터 이상했지? 내가 같이 자기 꺼리는 기색을 너무 보였나? 검술 대련 때? 그전에 가우란과 만났을 때? 아니면 저녁 식사 시간? 가우란과 같이 여행을 떠났을 때? 그도 아니면……. 가우란과 맨 처음 만났을 때?

어쩌다 이렇게 되었을까.

가우란이 문제였을까. 아니면 내가?

되짚어 생각해보고 나니, 내 기억 속에 있는 모크샤는 인드라에서부터 항상 이상했다.

별거 아니겠지, 아니겠지 하고 모르는 척 눈을 돌려버린 결과가 이렇게 한꺼번에 역풍으로 나를 휩쓸었다. 가슴 한편이 시렸다. 알 수 없는 우울함과 무력감, 벅찬 상실감에 눈가를 타고 눈물이 도르륵 흘러내렸다.

모크샤가 영영 돌아오지 않으면 어쩌지 하는 생각을 떠올리기가 무섭게 온몸이 덜덜덜 떨렸다.

눈물로 적셔진 베개의 축축함이 뺨까지 번져갔다. 나는 손바닥으로 눈두덩을 꾹꾹 짓눌렀다.

하, 허탈한 한숨만이 입술을 타고 흘렀다. 나는 비척비척 도로 몸을 일으킨 채 창가로 향했다.

모크샤가 어디 있는지 발견이라도 하면 마음을 놓을 수 있을 것 같았다.

하지만 모크샤는 아무리 봐도 보이지가 않았다. 창 근처에는 없는 것 같았다. 여전히 잠은 오지 않았다. 덕분에 나는 졸지에 핑계뿐이던 달구경을 족할 정도로 하게 되었다.

나는 창가에 몸을 올렸다. 무릎을 세우고 앉아도 될 만큼 창틀은 넉넉했고 창문은 컸다.

나는 무릎을 손으로 끌어안았다.

내가 무슨 문제였는지는 모르겠지만 다 잘못했으니 제발 모크샤가 돌아와 줬으면 좋겠다. 그냥 검술 연습하고 온 것일 뿐이라고, 나를 꼭 끌어안고 자자고 해줬으면 좋겠다. 나는 내가 발로 차버린 행복을 여러 번 곱씹었다. 그 순간 턱 숨이 틀어막혔다. 가슴이 답답하고 땀이 삐질삐질 나더니, 현기증에 몸이 비틀거렸다.

내가 있는 곳은 2층으로 떨어져도 다치지 않을 법한 높이였지만, 그 순간만큼은 창밖으로 떨어져 죽을 것만 같은 기분이 들었다.

나는 창틀을 쥔 손에 힘을 주었다. 모크샤가 없다는 것만으로도 공황장애를 느끼다니, 마치 담요를 빼앗긴 라이너스가 된 기분이었다.

애정결핍의 상징이었던 담요. 그 담요가 있어야만 천재성을 드러낼 수 있다는 만화 속 등장인물 라이너스처럼, 모크샤가 없어진 나는 공포에 사로잡혀 끙끙 앓을 뿐이었다.

나는 그렇게 괴로워하며 뜬눈으로 밤을 새웠다. 명확한 이유조차 모르는 채, 모크샤만을 찾으면서.

새벽녘, 창밖으로 불그스름한 동이 터 올랐다. 아직 가시지 않은 밤의 흔적이 내 발끝을 물들이고 있었다.

그때, 문밖에서 인기척이 났다. 나는 바깥 상황을 살피는 미어캣처럼 허리와 고개를 꼿꼿이 세우고는 문 쪽으로 주의를 기울였다. 심장이 두근두근, 조용한 새벽녘 사이에서 유난히 크게 뛰었다.

방으로 들어선 것은 모크샤였다. 그의 얼굴을 발견함과 동시에 안도감이 내 마음을 쓸어내렸다.

모크샤는 창가에 앉아 있는 날 보고 놀란 듯 눈을 크게 떴다. 그는 잠긴 목소리로 말했다.

"……자고 있으라니까."

"모, 모크샤. 떠난 거 아니지? 응?"

나는 모크샤의 비위를 맞추듯 어색하게 웃으며 창가에서 내려 모크샤에게 다가갔다.

하지만 차마 모크샤에게 다가서지 못하고 그의 근처를 겉돌았다. 예전이었다면 모르는 척 와락 그의 허리를 껴안았을 텐데, 지금도 그래도 될는지 쉬이 파악할 수가 없었다. 나는 슬금슬금 모크샤의 눈치를 보았다. 모크샤는 허리춤에서 칼을 끌러내어 바닥에 내려두었다. 그는 여전히 나와 시선을 마주치지 않았다.

"……너, 내가 헛생각하지 말라고 그랬지. 내가 왜 널 떠나. 그냥 나갔다 온 거야."

"떠난 줄 알았어."

나는 멍하니 대답했다. 그제야 모크샤가 나를 바라보았다. 모크샤의 붉은 눈동자가 찌푸린 눈썹 사이로 가늘게 빛났다. 그는 미간을 찡그린 채 대답했다.

"너 아직도 그렇게 악몽 꿔대는데, 어떻게 널 그냥 두고 가냐? 너 잠에서 깨워줄 사람은 나밖에 없잖아."

모크샤의 말에 두근거리지 않았다면 거짓말이리라. 아까와는 다른 속도, 다른 박자로 심장이 쿵쿵 뛰었다.

하지만 쉽게 모크샤의 말을 믿을 수는 없었다. 나는 내 불안감을 담은 채 넌지시 말했다.

"지난번에는 두고 가려고 했잖아."

모크샤는 언제 제가 그랬나 생각하듯 얼굴을 찡그렸다. 날 두고 가려 생각한 것이 너무 많아 짐작이 가지 않는 건지, 아니면 그런 의도가 아니었기에 떠오르는 것이 없는 건지 알 수가 없었다.

한참 끝에 모크샤가 기억난 듯 고개를 내저었다.

"인드라 도착한 뒤로는 악몽 꾼 적이 없으니까……. 나는 네가 아그니에 대한 압박감으로 악몽을 꾸는 줄 알았지."

나는 고개를 들었다. 모크샤의 말은 마치 내가 악몽을 꾸는 한, 그가 내 곁에 있어줄 것처럼 달콤하게 들렸다. 적어도 모크샤가 날 아주 버릴 생각은 없구나. 그제야 마음을 놓은 나는 와락 모크샤를 끌어안았다.

"다음부터 그렇게 나가고 그러지 마. 응?"

"……그래."

정수리 위에서 들리는 모크샤의 대답은 무척이나 씁쓸했다. 나는 차마 고개를 들어 모크샤의 표정을 확인할 자신이 없었다.

그래도 새벽녘의 불안이 싹 가셨다. 마치 빠지는 썰물 같았다. 하지만 썰물은 언젠가 밀물이 되어 돌아온다. 이 불안감 또한 언제고 다시 나를 잠식하려 들 것이다. 안 되겠다. 그전에 확실한 방파제를 세워둘 필요가 있었다.

모크샤가 떠나지 않게, 그를 내 곁에 붙들어 놓기 위한 그런 방법이 절실했다. 내 얼굴이 딱딱하게 굳은 것이 느껴졌다. 아마 나는 무시무시한 표정을 짓고 있을 게 틀림없다. 마치 괴물과 같이 추악하고도 이기적인, 그런 표정을.

CHAPTER 13
약자의 삶

새벽의 소란은 아무렇지도 않게 지나갔다. 하지만 내 마음은 단단한 결심으로 이루어진 채였다.

밤새 잠을 자지 못해 피곤했지만, 그런 티를 내면 가우란이 분명 하루 더 묵었다가 천천히 떠나자고 할 게 분명했다. 마음이 급했던 나는 가우란이 잘 잤느냐 묻는 말에 아무렇지도 않은 척 고개를 끄덕였다.

하지만 졸음을 참지 못하고는 말 위에서 몇 번이나 꾸벅꾸벅 졸았다. 어떻게 다음 마을에 도착한 것인지가 신기할 정도였다.

새 마을에 도착했을 때도, 첫 번째 마을과 같은 식으로 이야기가 흘러갔다. 신군의 등장에 총관저가 들썩들썩했다. 이곳의 총관 또한 간이며 쓸개며 다 빼줄 듯이 굽실거렸다.

총관은 연신 땀을 닦으며 가우란에게 잘 보이기 위해 애썼다. 만약 내가 카마라는 걸 알았더라면 저자가 나에게 저리 굴었겠지. 생각해보니 별로 유쾌한 일은 아니었다. 지금 정체를 숨기고 있다는 사실이 이렇게 다행일 줄은 몰랐다.

총관과 가우란이 앞서 나가고, 모크샤와 나는 그 뒤를 따르는 사이, 총관저 밖에서 소란스러운 소리가 들렸다. 별거 아니겠지, 모르는 척 넘기려 했지만, 소란 사이에 섞여 있는 날카로운 여자의 목소리에 내 발걸음이 딱 멈추었다. 여자들은 하렘 안에만 있기 때문에 밖에서 여자의 목소리를 듣는 것은 무척이나 희귀한 일이었다. 나는 총관에게 물었다.

"웬 소란입니까?"

"별것 아닌 일입니다."

총관은 여상히 넘겼다. 가우란도 아니고, 그의 종자로 보이는 이의 질문에까지 섬세하게 답해줄 필요는 느끼지 못한 모양이었다. 하지만 이대로 그렇구나 하고 넘기기엔 괜히 찝찝했다. 나는 눈을 가늘게 뜨고 끈질기게 되물었다.

"여자 목소리가 들린 거 같은데."

"하렘의 문제가 터진 것인지라……."

하렘의 문제라는 말에 괜히 심장이 쿵쾅거렸다. 뭔가 말도 안 되는 일이 벌어지고 있을 것 같은 불안감이 들었다. 이 세계에 온 뒤로 하렘에 엮여 좋았던 적이 없다.

순간 여자의 목소리가 크게 들렸다. 하지만 정확히 무슨 소리를 하고 있는지는 뭉뚱그려져 잘 구분할 수가 없었다. 내가 계속해서 밖의 소란을 물고 늘어지자, 내 눈치는 기가 막히게 보는 가우란이 고개를 숙이고 속삭여 물었다.

"제가 알아보고 올까요?"

"근처인 거 같은데. 같이 가보지 뭐."

"안내 부탁하네."

가우란의 말에 총관이 허리를 숙였다. 그러고는 당혹스러운 기색으로 나와 가우란을 번갈아 쳐다보았다. 신군인 가우란이 내 눈치를 보고 있으니, 이건 어디 사는 귀한 도련님인가 싶었을 것이다. 하지만 굳이 그에게 해명해줄 필요를 느끼지 못한 나는 무덤덤한 시선으로 총관을 재촉했다. 총관은 쭈뼛쭈뼛한 태도로 발걸음을 옮겼다. 묻고 싶었던 귀찮은 일이 끄집어내진 사람 같은 표정이었다.

총관이 향한 것은 총관저 근처에 있는 큰 광장이었다. 이미 광장은 사람들로 인산인해를 이루었다. 물론, 여자는 그 사이에 없었다.

총관이 등장하자 사람들이 주춤주춤 길을 터주었다. 덕분에 나는 사람들과 부딪히지 않을 수 있었다. 총관의 길잡이 덕에 우리는 금방 광장 전망이 좋은 자리에 위치할 수 있었다. 광장의 중앙에는 꿇어앉혀진 한 여자와 분기 어린 표정으로 화를 토해내는 한 남자가 있었다. 얼마나 맞았는지 여자의 얼굴은 피투성이에 퉁퉁 부어올라 있었다. 몸 구석구석 멀쩡한 곳도 없었다. 그 광경을 보기가 무섭게 내 얼굴이 굳었다.

총관은 땀을 흘리며 어렵게 설명했다.

"남편의 말을 어기고 몰래 하렘에서 빠져나온 여자입니다. 남편은 아내가 자살하기를 원하고 있죠. 귀인께서 걱정하실 일은 아닙니다."

신군이 높이는 내 존재에 대해 감을 잡지 못했던 그는 「귀인」이라는 호칭으로 나를 높였다. 하지만 그 말 아래 어리고 부유한 소년의 치기 어린 정의심을 얕보고 있는 것이 절로 느껴졌다. 네가 이상하게 유난을 떠는 것이지만 이건 평범한 일이라며, 나를 가르치려는 어조였다.

사내가 한껏 성을 내며 무어라 무어라 했다. 그러더니 품에서 단도를 꺼내 여자의 앞에 던졌다. 그 칼로 자결하라는 뜻이었다. 여자의 떨리는 손이 칼의 손잡이로 향했다. 여자의 손가락이 칼을 부여잡는 동안, 나는 꿈쩍도 못 하고 그 과정을 보았다. 이 상황을 막아야 할 것 같은데, 어떻게 해야 할지 머릿속이 새하얬다.

여자는 칼을 목에 겨누었다. 그녀는 제 목을 칼로 찌르려고 했지만, 손이 몇 번이고 흔들리며 어긋났다. 결국 여자는 자살하지 못하고, 칼을 내팽개친 채 바닥에 엎드려 엉엉 울음을 터트렸다.

여자의 남편으로 보이는 사내가 여자를 발로 걷어찼다. 자신의 명예를 바닥으로 처박는 못된 년이라며, 죽는 것조차 제대로 하지 못하느냐 타박했다.

"사람들이 보고 있어. 애초에 하렘을 나오면서 죽을 생각을 한 것 아니야? 그렇게 죽고 싶으면 여기서 죽으라고. 하렘에서 도망친 것으로 한 번, 자살조차 하지 못하는 것으로 두 번. 넌 내 명예를 두 번이나 모욕했어."

사내가 식식대었다. 무슨 개소리를 그렇게 열심히 하느냐 묻고 싶었지만, 주변 남자들은 다 저 남편의 말에 동조하고 있었다. 순간 소름이 오싹 끼쳤다. 혹시 모크샤도 저런 생각을 하고 있을까 두려워졌던 나는 모크샤를 돌아보았다.

모크샤의 얼굴이 새하얬다. 모크샤는 숨이 틀어막힌 듯 눈을 부릅뜨고 여자의 모습을 지켜보고 있었다. 무언가 심상치 않은 그의 상태에 손을 뻗으려 한 순간, 모크샤가 몸을 웅크리고는 몇 번이고 토악질했다.

"모크샤, 괜찮아?"

"괜, 우욱……."

전혀 괜찮지 않아 보였다. 갑자기 모크샤가 왜 이러지. 언제나 몸도 마음도 튼튼한 편이었던 그답지 않은 상황이었다.

나는 모크샤의 등을 쓸어주고, 그의 식은땀을 닦아주었다. 모크샤는 한참 동안 숨을 제대로 고르지 못한 채 내 품에서 축 늘어져 있었다. 나는 품 안에서 떨고 있는 모크샤를 더욱 끌어안았다. 좀처럼 안정이 되지 않는 것이 걱정되었다.

그사이 여자의 남편이 여자를 죽이네 마네, 단두대를 가져오느니 어쩌느니 하고 있었다. 나는 모크샤를 끌어안은 채, 가우란에게 다급히 물었다.

"가우란. 저거 어떻게 못 막는 거야?"

"막을 명분이 없긴 합니다. 하렘을 맘대로 빠져나온 것에 대한 처벌은 어디까지나 남편의 권한이니까요."

가우란은 금빛 눈동자로 나를 빤히 보며 말했다. 가우란의 흔들림 없는 시선에서 여자의 처지를 일말도 가엾이 여기지 않는 것이 느껴졌다. 마치 여자가 저런 취급을 당하는 것이 당연한 사람 같았다. 그럼에도 그는 내가 왜 여자의 처벌을 막아야 하는지 궁금해하지 않았다. 그저 내 질문에 대답하는 것만이 중요한 사람처럼.

하지만 그렇게 나온 대답치고는 썩 만족스럽지 않았다. 나는 또렷이 눈을 치켜뜨고 추궁하듯 물었다.

"뭘 한 것도 아니고, 그저 나온 것일 뿐인데?"

"방법이 없습니다."

"신군이라 할지라도?"

"예."

가우란의 대답은 간결했다.

나는 모크샤의 등을 쓸어내리며 입을 꾹 다물었다. 오래 생각할 만한 여유는 존재하지 않았다. 여자의 목숨은 풍전등화였다. 나는 다급하게 입을 열었다.

"카마라면?"

"네?"

지금껏 담담하던 가우란이 화들짝 놀랐다. 그가 감정을 이렇게 드러내는 것은 흔한 일이 아니었다. 그렇다는 이야기는, 정말로 내가 한 말이 말도 안 되는 소리라는 것이었다.

나도 알고 있었다. 자마드에게 들킬까 봐 행적을 숨긴 채 여정을 재촉하던 내가 난데없이 정체를 드러내겠다니, 가우란이 당황하는 것도 당연했다. 나는 흔들림 없이, 되레 뻔뻔하게 고개를 치켜들고 당연하다는 듯 답했다.

"내가, 카마가 저 여자를 원한다고 말해. 카마의 총애를 받은 이를 죽일 수는 없잖아."

하렘, 남자, 여자, 그 모든 규칙에서 자유로운 것이 바로 카마였다.

카마와 관계를 맺게 되면, 그건 신의 총애를 받았다는 이야기나 다름없다. 카마에게는 남자가 결혼했든 말든, 여자가 남자에 속해 있건 말건 신분이 높고 낮건 아무 상관도 없었다. 이걸 빌미로 삼아 맘 놓고 유부남 유부녀들을 꾀어서 놀았다는 전생의 카마의 기록이 남아 있다.

보통 남자의 하렘에 있는 여인이 간통하면 죽음으로 벌하지만, 신의 총애를 받은 이를 쉽게 죽일 수는 없는 일이었다. 심지어 한둘도 아니었고, 카마가 손을 댔던 이들을 전부 죽였다가는 귀족들의 씨가 말랐을지도 몰랐다.

지금껏 나는 내가 카마라는 것에 치를 떨었다. 이 권능을 버리고 싶어 아주 몸부림을 쳤다. 하지만 어차피 아직은 내게 속해 있는 권능이었고, 타인을 위해 이용할 수 있다면 이용하는 것이 나았다.

비록 자마드에게 들킬 가능성이 있을지라도. 꼬리가 줄줄 늘어 붙을지도 모르지만, 뭐 아그니에선 편했었나. 한 번 떨쳐냈으니 두 번도 가능할 것이다. 이미 단단히 결심한 나는 가우란을 재촉하듯 바라보았다.

내 시선을 마주한 가우란의 얼굴이 일그러졌다. 그는 내가 고작 저 여자 때문에 위험을 감수한다는 것이 싫은 기색이었다.

“그렇게 하면 카마의 행적이 들통나게 됩니다.”

“저 여자가 말도 안 되는 일로 죽는 것보단 나아.”

나는 단호했다.

지금껏 도망치면서 죽은 사람을 본 것만 해도 손에 꼽을 수가 없었다. 모크샤의 손에 죽은 용병도 수십이었다. 그랬던 내가 저 여자의 죽음에 왜 이리 민감하게 반응하며 호들갑을 떠는지, 참으로 위선적이고 가식적이다.

하지만 그럴지라도, 나는 저 여자를 살리고 싶었다. 이유를 알 수는 없었다. 어쩌면 저 여자의 모습이, 또 다른 나의 미래가 될 수도 있었기에 든 동정심일지도 몰랐다.

내 입가에 씁쓸한 미소가 번졌다.

"그리고 나에겐 너와 모크샤가 있잖아. 너희가 지켜줄 거라는 거, 믿고 있어."

가우란은 나에게 인정받았다는 기쁨과, 축 늘어져 있는 모크샤와 동등한 선상에 놓였다는 불쾌감이 반반인 얼굴로 날 바라보았다. 어지간히도 표정 관리가 안 되는 것이, 정말 종잡을 수 없는 기분인 것 같았다.

이내 가우란은 고개를 끄덕였다. 이해하지 못한 것 같지만 내가 하라니 어쩔 수 없는 것 같았다. 가우란이 근처에 있는 총관을 보았다. 우리의 곁에서 대화를 듣고 있던 총관은 카마라는 말에 눈을 휘둥그레 떴다. 가우란은 냉정한 표정으로 총관을 재촉했다.

"카마의 명이네. 저 여자를 총관저로 불러주게."

가우란의 말에도 총관은 입을 다물지 못한 채 나를 경악스레 볼 뿐이었다. 하지만 가우란의 서릿발 같은 시선에 곧 정신을 차리고 후다닥 사람들을 제치고 나섰다.

"멈추게! 멈춰!"

바닥에 밀쳐진 여자의 머리 위로 한껏 치켜 들린 날카롭고

둔탁한 검이 총관의 외침에 잠시 멈췄다. 나는 총관이 사내에게 무어라 말하는 것을 흘끔 보고는, 비틀거리는 모크샤를 데리고 자리에서 일어섰다. 이 뒤의 소란까지 지켜볼 필요는 없었다.

"총관저로."

내 말이 떨어지기가 무섭게 가우란이 앞장섰다. 가우란은 자신이 모크샤를 부축하겠다고 했지만 나는 고개를 내저었다. 나보다 훨씬 큰 데다 근육으로 짜여 있는 모크샤는 꽤 무거웠지만, 그래도 감당할 정도는 되었다. 나는 모크샤를 부축한 채, 총관저로 향했다.

광장을 떠나기 전, 나는 소란의 중심을 흘끗 보았다. 사내는 납득할 수 없는 듯 억울하고 분노에 찬 외침을 내질렀다. 여자는 얼떨떨한 표정이었다. 그 와중에 퉁퉁 부어 있는 여자의 시선이 나와 부딪친 것 같은 착각이 들었다.

나는 피식 미소 짓고는 그대로 혼돈으로부터 뒤돌아섰다.

나는 모크샤를 총관저의 침실에 눕혔다. 가면서 차차 스스로 몸을 가눌 수 있게 되었지만, 여전히 눈동자는 허공을 헤집는 듯 멍했다. 침대에 누워 있는 모크샤의 초점이 조금씩 맞아갔다.

갑자기 모크샤가 왜 이러는지 몰랐던 나는 당황하며 의사를 불러야 하는 게 아닌가 하는 걱정이 들었다. 식은땀 그득한 모크샤의 이마를 닦아주던 나는 자리를 박차고 일어섰다.

"아무래도 안 되겠어. 역시 의사를."

"……괜, 찮아."

하지만 모크샤의 손이 내 팔을 낚아챘었다. 모크샤의 커다란 손은 평소와 달리 힘이 없었다. 나는 모크샤의 손에 헐겁게 잡힌 채로, 그의 떨림을 그대로 느끼고 있었다. 나는 다시 자리에 주저앉아 모크샤의 손을 가만히 잡아주었다. 토닥, 토닥. 규칙적인 두드림에 맞춰 모크샤의 숨이 점점 안정되었다.

"좀 괜찮아?"

"강, 강박증 같은 게 있어서."

새하얗게 질린 것이 상태가 영 좋지 않았지만, 긴말을 뱉어낼 정도로 호전되었다는 것에 나는 안도하였다. 그것보다도 무슨 강박증이길래 사람이 이렇게 사시나무 떨듯 떨다가 기절할 것처럼 구는지.

지금껏 모크샤와 여행하면서 강박증의 징조를 처음 보았던 나는 쯧, 얕게 혀를 찼다.

그 순간 퍼뜩 내 머릿속에 과거 모크샤의 이상한 행동 하나가 떠올랐다. 티끌처럼 솟아오른 그것은 가시처럼 따끔하게 살갗을 파고들었다. 아그니에서 인드라로 넘어가는 산맥에서, 내가 머리나 다듬을까 생각했을 때의 모크샤의 날 선 반응. 그때도 강박증 때문에 그랬던 것이냐는 물음이 차올랐지만, 굳이 힘든 사람에게 캐묻고 싶지 않았던 나는 침묵으로 모크샤를 다독였다.

축 늘어진 채 내 팔에 걸쳐져 있을 뿐이었던 모크샤의 손에 힘이 들어왔다. 아까 힘없이 허공을 헤매던 것이 거짓말처럼, 모크샤의 손은 내 팔을 놔주지 않을 듯 꼭 부여잡고 있었다. 얼마나 세게 잡았는지 팔이 다 저릿저릿했다. 분명 옷을 걷어보면 멍 자국이 났을 거다. 하지만 난 꾹 참았다. 모크샤 상태가 점점 돌아오고 있으니 예민하게 느껴질 짓을 하고 싶지 않았기 때문이었다. 게다가, 모크샤가 나한테 의지하는 게 기분 좋기도 했다.

모크샤는 크게 숨을 내쉬고 입을 열었다. 거친 입술이 바르르 떨리며, 단 숨을 뱉었다. 나는 순간적으로 모크샤에게 키스하고 싶은 충동에 휩싸였다. 정신 차려라, 카마. 이런 상황에서 그런 생각이 드냐? 나는 내 입술을 질끈 깨물었다.

깊은숨을 뱉은 모크샤는 찬찬히 입술을 움직였다. 입술이 움찔대며 한 마디 한 마디, 힘겹게 모크샤는 말했다.

"……어머니가 단도로 목을 그어서 자살하셨, 거든. 내가 보는 앞에서."

"뭐?"

"너 때문에 다 죽었다고. 너를 낳은 내가 잘못이었다고. 그 뒤로는 여자 목에 칼이 닿은 걸 보기만 해도 이 꼴이야. 형편없지."

모크샤의 말 한 마디마다 깊은 피로와 절망이 느껴졌다. 그제야 나는 내가 머리를 자르려 할 때 모크샤가 왜 그렇게 예민하게 반응했는지를 알 수 있었다. 아무렇지 않은 척 굴었지만, 날카로운 칼날을 무의식중에 낚아챌 정도로 당시의 그는 몰려 있었다.

그저 머리를 자르려던 행위에도 그리 예민하게 반응했는데, 자살하느니 뭐 하느니 하며 여자의 목에 칼날이 들어서던 상황을 모크샤가 쉬이 견뎌 넘길 수 있을 리가 없었다.

내 팔을 쥔 모크샤의 손에 힘이 더 들어갔다. 땀범벅이 된 일그러진 얼굴이 괴로워 보였다. 마치 숨이 틀어막힌 채 물속으로 고꾸라져 내려가는 익사체처럼. 그가 얼마나 어머니의 고통으로 충격받았는지가 절절히 느껴졌다.

나는 모크샤가 저주받은 자임에도 그 사실을 별로 신경 쓰지 않는다고 생각했다. 역병으로 폐허가 된 그의 고향에 나를 데려가도 상관없을 정도로. 가끔 저주받은 자라는 것에 예민하게 반응할 때가 있지만, 그건 단순히 말도 안 되는 차별로 인한 분개, 뭐 그런 것으로 생각했다.

하지만 아니었다.

어린 동생. 자살한 어머니. 아버지의 끝이 어땠는지는 아직 듣지 못했지만, 그것 또한 모크샤에게 상처였다면 상처였지 결코 좋지 못했으리라는 게 짐작 갔다. 모크샤의 상처는 깊고 깊었다. 겉면은 딱지가 져서 아물어 보이지만, 실상 속이 어떨지는 아무도 모르는 것이었다.

모크샤, 이 미련한 놈아. 진즉 말이라도 하지.

오늘처럼 극도로 몰리지 않고서야 모크샤는 나에게 어떤 약한 소리도 하지 않았을 것이다. 그는 자존심이 강한 남자였고, 자신이 저주받았다는 사실을 신경 쓴다는 걸 밝히고 싶지 않아 했다. 오늘 이 사실을 밝힌 것만 하더라도 모크샤로서는 상당히 불안한 일일 터였다.

나는 이를 악물었다. 그러고는 자유로운 팔을 뻗어, 모크샤의 머리를 와락 끌어안았다. 품 안에 끌어당겨진 모크샤의 몸이 딱딱하게 굳었다. 모크샤의 몸이 그대로 내 몸에 겹쳐지듯 안겼다. 나는 모크샤의 목덜미에 고개를 묻었다. 모크샤를 끌어안지 않고서는 견딜 수가 없었다.

"괜찮아."

나는 낮게 중얼거렸다. 그의 목덜미가 입술에 스쳤다. 나는 모크샤의 등을 몇 번이고 쓸어내리고, 그의 등을 끌어안았다. 모크샤는 여전히 통나무처럼 뻣뻣하게 몸을 굳히고 있는 채였다.

"난 네 저주가 안 통하니까, 괜찮아."

지금껏 봐온 모크샤는 사람 사이에 섞여드는 건 무탈했지만, 사람과의 관계를 지속하는 것에는 무척이나 극단적인 반응을 보였다.

내가 모크샤와의 관계에서 「계약」에 집착하는 것이 죄책감 때문이라면, 모크샤가 나와의 관계에서 「유용성」에 집착하는 건 무엇 때문일까. 이렇게 사람을 그리워하면서도, 날 떠나려고 했던 이유는?

"널 두고 먼저 죽지 않을게."

어쩌면 그는 두려웠던 게 아닐까?

어머니한테도 버림받은 모크샤. 저 때문에 동생이 죽었다고 생각하는 모크샤. 사람과 깊게 연관되기를 동경하면서도, 실제로 그렇게 될 수 있다는 사실이 눈앞에 펼쳐지면 믿지 못하고 등을 돌리는 모크샤.

지금이야 아쉬운 게 많은 내가 모크샤에게 들러붙지만, 나중에 내가 필요성이 없어진 모크샤를 팽해버릴까, 그는 그게 두려운 게 아닐까.

그는 내 행동을 변덕이라고 생각하는 게 분명했다. 그렇기에 왜 저를 고용하느냐 묻고, 내가 악몽을 꾸는 것을 핑계로 삼으며, 모크샤밖에 없다는 내 말에 안심한다.

그냥 너도 외로운 거잖아. 나처럼.

"그리고 내가 네 엄마보다도 더 널 사랑해줄게. 난 신짜 너밖에 없단 말이야, 모크샤."

모크샤의 시선과 내 시선이 가까이에서 얽혔다. 마치 입이라도 맞출 듯 가까운 거리에서 바라본 모크샤의 홍채는 붉은 장미가 피어나는 것처럼 아름다웠다. 그의 눈동자는 안심하는 듯도, 혼란스러워하는 듯도 보였다. 그의 얼굴에 수많은 감정이 스쳐 지나갔다. 자조, 불신, 희망……. 내가 읽을 수 있는 것도 있었지만, 알 수 없는 것들이 더 많을 만큼 복합적인 감정의 파도였다.

가까이 다가온 모크샤의 입술을 내려다보며, 순간 모크샤의 입술에 키스할까 하는 생각이 잠깐 들었다. 하지만 괜히 아픈 애 데리고 몹쓸 짓 하는 기분에, 나는 대신 모크샤의 이마에 가볍게 입술을 내리눌렀다. 이마의 식은땀이 입술 끝에 닿았다. 열이 났는지, 뜨겁게 달아오른 그의 이마가 내 입술을 데워주었다.

"쉬어. 계속 옆에 있어줄게."

나는 그리 속삭인 채, 모크샤를 토닥였다. 모크샤는 혼란스러운 듯 보였지만, 그걸 캐물을 만한 기력은 없어 보였다. 모크샤의 손이 허겁지겁 내 허리춤을 끌어안았다. 마치 내가 그의 구명줄이라도 되는 듯, 다급한 손놀림이었다.

그보다 훨씬 작은 내 품에 안기듯 들이앉은 그는 반복적으로 다독여지는 손짓에 눈꺼풀을 파르르 떨더니 이내 머지않아 내 품에서 잠이 들었다.

무거운 사내의 몸이 축 늘어진 채 내 몸을 짓누르니, 그 아래 깔린 몸이 저릿저릿할 정도였다. 하지만 뭐, 이 정도야. 대형견을 끌어안은 느낌이었다.

그래도 모크샤가 안정을 찾아 다행이다. 나는 안도의 한숨을 토했다. 그리 늦지 않은 시간인지라 창밖의 하늘은 아직 붉었다. 나는 져가는 노을을 빤히 바라보았다. 오늘 하루 복잡했던 머릿속이 번져가는 노을처럼 서서히 흐려졌다.

나는 창밖에서 시선을 뗀 뒤, 피로함에 젖은 모크샤의 지친 얼굴을 빤히 내려다보았다. 기절하듯 잠이 든 그의 얼굴은 안쓰럽기 그지없었다.

여전히 그의 팔은 내 몸을 단단히 옥죄고 있었다. 나는 모크샤의 뺨을, 그리고 머릿결을 쓰다듬었다. 내 마음속에 불씨가 타닥, 작게 타올랐다.

ꕥ

모크샤가 그리 잠이 들고, 해는 어느덧 어둑하게 저물었다.

가우란이 슬그머니 내 눈치를 보며 방 안에 들어섰다. 뭔가 하고 싶은 말이 많은 듯도, 아닌 듯도 해 보이는 알쏭달쏭한 표정이었다. 나는 흘끗 가우란에게 시선을 주었다. 그제야 가우란이 입을 열었다.

“여자가 기다리고 있습니다.”

“어디 있지?”

“별실에 있습니다.”

“내가 그리 가지.”

나는 침대에서 일어섰다. 계속해서 모크샤의 몸이 날 짓누르고 있던지라 다리가 다 저릿저릿했다. 나는 저림증이 풀릴 때까지 천천히 몸을 움직였다. 모크샤의 손이 단단하게 내 허리를 얽매고 있어 움직이는 게 쉽지 않았다. 나는 피식 웃으며 모크샤의 손을 조심스레 떼어내었다. 내가 빠져나가도 모크샤는 꿈쩍도 하지 않고 잠에 빠져 있었다.

여자가 있다는 별실로 향했다. 별실은 화려했지만 급조된 티가 났다. 내가 카마라는 걸 뒤늦게 알게 된 총관이 부랴부랴 꾸민 게 분명했다.

별실 가운데 치장한 여자가 있었다. 베일을 길게 내려쓴 채, 안에는 반투명한 옷을 입고 있는 그녀는 바늘바들 떨고 있었다.

나는 느릿한 발걸음으로 소파를 향해 걸었다. 스르륵, 스르륵, 스치는 비단 소리가 들릴 때마다 여자의 몸이 움찔거렸다.

나는 털퍼덕, 조신하지 못하고 조심성 없는 자세로 소파에 주저앉았다. 그러고는 대기하고 있는 가우란을 향해 손을 내저었다.

가우란이 방을 떠나며 하인들을 물렸다. 방 안에는 여자와 나밖에 남지 않았다.

"고개 들어봐."

내 말에 여자는 느릿하게 고개를 들었다. 마치 내가 잡아먹기라도 하는 것처럼, 얼굴에는 두려움이 그득했다. 화장으로 가리기는 했지만, 미처 가려지지 못한 멍 자국이 그녀의 얼굴에 얼룩처럼 남아 있었다.

먼지를 씻어낸 머릿결은 옅은 데이지색이었다. 한동안 밖에서 돌아다녔고, 큰 도시의 여자들은 하렘에 갇혀 있는 채다 보니 여자를 보는 건 정말 오랜만이었다. 그나마 낮은 신분의 여인들은 밖을 오갈 수 있지만, 그러기 위해서는 히잡을 써야만 했다. 그러다 보니, 여자들의 머리카락 색을 볼 일은 요원하다시피 했다. 정말 이곳 여자들은 머리카락 색이 화사하구나. 나는 거추장스럽게 길게 늘어진 내 검은색 머리카락과 슬쩍 비교해보았다. 검은 머리가 싫다는 건 아니지만, 확실히 칙칙하기는 했다.

여자는 이내 각오한 듯, 파르르 떨리는 속눈썹을 들어 나를 보았다. 여자와 내 눈이 마주쳤다. 순간 여자가 화들짝 놀라 고개를 푹 수그렸다. 너무 기겁하는 모습에 나는 쯧, 혀를 찼다.

마치 춘향이를 수탈하는 변사또가 된 기분이었다. 나는 소파의 손잡이를 손가락으로 톡톡 건드리며 중얼거리듯 말을 건넸다.

"널 안을 생각 없어."

"그렇다면 왜……."

"널 안는다는 건 핑계야."

나는 단조롭게 말했다. 여자는 여전히 갈피를 잡지 못한 표정으로 우왕좌왕했다. 하지만 나로서는 정말 그녀에게 손끝 하나 댈 생각이 없었다. 카마의 이름을 댄 것은 정말 그 수밖에 방법이 없기 때문이었다.

"쓸데없는 이유로 사람이 죽는 걸 두고 보고 싶지 않았어."

여자는 이해하지 못하는 듯도, 얼떨떨하기도 한 표정이었다. 그녀는 무어라 하고 싶은 말이 많아 보였지만, 생각이 정리되지 못한 듯 입만 옴짝달싹할 뿐이었다.

나로서는 정말 저 이유가 다였다. 어찌 보면 이 세계에 대한 일종의 반발심리였을지도 모른다. 좆 같은 세상. 여자가 하렘을 나간다고 처단하는, 이 거지 같은 세상……. 여자를 새장 속의 새처럼 생각하는 이 세계에 대한 반항의 심리가 그대로 튀쳐나간 결과가 바로 이것이었다.

여자를 구했고, 자마드에게 들킬시도 모른다는 리스크를 짊어졌다. 뭐, 이 정도면 나쁘지 않은 대가였다. 나는 그리 합리화를 했다.

다들 무언가 신념이 있어서 목숨을 건다. 그게 돈이건, 자유건, 충성이건……. 반신인 나로서는 목숨을 걸 만한 일은 없었지만, 자유를 빼앗길 수도 있다는 위험이 있었다. 그렇다면 이 여자는? 나는 여자가 무엇 때문에 목숨을 걸었는지가 궁금했다. 나는 비뚜름하게 고개를 기울인 채 물었다.

"왜 하렘을 나가려고 했어?"

"……그냥, 하늘이 너무 끝없이 펼쳐져 있어서 궁금했어요. 가슴이 답답하기도 했고……. 죄송합니다, 카마시여. 제가 미친 짓을 했어요."

여자는 거듭 고개를 숙였다. 입맛이 썼다. 이 세계의 여자들 또한 나와 같았다. 그저 방종이 아닌 자유를 갈구했을 뿐이다.

카마인 나 또한 갇혀 사는 신세가 될 뻔했다. 그나마 하렘에서 도망쳐 남장하고 돌아다니는 자신과 달리 이 여자는 완전 하렘에 갇힌 노예나 다름없는 신세였다. 태어났을 때부터, 그녀의 세상은 하렘 안으로 규정되어 있었을 테지.

불합리에 분노하기엔, 수천 년간 쌓여온 관습이 그녀들을 짓누르고 있었다. 그들이 분노하지 않는 것은 화가 나지 않기 때문이 아니라, 화를 낼 기력조차 그녀들에게 남겨주지 않았기 때문이다.

울컥하는 기분이 들었다. 그리 생각하니 눈앞 여자의 용기가 대단했다.

"잘했어."

"네?"

"잘했다고. 답답하면 나가야지."

별거 아니라는 듯 말했지만, 그게 쉽지 않으리라는 건 분명했다. 여자는 그 한순간만큼은, 정말로 자유를 얻기 위해 인생의 끝을 각오한 것이었다.

나는 여자를 바라보았다. 여자는 충격받은 듯, 눈을 크게 뜨고 입을 벌리고 있었다. 마치 내가 이런 말을 할 거라고는 예상도 못 한 것 같았다. 지금껏 「답답해도 참는다.」는 인생을 살아온 그녀에게 있어서 「답답하면 나간다.」는 것은 결코 자연스러운 명제가 아니리라.

나는 그녀에게만큼은 자유를 주고 싶었다. 하지만 내 자유조차도 투쟁하고 있는 나로서는 여자에게 완벽한 자유를 줄 수가 없었다.

나는 카마. 단지 그뿐이었다. 나에게는 이 세계의 관념을 뜯어고칠 권한이 없었다.

나는 내 인생조차 제대로 추스르지 못하는 반 푼이 인간이었고, 소리가 요란스러운 것에 비해 수레 안은 텅텅 비어 있는 실속 없는 자였다.

하지만 그럴듯한 흉내는 낼 수 있지. 나는 허울 좋은 명목뿐인 카마의 이름에 감사했다.

"우리는 오늘 밤 같이 잔 게 될 거야. 남들이 물으면 뭐, 좋았다고 하든가……. 하여간 넌 이제 내 여자가 되었으니 총관이 따로 잘 보살펴줄 거야. 물론 자유롭게 돌아다닐 수는 없겠지만, 히잡을 쓰고 나다니는 정도는 할 수도 있을 테고……. 전남편이 너에게 해코지하지 못하게 단단히 주의시킬 테니……."

내가 말하면 말할수록, 여자의 표정이 울듯 일그러졌다. 이내 그녀는 와락 눈물을 터트리더니, 내 발밑에 고개를 조아리며 간곡히 외쳤다.

"카, 카마시여. 절 데려가 주시면 안 되겠습니까? 카마께 이루 말할 수 없는 은혜를 입었습니다. 제가 성심을 다해 모시겠습니다. 전 요리도 잘합니다. 시녀의 일이라도 카마를 위해서 할 수 있다면 행복할 것입니다."

여자의 말은 절절했다. 그녀는 왜 나를 따라가고자 할까. 이 도시를 벗어나고 싶은 걸까. 더 넓은 세상을 보고 싶어서? 아니면 단지 이 도시가 지긋지긋해서? 그녀의 연둣빛 눈동자는 녹음처럼 푸르렀다. 흔들릴지언정 절대 변하지 않을, 자연의 한결같음이 느껴졌다. 나는 안타까이 탄식했다.

"나도 널 데려가고 싶어. 내가 건져냈으니 내가 책임을 지고 싶지만……."

하지만 내 코가 석 자였다. 내 한 몸조차 제대로 추스르지 못해 모크샤와 가우란의 도움을 받고 있는데, 그녀까지 데리고 갈 수는 없었다. 나는 단호히 고개를 내저었다.

"지금 가는 길이 험해서 안 돼. 이것저것 쫓기고 있거든."

여자의 얼굴에 그늘이 졌다. 그녀는 자신의 처지에 감히 과분한 말을 꺼냈다는 듯, 송구스러워하며 말을 주섬주섬 뱉었다.

"제가 주제를 몰랐습니다. 구해주시고 신경 써주신 것만으로도 무척 감읍한 일입니다. 제가 욕심을 부렸습니다."

나는 그런 여자를 빤히 바라보았다. 알 수 없는 열기가 불쑥 치솟아 속을 뒤집었다. 나는 충동적으로 물었다.

"네 이름이 뭐지?"

"사하긴입니다. 카마시여."

바닥에 곱게 모인 사하긴의 손끝이 바르르 떨렸다. 손톱 끝이 깨지고 엉망이었지만, 손가락 자체는 고왔다. 일을 해보지 않은 손. 하렘에서도 낮은 지위는 아니었던 그녀가 시녀로 자원하는 것은 쉬운 일이 아니었다. 그만큼 하렘에서의 생활이 끔찍했거나, 그녀가 나에게서 무언가의 미래를 본 것일지도 몰랐다.

"좋아, 사하긴. 만약 여행이 끝나게 돼서 내가 정착하게 되면, 그때도 네가 나와 함께 가기를 바란다면, 널 데리고 갈게. 알았지?"

"……네!"

사하긴은 밝게 대답했다.

그녀의 얼굴에 남은 멍 자국이 욱신거리는 듯 한쪽 입꼬리만 올라갔지만, 내가 본 그녀의 표정 중 가장 밝은 미소였다. 나는 그녀의 이름을 잊지 않기 위해 입속으로 사하긴의 이름을 몇 번이고 되뇌었다. 충동적으로 결정하긴 했지만, 정말로 모든 것이 다 끝나고 상황이 괜찮아지거든 그녀를 데리러 올 생각이었다.

뭐, 적당히 작은 마을을 일궈서 자급자족하면서 살면 되지 않을까. 굳이 하렘이나 남녀 그런 구별 없이……. 그렇게 살고 싶은 사람은 와서 살고, 말고 싶은 사람은 말고. 나는 무척이나 낙관적으로 단순하게, 이상만을 떠올렸다.

소박하게 농사짓고, 해가 바뀌면 둘러앉아 파티하고……. 모크샤도 같이 가주려나. 사람 많은 곳보다 그런데 정착하는 걸 더 좋아할 것도 같고. 모크샤라고 해서 딱히 화려한 생활을 편해하지는 않는 거 같으니까 말이야. 불확실한 마음으로 흔들리는 내 속삭임의 끝은 확신이 되어 떨어져 내렸다.

지금껏 생각도 하지 않았던, 권능을 잃고 난 뒤의 미래가 하나둘 캔버스 위에 색채를 드리웠다. 마치 한 올 한 올 짜는 카펫처럼 그림은 단번에 드러나지 않았지만 그림이 되기 위한 계단을 밟아갔다.

그래, 확실히 그런 미래도 나쁘지 않아. 나는 고개를 주억거렸다.

⁂

다음 날 눈을 뜬 모크샤는 평소와 같았다. 그는 어제 있었던 일에 대해 아무 말도 하지 않았다. 사하긴의 일도, 침대에서 내가 속삭인 말에 대해서도.

마치 어제 일을 까맣게 잊은 듯한 태도였다. 정말 잊어버린 걸까? 가능성은 충분했다. 어제의 모크샤는 충격을 받은 상태였고, 몸도 제대로 못 가눌 정도로 기진맥진했었으니까. 공황장애로 인해 일시적으로 기억에 손상이 오는 건 그리 이상한 일이 아니었다. 솔직히 말해 썩 좋은 기억도 아니었으니 모크샤가 잊으면 잊은 대로 나쁜 일은 아니었다.

하지만 그렇다 해서 부끄럽지 않은 것 또한 아니었다. 엄마보다도 더 사랑해준다고, 나에겐 너밖에 없다는 건 눈 가리고 아웅이긴 했지만 나 나름의 절절한 고백이었다.

차마 널 연애 상대로 좋아한다고는 말하지 못하는 그런 어설프고도 수줍은 고백.

그러면 뭘 하나. 결국 현실은 인사불성의 사람한테 고백한 꼴인데. 술자리 분위기에 취해 나름 속마음을 털어놓았는데, 상대가 꽐라가 되어서 다음 날 아무 기억도 못 하는 상황이나 진배없었다.

머쓱해진 나도 모르는 척 어제의 일에 대해 입을 다물었다. 가우란에게도 어제 일을 말하지 말라고 단단히 말했다.

하지만 가끔 시선이 느껴져서 돌아보면 모크샤가 나를 빤히 바라보고 있을 때가 종종 있었다. 모르는 척하기엔 너무나 직설적이고 뚜렷한 시선이었다. 눈치 보이기도 하고, 괜히 민망하기도 했던 나는 왜 그렇게 쳐다보느냐 장난삼아 물으려 했다. 하지만 입을 떼기가 무섭게 모크샤는 휙 고개를 돌려 시선을 피했다. 귀신같은 타이밍이었다.

나는 총관에게 거듭 사하긴의 처우에 대해 주의를 시켰다. 그녀를 특별 취급하기 위해선 거주구역부터 시작해서 재정적이고도 관습적인 문제가 상당히 많이 있을 거라며 우려의 기색을 표했다. 나는 단호하게 부족한 돈은 칼리프에게 청구하라고 했다. 그리고 나중에 찾아와 그녀를 데려갈 거라고 덧붙였다.

술탄의 재정 상황을 걱정해줘 봐야 별 의미 없다는 걸 깨달은 이후부터, 나는 칼리프라는 이름의 신용카드를 긁기 시작했다. 아마 사하긴 하나 정도 부양하는 건 바다에서 컵 한 잔의 물을 떠다 나르는 수준일 테니, 칼리프 또한 이 정도로는 별로 곤혹스럽지도 않을 터였다.

그렇게 우리는 마을을 떠났다. 마을에서 훨쩍 떨어지고 나서야 가우란이 슬쩍 입을 열었다.

"진짜 그 여자를 데리러 가실 겁니까?"

"글쎄……. 아마 여유가 되면 그러지 않을까."

나는 가볍게 대답했다. 사실 모크샤가 물어볼 줄 알았는데, 정작 물어본 게 가우란이라는 사실이 신기했다.

"그 여자에게 잘해주시는 이유가 뭡니까?"

가우란의 목소리 끝이 약간 날카로웠다. 나는 가우란을 보았다. 가우란은 이상하게 나에게 특별 취급을 받는 상대들을 못 견뎌 했다. 하도 석가면처럼 표정 변화가 없어 쉽게 눈치챌 수는 없었지만, 거슬리는 것에 대해서는 유난히 캐물으니 아주 모를 수가 없었다.

모크샤에 이어 사하긴까지. 내가 그들을 가까이 두고자 하는 게 그가 생각하는 「카마」의 기준에 어긋나기라도 하는 듯, 그는 무척이나 못마땅해했다.

가우란은 이해 못 할 것이다. 그는 내가 자유를 바라는 것도 이해하지 못할 테니까. 그에게 있어서 내 말은 절대 명제나 다름없었다. 그는 그저 내가 하자고 하여 따라갈 뿐이지, 내 일에 대해 공감을 한다는 것은 아니었다. 나는 피식 웃었다.

"나 같아서."

이 세상의 모든 여자가 불합리함에 고통받고 있었고, 사하긴과 같은 이가 분명 한둘은 아닐 터였다. 수많은 여자 중 왜 하필 그녀였을까. 이유는 간단했다. 단지 그녀가 내 눈에 띄었기 때문이다.

그녀는 행동하는 여자였다. 생각하기까지는 쉽지만 발을 내딛기가 힘들다는 건 누구보다도 내가 더 잘 알고 있었다. 그녀는 자유를 절실히 원했다. 그런 그녀의 모습에 술탄 궁을 빠져나갈 당시의 내 모습이 겹쳐 보였다. 사하긴은 그리 거창한 걸 바라는 것이 아니었다. 그저 답답했을 뿐인 단순한 이유. 그것에 목숨을 건 사하긴의 행동력, 그게 내 마음을 울렸다.

내가 사하긴의 행복을 위해서 해줘야 하는 건 그다지 대단한 일이 아니었다. 단지 손을 뻗어주기만 하면 되는, 무척이나 사소한 일. 그조차도 하지 않아 애꿎은 사람이 지옥에서 구르는 꼴을 보는 것은, 보는 입장에서도 괴로워지는 일이었다.

나는 이 세계의 모든 여자를 구원할 힘이 없었고, 자신도 없었다.

하지만 소수의, 내가 알고 있는 몇몇 이들을 행복하게 해주고는 싶었다. 우선 내가 행복해야 한다는 게 전제조건이기는 하지만. 하여간 사하긴은 내 눈에 띄었고, 내가 알고 있는 사람이 되었다. 내가 그녀의 이름을 물음으로써 그녀는 내가 이 세계에서 이름을 알고 있는 손에 꼽는 이들 중 하나가 된 것이다.

마치 그 시 같네. 내가 그의 이름을 불러주었을 때 그는 나에게로 와서 꽃이 되었다……. 이름은 참 특별하다. 아마 내가 이 세계에서 알고 있는 사람이 특히나 적기에 더더욱 그렇게 느껴지는 것이겠지. 모크샤, 가우란, 자마드, 레누카, 크하트, 락시타, 모카, 라울, 칼리프……. 얼마 되지도 않는 이들 중에서도 벌써 둘이 죽었다.

솔직히 말하면 내가 사람을 사귀지 않았던 점도 있었다. 난 상당히 이 세계에 배타적으로 굴었다. 두렵기도 했다. 기존에 알고 있는 세계와 이 세계는 너무 달랐고, 이전 세계에 대한 미련 그리고 이 세계는 내 세계가 아니라는 위화감이 은연중에 내가 적응하는 것을 흩트려놓았다.

그랬기에 나는 그다지 먼 미래를 생각하지 않았다. 내가 이 세계에 적응해서 살아갈 만한 미래가 보이지 않았기 때문이었다. 그건 마치 안개 속에 가린 듯 희뿌옇고 답답한 광경이었다.

하지만 언제까지나 그렇게 회피할 수는 없다는 걸 사하긴 덕분에 깨달았다. 사하긴이 한 행동이 그렇게까지 감명 깊었느냐 묻는다면 솔직히 고개를 내저을 테지만, 그녀의 행동이 계기가 된 것은 분명했다.

그래서 사하긴에게 고마웠고, 사하긴도 행복하기를 바랐다. 다시 찾아갔을 때 그녀가 나를 따라오기를 바란다면, 나는 응당 그녀를 데리고 갈 것이었다.

"뭐, 어디까지나 제대로 일이 해결된다는 전제하의 일이니까."

나는 아무렇지도 않게 덧붙이며 어깨를 으쓱였다. 아직 확정된 건 없고, 당장 눈앞에 펼쳐진 길은 가시투성이 구만리였다. 굳이 미래의 일의 실현 여부로 왈가왈부하기엔 갈 길이 너무 멀었다.

나는 말고삐를 재촉했다. 모크샤와 가우란이 나보다 덩치가 훨씬 컸지만, 제일 힘세고 좋은 말은 내 차지였다. 제일 가벼운 나를 짊어진 말은 내가 조금만 건드려도 쌩하니 앞으로 튀어 나갔다. 훨쩍 앞서 나간 나는 그들을 뒤돌아보며 외쳤다.

"일단 바르나에 가보자고. 거기에 도착해야 앞으로 어찌해야 할지 감이라도 잡을 테니까!"

CHAPTER 14
사막 횡단

두 개의 마을을 더 지난 뒤에야 우리는 인드라와 바르나의 국경에 도착할 수 있었다.

내 행적에 대해 총관에게 입단속 단단히 하라 시키기는 했지만 사람 입을 완전히 틀어막을 수는 없는 법. 따라붙는 용병들이 있었다. 거기까지 충분히 짐작하고 움직였기 때문에 별다른 문제는 없었다. 솔직히 실력 좋은 모크샤에 이어 신군 가우란이 떡하고 버티고 있으니, 용병들이 떼로 몰려와도 그리 무섭지는 않았다.

이 정도의 고난과 역경 정도야, 충분히 웃어넘길 수 있는 일이었다.

국경으로 향하면 향할수록 점점 물이 메말라갔다. 수로는 줄어들었고, 퍼석한 모래가 바닥을 드러냈다.

국경 마을은 지금껏 여행한 인드라와도, 아그니와도 달랐다. 국경 마을 곳곳에 아마도 바르나의 특색이 많이 섞여 있으리라.

시장에는 천막을 친 상인들이 진을 치고 있었다. 건물 안에 입점한 상점은 거의 없었다. 특이한 것은 심심치 않게 보이는 낙타의 수였다.

가우란이 총관저로 가서 지금껏 인드라 마을을 함께 여행한 말과 낙타를 교환하는 동안 나와 모크샤는 마을 구경을 했다. 내가 보기엔 인드라의 것이나 바르나의 것이나 이국적이기 짝이 없었지만, 그래도 잘 보니 색 배합이 조금씩 다른 것 같기는 했다.

육망성과 오망성 정도의 차이였던 지라, 막눈인 나로서는 다르다는 것만 알지 그게 그것처럼 보이기는 했다.

오래지 않아 가우란이 목패를 들고 돌아왔다.

"떠나기 전, 낙타시장에 가서 이 패를 최상급 낙타로 바꿀 예정입니다. 우선 오늘 떠나는 카라반이 있는지 알아봐야겠습니다."

"카라반?"

"여기서부터 바르나로 넘어가는 길에는 큰 사막이 있습니다. 혼자서 넘기는 고된 길인지라, 보통 바르나와 인드라를 잇는 상인들끼리 대상(隊商), 즉 카라반을 이루어 다니지요."

『아라비안나이트』, 뭐 그런 건가. 내 머릿속에 사막에 줄줄이 이어가는 낙타의 모습이 떠올랐다.

"국경쯤 되면 카라반에서 웃돈을 받고 여행자들을 합류시켜주지. 그렇게 해서 떠나는 게 훨씬 쉬워. 솔직히 멀쩡한 꼴로 바르나를 밟을 수 있는 유일한 방법이기도 하지만."

모크샤의 말에 나는 고개를 끄덕였다. 하지만 인드라에서 수로를 이용하지 못했던 것이 떠오른 나는 좀 불안했다.

이번에도 모크샤가 저주받은 자라는 이유로 거절당하면 어쩌지? 신군 찬스를 써야 하나? 나는 걱정을 드러내지 않으려 노력하며 슬며시 물었다.

"근데 그 카라반에는 아무나 합류시켜줘? 신군이라는 걸로 퉁쳐지나?"

"굳이 아무에게나 신군임을 밝힐 필요는 없습니다. 이곳 총관의 추천서를 받았으니, 이걸 보여주면 쉽게 합류할 수 있을 것입니다."

"오오, 다행이네."

가우란이 내민 추천서를 보고 나서야 내 얼굴에 미소가 번졌다. 그렇다면 거리낄 게 있나. 당장 카라반을 잡는 대로 출발하면 되지.

한시름 덜고 나서야, 나는 새로운 문제점에 봉착했다.

바로 모크샤와 가우란의 의사소통 문제였다.

모크샤가 쓰러진 이후로, 둘은 더더욱 말을 섞지 않았다. 가우란은 은연중에 모크샤를 얕잡아 보았지만 그걸 싫어하는 나 때문에 입을 다물었고, 모크샤는 가우란의 존재 자체를 꺼리고 불편해하는 기색이었다.

지금껏 우리 셋이 있을 때야 나를 사이에 끼고 대화를 하니 말을 하든 말든 상관없었다지만, 그래도 카라반에 합류하면 단체 활동을 하게 되는 것인데.

그때도 이렇게 서로 말 한마디 섞지 않은 채 찬기만 풀풀 날려서야 누가 봐도 이상할 터였다. 하지만 그걸 지적하자니, 새로운 분란과 말싸움의 시작으로 걸어 들어가는 거나 다름없는 꼴이었다. 나는 그렇게 폭발 직전의 화약고를 조용히 천막으로 덮었다.

낙타시장으로 간 가우란이 패를 주고 낙타를 받는 옆에서, 나는 낙타시장의 전경을 훑어보았다.

낙타시장에는 수많은 낙타가 몰려 있었다. 하지만 전부 혹이 하나인 단봉낙타들뿐이었다. 궁금했던 나는 모크샤의 옷자락을 잡아당겼다.

모크샤의 몸이 자연스레 수그러졌다. 나는 모크샤의 귀에 속삭였다.

"혹이 두 개인 낙타는 없어?"

굳이 속삭일 필요는 없었지만, 하도 내가 이 세계 상식이 부족하다 보니 낙타상인에게 이상하게 들릴까 봐 걱정되었다. 다행히 그렇게까지 이상한 이야기는 아니었던 듯, 모크샤는 바로 대답해주었다.

"쌍봉낙타는 이쪽 지역에는 없고, 좀 더 추운 북부 지방에 있지. 근데 그렇게 수가 많지는 않아. 애초에 그쪽에 사는 사람이 없으니까."

"낙타가 추운 데 있다고?"

"그래서 털도 더 길지. 고기도 더 맛이 없고."

모크샤는 계속해서 허리를 숙인 채 대답했다.

모크샤와 이마를 맞대고 속삭이고 있으니, 가슴속 깊은 곳이 간질간질하기도 하고 무슨 작당 모의를 하는 기분도 들기도 하고 그랬다.

"……오늘 일몰 후 떠나는 카라반이 있답니다. 그쪽으로 접선할까요?"

뒤에서 들리는 가우란의 목소리에 나는 화들짝 놀라 허리를 세웠다. 고개가 들리며 입술이 무언가에 부딪힌 것 같은 착각이 들었지만, 그냥 잘못 맞은 거겠거니 넘겼다.

가우란이 한 말을 제대로 듣지 못한 나는 어색하게 웃으며 되물었다.

"어? 뭐라고?"

"낙타상인이 말하길, 오늘 일몰 후 떠나는 카라반이 있다고 합니다. 이번을 놓치면 아마 사흘 뒤일 겁니다."

"좋아."

나는 고개를 끄덕였다. 이국적인 국경의 모습을 좀 더 둘러보고 싶기는 했지만, 이제 바르나로 넘어가면 한참 볼 풍경이었다.

갑자기 오늘 저녁 떠나기로 하니 준비할 것이 많아졌다. 카라반에 합류한다고 해도 기본적인 식수나 식량, 모포 등은 각자 챙겨야 하는 모양이었다.

가우란이 교섭을 잘한다면, 그런 걸 챙기는 것은 역시 모크샤가 꼼꼼했다.

모크샤는 숙련된 솜씨로 당장 사막에 던져놔도 살아날 수 있을 것 같은 짐을 꾸려내었다.

식사까지 간단히 하고 나니 시간적 여유가 좀 생겼다. 카라반이 떠나는 일몰 때까지는 좀 쉴 수 있겠지.

나는 그리 생각하며 마을이나 구경할 생각을 하고 있었다. 하지만 모크샤의 청천벽력 같은 소리에 나의 자유는 그대로 물거품이 되어 사라졌다.

"그러면 카라반에 합류하기 전에 낙타 타는 연습 좀 해보지."

"뭐야, 말 타는 거랑 달라?"

모크샤는 피식 웃었다.

순순히 대답해줄 것 같지 않았기에 나는 가우란 쪽을 보았지만, 가우란도 어색한 미소를 지었다. 왠지 골탕 먹는 기분인데. 나는 쩝 혀를 찼다.

하여간 모크샤가 하자는 대로 해서 손해 본 적은 없으니까. 나는 소화가 되기도 전에 식당의 뒤뜰에 있는 공터에서 낙타와 대면했다.

가까이서 본 낙타는 생각보다 더 부담스러웠고 냄새도 쾨쾨했다. 눈은 왜 그렇게 크고 속눈썹은 왜 그리 긴지. 낙타가 눈썹을 깜빡이며 날 볼 때마다 한 걸음씩 뒤로 물러서고 싶었다.

낙타의 봉우리에는 안장이 달려 있었다. 푹신해 보일 정도로 많은 천을 두껍게 덧대고 가죽을 올린 그것은 등받이처럼 뒷부분이 올라와 있기까지 했다. 마치 좌식 의자를 달아놓은 것 같았다.

생각보다 안락해 보였던 나는 오오, 작게 감탄했다.

모크샤의 손짓에 낙타가 무릎을 꿇었다. 말을 탈 때와 다른 높이 조절에 나는 연달아 감탄했다. 뭐야. 말보다 훨씬 편하잖아! 이대로라면 바르나까지 안락하게 갈 수 있을 것만 같았다.

나는 쉽게 낙타의 안장에 앉았다. 모크샤가 다시 손짓하니 낙타가 자리에서 일어섰다. 기우뚱, 급격히 몸이 기울어지자 나는 화들짝 놀랐다. 말이었다면 말의 목이라도 잡았겠지만, 낙타의 봉에 앉아 있는 나는 잡을 게 아무것도 없었다.

나는 급한 대로 안장을 꽉 움켜쥐었다. 낙타가 완전히 일어섰다. 말과 달리 시야 앞이 절벽처럼 뚝 떨어졌다. 낙타의 목이 저 멀리에 있었다. 시야에서 느껴지는 위화감에 마음이 불안하고 위태위태했다.

예전에 말을 처음 배웠을 때가 생각났다. 그때는 그냥 되는 대로 말 등에 매달려서 달렸었는데. 용케도 그러고도 다녔다 싶은 감탄이 들었다.

하지만 말도 그렇게 쉽게 배웠는데, 낙타라고 못 배울쏘냐. 나는 낙타 타는 것을 무척 가볍게 여겼다.

모크샤는 내 손에 고삐를 쥐여주었다. 내가 처음이라고 해도 들은 척도 안 하고 말을 몰더니, 지금은 이렇게 하나하나 다 신경 써주는 게 되레 어색했다.

"자, 고삐를 잡아당겨 봐."

모크샤의 말대로 나는 고삐를 잡아당겼다. 그와 동시에 낙타가 움직였다.

타, 닥. 타, 닥. 걷고는 있는데 무언가 이상한 기분이었다. 곧 머리가 어질어질하면서 멀미가 치밀었다.

"우욱. 이거 뭐야, 되게 울렁거리는데."

"말은 같은 쪽 다리가 같이 나가지요. 왼쪽 다리 두 개, 오른쪽 다리 두 개. 말과 다르다 보니 처음 타시면 멀미하시는 것도 당연합니다."

가우란이 답했다. 처음 듣는 말이었다.

그렇다면 익숙해지기까지 계속해서 이 울렁거리는 멀미감이 따라붙는다는 거야? 내 얼굴이 절로 일그러졌다. 설마 이 고통을 나 혼자만 겪는 건 아니겠지. 나는 잔뜩 억울한 목소리로 물었다.

"뭐야, 나만 이래? 그러면 둘은 괜찮은 거야?"

"바르나 의뢰도 몇 번 맡았었으니까."

"신군은 평형감각이 뛰어나서, 이 정도로는 아무렇지도 않습니다."

"……그래."

모크샤와 가우란의 대답은 냉정할 정도로 명쾌했다. 결국 우리 셋 중 나만 멀미에 시달리며 행군해야 한다는 소리였다. 생각만 해도 얼굴이 핼쑥해졌다.

나는 왜 반신이면서도 멀미에 시달려야 하는 거지? 별것도 아닌 걸로 인생이 되게 허무해졌다. 옆에서 모크샤가 멀미약 대신 씹을 만한 약초를 준비했으니 걱정하지 말라 덧붙였지만, 그다지 위로가 되지는 않았다.

바르나로 가는 길이 쉽기는 무슨, 자칫하다가는 낙오될지도 모르겠다. 지금껏 내 컨디션에 맞춰왔던 여정과 달리 이번에는 단체여행이었다. 그게 더 내 부담감을 부채질했다.

모크샤의 멀미약 위로가 먹히지 않자, 경쟁이라도 하듯 가우란이 금방 적응될 거라며 나를 달랬다. 물론 그것 또한 그다지 위로가 되지 않았다.

그렇게 나는 바르나로 향하는 길에 대한 걱정으로 오들오들 떨었다. 일몰까지 카운트다운이라도 하는 기분이었다.

❧

해가 졌다. 이글이글, 아지랑이가 피어오를 정도로 더웠던 낮의 날씨가 거짓말처럼, 해가 기울기가 무섭게 찬기가 스며들었다.

인드라의 다른 마을들이나 아그니에서는 해가 지기가 무섭게 성문을 닫았지만, 이곳은 불야성이 따로 없는 듯, 도리어 밤이 되니 더 활기를 띠었다.

곳곳에 횃불이 타올랐다. 그리고 카라반을 꾸리는 상인들이 하나둘 성문으로 모여들었다. 짐을 산더미만큼 얹은 낙타들이 어지러이 섞여 있었지만, 누가 누구의 낙타인지 아는 듯 그들은 개의치 않았다.

우리도 낙타를 이끌고 그들에게로 향했다. 천을 몇 겹이나 몸에 칭칭 걸쳤지만 틈새는 있는 듯, 그 사이로 약간 서늘해진 기온이 스며들었다. 살갗을 잠시 간지럽힌 찬기에 나는 몸을 부르르 떨었다. 그러기가 무섭게 모크샤가 나를 잡아 세웠다.

"왜?"

"너 또 옷 대충 입었지."

"아니야. 준 거 다 껴입었어."

변명했지만 모크샤는 듣지 않았다. 그는 손을 뻗어 내 후드를 들췄다. 그러고는 이곳저곳, 내 옷매무새를 더듬거렸다. 모크샤의 손이 허리춤에 닿았다가, 가슴 근처의 늑골을 스쳤다. 그의 손길을 아무렇지도 않게 받아내기에는 내 심장이 너무 떨렸다.

"아, 왜."

"거 가만히 좀 있어봐."

나는 티 나지 않게 몸을 빼려고 했지만, 모크샤의 귀찮게 하지 말라는 듯한 타박에 몸을 굳혔다. 나는 뻣뻣하게 굳은 몸으로 눈만 데룩 굴려 모크샤의 손짓을 보았다. 모크샤는 마치 애기 옷 입히듯, 이곳저곳 내 옷매무새를 다잡아주었다.

"사막에 나가면 모래 폭풍도 있고 날씨도 춥고 하니까 이렇게 헐겁게 매면 안 된다고 했지."

"으, 으응."

모크샤는 투덜거리면서 내 소매 매듭을 꽉 묶어주었다. 혼자서 매는 게 영 익숙지 않아서 대충 모양새만 낸 거였다. 이러면 모래바람이 옷 안으로 숭숭 들어간다는 모크샤의 잔소리에 나는 머쓱하게 고개만 끄덕였다.

예전에도 모크샤는 투덜거리긴 했지만 사람을 잘 챙겨주는 편이었다. 하지만 요즘은 유난했다. 그전에는 말만 툭 던지고 갔다면, 요즘의 모크샤는 손수 챙겨주지 않으면 직성이 안 풀리는 사람처럼 굴었다.

그러다 보니 스킨십도 묘하게 늘었다. 하도 알게 모르게 늘어난지라 처음엔 눈치도 못 챘다. 지난번에는 물건을 잡느라 내 위로 기울어지더니, 키스하듯 입술이 스친 적도 있었다.

물론 의도한 바는 아니겠지만, 저런 일이 왕왕 생기기도 할 정도로 나를 챙겨댔다는 게 포인트였다. 당연지사 가우란은 썩 좋아하지 않았다.

지금만 해도 가우란은 잔뜩 못마땅한 표정이었다. 정확히 말해서, 표정은 평소와 같았지만 쏘아보는 시선의 강렬함이 달랐다. 이 정도까지 가우란을 파악할 수 있게 된 걸 보니, 가우란과도 꽤 친해진 것 같았다. 물론 가우란에 대해 아는 건 전혀 없었지만…….

하여간 나는 가우란이 저런 태도를 보이는 게 신기하고 이상했다.

평소의 가우란은 내가 편하기만 하면 뭐든 상관없는 것처럼 굴었는데, 모크샤가 이렇게 챙겨주는 건 별로인 모양이었다. 아무래도 모크샤가 별로인 감정을 나에 대한 신앙심으로 애써 꾹꾹 누르고 있는 게 틀림없었다.

참 둘 다 장단 맞추기 힘든 남자들이라니까. 나는 고개를 절레절레 저었다.

그때, 한 남자가 우리에게 다가왔다. 장식깃까지 꽂은 멋들어진 터번에 두툼한 모피로 장식된 비단옷을 입고 있는, 다소 키가 작은 남자였다. 콧수염을 길게 기른 그는 씩, 영업용 미소를 지었다.

"혹시 이번 카라반에 같이 이동하시기로 한 여행자들입니까?"

"맞습니다."

가우란이 대답했다. 괜한 소란을 피하고 싶었던 우리는 전부 후드를 깊숙이 내리눌렀다. 어딜 봐도 수상쩍은 패거리였는데도 불구하고, 사내는 넉살 좋게 말을 붙였다. 이게 바로 총관의 추천 패 덕분인 모양이었다.

"저는 카라반의 총책임자, 다즈룬이라고 합니다."

"저는 가우란, 이쪽은 카자마입니다."

가우란의 소개는 내 이름에서 끝이었다. 가명을 기억해서 써준 건 참 고마운 일이다만, 모크샤는 언급도 안 하니 상황이 참 거지 같아졌다.

순간 어떻게 해야 이 상황을 자연스럽게 넘길 수 있을까. 머릿속에 많은 고민이 스쳐 지나갔다.

"저는 모크샤라고 합니다. 잘 부탁합니다."

모크샤도 가우란에게 별반 기대를 안 한 듯, 당연스레 말을 받았다. 하하, 웃고는 있지만 살얼음판이 쩌정 하고 갈라지는 것 같았다.

다즈룬이라고 자기를 소개한 남자는 예사인물이 아닌 것 같았다. 그는 모크샤의 붉은 눈을 보고도 별다른 기색을 보이지 않았다. 속으로 무슨 생각을 하는지는 모르겠지만, 그는 지금껏 내가 봐온 사람들 중 가장 모크샤에게 우호적인 사람에 속했다. 모크샤와 가우란 사이의 심상치 않은 기류에도 불구하고 그는 아무렇지도 않게 말을 이었다.

"좋은 날을 고르셨군요. 나즈마의 날입니다. 평소보다 여행이 단축될 것 같습니다."

"그건 참 다행입니다. 이쪽은 사막 여행이 초행인 분이 계셔서……."

"그래도 아그니에서 바르나까지 가는 길은 고된 여정은 아니니까요. 금방 익숙해질 겁니다. 만약 문제가 생기면 절 찾아와주십시오. 1조의 다즈룬을 찾으면 됩니다. 그러면 저쪽 3조로 가서 낙타를 연결하시면 됩니다."

"감사합니다."

그렇게 분위기는 대충 수습이 되었다. 사내가 가리킨 곳을 보니 수송용 가마를 등에 짊어진 낙타들이 끝도 없이 늘어져 있었다. 한 사내가 3이라 쓰인 깃발이 달린 긴 장대를 들고 있었다. 우리는 그쪽으로 향했다.

"나즈마가 뭐야?"

다른 사람들은 다 알아듣는 것 같은데 나만 모르는 것 같아서 신경 쓰였던지라, 넌지시 물었다. 내가 묻기가 무섭게 가우란이 답해주기 위해 입을 열었다.

"나즈마는……."

"별이 잘 보이는 날."

하지만 낚아챈 건 모크샤였다. 모크샤는 가우란의 말을 무참히 씹었다. 아주 쌩으로……. 나는 어처구니없는 시선으로 가우란과 모크샤를 살펴보았지만, 둘 다 구린 표정을 한 것과 달리 자신이 잘못했다는 생각은 일 푼도 하지 않는 게 똑같았다.

어쩌겠어. 이것이 바로 내 업보이니라. 아직까진 그렇게 심하게 다투는 건 아니니 괜찮을 거 같았다.

솔직히, 내가 그만하라고 말을 하기가 무섭게 뭘 그만하느냐며 눈을 부라릴 모크샤와, 천연덕스레 아무 일도 없었다 말할 가우란이 머리에 떠올랐다.

뭐라 할까 한참을 고민하던 나는 결국 눈 가리고 아웅, 모르는 척 넘겼다.

"달이 아니라?"

"달이 너무 밝으면 별이 가려지니까 도리어 좋지 않아. 카라반은 움직이는 사막 위에서 별과 달의 운행만 보고 갈 길을 정하기 때문에 별이 잘 보이는 게 중요하거든."

막연히 보름달 뜨는 날이 더 움직이기 쉬울 거로 생각했는데, 아니라는 사실에 좀 놀랐다. 확실히 용병 생활을 많이 했던 모크샤는 모르는 게 없었다.

"별을 보고 움직여?"

"예. 사막에서는 이정표라 할 만한 것이 없으니까요. 그 때문에 바르나에서는 천문학이 발달하였죠."

"그러면 낮에는?"

"그때는 주로 그늘에서 휴식을 취하고, 다시 해가 떨어지기를 기다리지. 낮에 이동하는 건 자살 행동이나 다름없어. 지글지글 익는 고기가 되어버릴걸."

모크샤와 가우란이 나란히 대답했다.

나는 깨달았다. 둘이 잘 알고 있는 것도 맞았지만, 내가 아는 게 정말 쥐뿔도 없었다. 이래서 용케도 다른 나라에 가겠다고 아그니를 뛰쳐나왔구나. 매번 무식하면 용감하단 말을 절실히 실감하게 되었다.

우리는 3조의 무리 중간쯤에 위치했다. 나를 사이에 두고 가우란과 모크샤가 각각 앞뒤에 낙타를 연결했다.

낙타의 옆구리에 대나무 같은 긴 막대기 한 쌍을 얹었다. 그러고는 막대기와 막대기를 끈으로 이었는데, 마치 기차놀이라도 하는 듯한 모습이었다.

시간이 되자 뿌우, 뿔피리 소리가 울렸다. 각 조장의 지시에 앉아 있던 낙타들이 일어서고, 1조부터 차례로 빠져나가기 시작했다.

나는 익숙하지 않은 낙타 위에 탄 채, 기대와 설렘이 잔뜩 뒤범벅된 심정으로 성문 쪽을 빤히 바라보았다. 사막의 밤바람이 내 망토를 스치고 지나갔다.

나는 하늘을 올려다보았다. 다즈룬이 말한 대로, 하늘은 구름 하나 끼지 않고 청명하고 드높았다. 감색 비단 위에 촘촘히 뿌려진 보석처럼 별이 하늘을 수놓은 것이, 무심결에 멍하니 바라보게 할 정도로 매혹적이었다.

우리 차례가 된 듯, 타닥타닥, 앞에서부터 움직임이 느껴졌다. 내 낙타도 발을 옮겼다. 여전히 낙타가 움직이는 것에 적응하기는 힘들었지만, 그래도 생각했던 것보다 울렁거림은 덜했다. 그렇다고 계속해서 밤하늘 구경할 만한 여유는 없었기에, 나는 앞으로 시선을 돌리고 뻣뻣한 자세로 고삐를 꽉 쥐었다.

카라반과 함께, 나는 성문을 빠져나갔다. 성문을 빠져나가기가 무섭게 휘몰아치는 사막의 건조한 모래 내음이 피부에 와 닿았다. 나는 그제야 지금을 실감할 수가 있었다.

드디어 인드라와의 작별, 그리고 작열하는 사막의 나라, 바르나로의 출발이었다.

ᘛᘚ❦ᘚᘛ

반나절 전에 잠깐 타본 걸로 낙타에 적응될 리가 없었다. 그래도 카라반에 매인 낙타의 속도는 규칙적이었고, 사막의 서늘한 기운이 뺨을 스치고 지나가니 멀미가 덜했다. 앞에 꼿꼿이 서 있는 가우란의 등이 보였다. 가우란은 뒤돌아보는 일 없이 앞만을 바라보았고, 나 또한 앞만을 바라보았지만 이상하게 가우란과 내 등 뒤의 모크샤에게서 시선이 느껴졌다. 자의식 과잉인가.

속이 울렁거리니 머리도 울렁거리는 게 틀림없다. 나는 피식 웃었다.

처음에야 금빛 모래와 어두운 하늘에 반짝이는 금가루 같은 별들이 신기하고 좋았지만, 사막의 풍경이라는 것이 으레 그렇듯 변함이 없었다.

사락사락 바람결에 사구가 움직일 뿐, 계속해서 같은 풍경만 이 이어지니 하품이 나올 정도로 지루했다.

새벽녘이 되니 춥기도 해서 몸을 잔뜩 웅크리고 겉을 칭칭 두르고 있는 천을 더 꽉꽉 여몄다. 이래서 모크샤가 잘 챙겨 입으라고 했던 거구나. 으슬으슬 올라오는 찬기에 나는 어깨를 잔뜩 좁힌 채 잘게 떨었다.

그러다 보니 나도 모르게 깜빡 졸았다. 뿌우우, 뿔피리 소리에 나는 화들짝 놀라 정신을 차렸다.

주변을 둘러보니, 어느덧 새벽녘 해가 떠오르며 어슴푸레 붉은 기가 저 먼 곳에서 퍼져 나오고 있었다. 저 멀찍이 오아시스가 보였다.

아까 뿔피리 소리는 오아시스를 발견했다는 사실을 알리기 위한 것인 모양이었다.

중간 기착지로 오아시스에 도착한 카라반은 천막을 치기 시작했다. 태양이 떠오르며 모래를 이글이글 불태우기 전에 그늘을 만들어야만 했다. 하도 다급한 그들의 모습에 멀거니 서 있던 나는 슬쩍 물었다.

"우리도 도와야 하는 거 아니야?"

"저들은 저들의 방식이 있으니까, 괜히 끼어드는 건 방해만 될 뿐이야. 차라리 가만히 있는 게 나아. 저들이 필요하면 나서서 부탁할 테니까."

모크샤의 말대로 일꾼들은 일사불란, 마치 숙련된 군인 같았다. 일꾼들이 손을 한번 휘두를 때마다 천막이 하나씩 불쑥불쑥 생겼다.

그 과정을 신기하게 보고 있을 때, 가우란이 제일 화려한 천막을 가리키며 말했다.

"귀빈을 위한 휴식처가 마련되어 있을 것입니다. 저쪽으로 갑시다."

"어, 다들 일하는데 그런 데 가서 있어도 돼?"

"저들은 우리가 여기 있는 걸 더 불편해할 겁니다."

가우란의 말에 고개를 끄덕였다. 그쪽을 향해 가려던 찰나, 내 근처를 지나가던 일꾼 하나와 부딪힐 뻔했다.

"……!"

순간적으로 깜짝 놀라 뒷걸음질 치기가 무섭게 모크샤가 나를 그대로 품으로 잡아끌었다. 모크샤가 조금만 늦었더라면 넘어졌을 테고, 그랬다가는 자칫 더 큰 일이 벌어졌을지도 몰랐다. 다행히 아무 일도 없었지만, 심장이 벌렁벌렁 뛰었다.

모크샤의 단단한 품에 안기자 사막의 모래 냄새가 났다. 그 틈새로 스며든 익숙한 모크샤의 체취에, 나는 마음이 진정되는 걸 느꼈다. 모크샤가 나직하게 외치며 내 어깨를 잡은 손에 힘을 더 주었다.

"……조심했어야지!"

"미, 미안. 깜짝 놀랐어."

나는 가슴을 쓸어내렸다. 너무 깜짝 놀라 덜덜 떨리던 손도 안정되었다. 만약 그 남자와 부딪혔으면 어찌 되었을지 생각만 해도 끔찍했다. 그 남자는 날 덮치려 했을 테고, 그걸 막기 위해 가우란은 그 남자를 죽였을 테고, 카라반의 일행을 죽인 게 문제가 되기라도 했다면…….

한동안 모크샤와 가우란과 어울려 다니느라 해이해진 것 같았다. 모크샤는 접촉해도 되는 이였고, 가우란은 절대적으로 나와의 간격을 유지할 수 있는 능력이 있었을뿐더러, 혹여 나에게 접촉할지도 모르는 이들을 한발 앞서 배제해주었으니까.

처음 술탄 궁에서 빠져나왔을 때 사람과 부딪히지 않기 위해 뒷골목으로 갔던 기억과 인드라에서 사람들과 부딪힐까 모크샤의 등 뒤에 찰싹 붙어서 갔던 기억은 잊힌 지 오래였다.

확실히 이번 일은 내 방심의 결과였다. 나는 엄청 반성했다.

"이제 괜찮아. 진정했어. 조심할게."

"조심은 무슨. 이리 와. 사람이 많아."

모크샤에게서 벗어나려 했지만 그는 나를 놔주지 않고 도리어 더 끌어당겼다.

모크샤의 망토 자락이 나를 뒤덮듯이 감쌌다. 나는 거의 모크샤의 품에 끌어안긴 채로, 마치 새끼 펭귄이라도 된 듯 엉거주춤 걸었다.

가우란은 그런 모크샤와 내 모습을 흘끔 보았다. 그는 마뜩잖아 보였지만, 모크샤의 행동에 대해 가타부타 말을 하지는 않았다.

그가 보기에도 이번 일이 큰일은 큰일이었던 모양이었다.

모크샤와 걸을 때마다, 우리를 괴기하게 보는 듯한 주변 시선이 닿았다. 남들 보기엔 사내놈들 둘이 철썩 달라붙어 있는 꼴일 테니 저리 보는 것도 당연했다.

얼굴이 달아올랐지만, 지은 죄가 있는 나로서는 고개를 푹 수그리는 것밖에 방법이 없었다.

귀빈을 위한 화려한 천막에 도착하고 나서야 모크샤는 나를 놔주었다.

한 발짝 먼저 가 있던 가우란이 다즈룬에게 말해 내 몫의 자리를 마련해둔 모양인지, 내 몫의 의자가 놓여 있었다.

붉은 비단 쿠션으로 겹겹이 쌓인, 거의 소파에 가까운 푹신한 의자였다. 그 의자만 다른 세상 같았다.

부담스러운 그 자태에 나는 멍하니 의자를 바라보았다.

모크샤도 징글징글해했고, 오로지 가우란만이 이 상황을 당연해했다.

"잠자리가 만들어질 때까지, 여기 계시면 될 것 같습니다."

"으, 으응."

"마실 물은 곧 가져다줄 것입니다. 잠시만 참으십시오."

술탄 궁에서야 날 대접하라고 보내준 이들이니만큼 시종들에게 이거 해줘라 저거 해줘라 잔뜩 시켜대었지만, 여기선 다들 살기 위해 바빴다. 그런 와중에 물심부름 가지고 재촉할 만큼 염치없지는 않았다.

"천천히 가져와도 되는데……."

"아닙니다. 조금만 기다리십시오."

하지만 가우란은 전혀 그렇게 생각하지 않는 듯, 단호히 답했다. 가우란이 그렇다니 뭐, 그런 줄 알아야지……. 나는 한숨을 쉰 뒤 소파 같은 의자에 털썩 주저앉았다. 얼마나 푹신한지 엉덩이가 위로 잠깐 떠오르는 기분이 들었다.

의자는 깃털 같았지만, 생각만큼 편하게 앉아 있지는 못했다. 주변에 왔다 갔다 하는 이들이 있었기 때문이었다. 그렇다해서 그들이 나를 흘끔흘끔 바라본다거나 하는 건 아니었고, 그들은 그들 나름의 일에 집중하고 있었다. 그런 상황에서 마음껏 심드렁해하기엔 양심이 쿡쿡 쑤셨다.

나는 고개를 돌려 여기저기를 살펴보았다. 하지만 아까 같은 사태를 방지하기 위해 철통같이 내 주변을 지키는 모크샤와 가우란 덕분에 시야가 가려서 아무것도 보이지 않았다. 나는 불만스레 중얼거렸다.

"왠지 격리조치 된 기분이네."

"무슨 헛소리를 하는 거야?"

모크샤는 가볍게 타박을 했다. 무척 조용히 낸 혼잣말인데, 거리가 가깝다 보니 다 들린 모양이었다.

얼마 지나지 않아 우리의 천막이 완성되었다는 일꾼의 말이 들렸다. 말이 우리의 천막이지, 정확히는 나 혼자만을 위한 천막이었다. 가우란은 잘 필요가 없으니 보초를 서겠다고 했으며, 모크샤는 그냥 일꾼들이 쓰는 공용 천막에서 자기로 되어 있었다.

당연지사 나는 모크샤가 없이는 잘 수 없다며 떼를 썼고, 결국 모크샤는 내 천막으로 오게 되었다. 가우란은 탐탁잖은 듯 보였지만 하지 말라 하지는 않았다. 천막에 들어가서야 한숨 돌리는 나를 보며, 가우란이 말했다.

"해가 질 때 출발할 것입니다. 그전까지는 푹 쉬십시오, 카마시여. 필요한 것이 있다면 저를 부르십시오."

"정말 안 자도 되는 거야?"

아무리 신군이라 해도 잠은 자야 하지 않나. 게다가 가우란도 낙타를 타고 오느라 힘들었을 텐데. 하지만 가우란은 고개를 내저었다.

"낙타 위에서 충분히 숙면을 취했습니다. 걱정 마십시오."

"응……. 졸리면 괜히 무리하지 말고 자."

내 말에 가우란은 고개를 끄덕였다. 내 걱정을 받아 영광이라는 기색이 그의 눈동자에 모락모락 피어올라 있었다.

머쓱했던 나는 홱 고개를 돌렸다.

가우란이 천막을 나가고, 모크샤와 나만이 남았다. 천막의 문이 닫히고 나니 천막 안이 어슴푸레해졌다. 천막에 암막 기능이라도 있는 모양이었다. 하긴, 낮에 잘 만한 그늘을 만들기 위해서이니만큼 어두워야겠지. 그래도 물건의 식별은 뚜렷이 되었다.

모크샤는 익숙한 손길로 잠자리를 만들었다. 평상 위에 몇 겹이나 되는 담요를 두르고, 그 위에 카펫을 깔아두니 제법 푹신푹신한 침대가 만들어졌다. 맘만 같아서는 침대 안으로 쑥 들어가고 싶었지만, 그전에 꽁꽁 두른, 모래먼지를 잔뜩 먹은 겉옷을 벗는 게 먼저였다.

모크샤는 훌렁훌렁 잘도 벗었는데, 나는 아무리 해도 옷을 벗을 수가 없었다. 모크샤가 묶어놓은 매듭이 어찌나 꽁꽁 묶여 있던지, 몇 번을 풀려고 시도해도 단단히 묶인 그대로였다. 나는 난처한 목소리로 모크샤에게 도움을 요청했다.

"이거, 매듭이 안 풀려."

"……잠깐만."

모크샤는 하의인 도티만 입은 채 상체를 깐 그대로 나에게 다가왔다. 모크샤의 맨몸은 여러 번 봤지만 볼 때마다 쉽게 적응이 되지는 않았다. 천막 안이 어두워졌다고는 하나, 가까이 다가온 모크샤의 근육 위 상처의 움직임까지 선명히 보였다.

나는 괜히 고개를 숙였다. 얼굴이 붉어진 걸 들키지 않을 자신이 없었기 때문이었다.

모크샤의 체향이 코끝을 스치기가 무섭게 내 시야에 모크샤의 복근이 닿았다. 울룩불룩한 모양새가 괜히 만져보고 싶은 충동을 들게 했다. 나는 간신히 그 욕망을 자제했다. 얘는 왜 벗고 다닌대. 누구 좋으라고. 나는 내 욕망의 원인을 모크샤에게 미룬 채 속으로 투덜거렸다.

모크샤는 손을 뻗어 그가 묶어둔 매듭을 하나씩 하나씩 푸르기 시작했다. 두꺼운 손끝이 야무지게 매듭 사이를 파고들었다. 바람이 많이 불지 않았다고 생각했는데, 그건 내 착각인 듯 옷 틈새에 틈틈이 차 있던 모래가 자박자박 바닥으로 떨어졌다. 모크샤는 조용히 매듭을 푸는 데 집중했다. 빨간 눈동자는 흔들림 없이 매듭에만 고정되어 있었다. 나는 흘끔 모크샤를 올려다보았지만, 지금 모크샤가 무슨 생각을 하는지는 알 수 없었다.

소매부터, 허리띠, 옷깃……. 매듭이 많은 만큼, 그와 붙어 있는 시간이 길어졌다. 모크샤의 숨결이 정수리 끝에 아른아른 느껴졌다. 그저 매듭을 풀어줄 뿐인데, 되게 이 상황이 야릇하게 느껴졌다.

한참 끝에 매듭이 다 풀렸다. 그러기가 무섭게 모크샤는 한 발짝 뒤로 물러서며 한숨을 토했다.

마치 숨이라도 멈추고 있던 사람 같았다. 뭐야. 나한테서 냄새라도 나나. 나는 킁킁, 팔을 들어 냄새를 맡았다. 하지만 사막의 건조한 마른 냄새밖에 나지 않았다.

나는 바닥에 툭 떨어진 손목 보호대를 잡아서 들었다. 가죽끈이 길고 치렁하게 늘어졌다. 나는 손목 보호대를 옷 궤짝에 넣으며 물었다.

"이거 왜 내가 했을 땐 안 풀렸던 거야?"

"네가 묶는 매듭법이랑 다르니까. 네가 묶는 매듭은 너무 잘 풀려. 특히 비단이나 가죽 같은 건 아주 술술 풀리겠더만. 나중에 시간 나면 매듭짓는 법 알려줄게. 옷마저 정리하고 와. 잠이나 자자."

그리 말하며 모크샤는 성큼 침대로 향했다. 매듭 묶는 법도 따로 있나. 그러고 보니 어렸을 때 걸스카우트에서 매듭법을 배웠던 것이 떠올랐다. 물론 어떻게 매는지는 전혀 기억나지 않았다. 나는 목 뒤를 긁적였다.

내가 침대로 기어들어 가자, 모크샤가 편하게 이불을 들어주었다. 덕분에 나는 쏙 하고 이불에 들어갈 수 있게 되었다. 하지만 이불 속에 들어서기가 무섭게 나는 화들짝 놀랐다.

"뭐, 뭐야! 너 왜 맨살이야!"

"새삼스레 왜 그래?"

모크샤가 이맛살을 찌푸렸다.

모크샤는 아까 웃통을 벗은 그대로였다. 나는 생각지도 못한 당혹스러움에 쿵쾅대는 심장을 진정시키기 위해 노력했다.

"아, 아니. 너 평소에 버, 벗고 자지는 않으니까, 다, 당황해서 그렇지."

"넌 옷 입고 있으니까 상관없잖아. 내가 벗고 있는 거 처음 보는 것도 아니고, 뭐가 문젠데?"

"무, 문제는 아니고."

"그럼 상관없지? 잠이나 자."

모크샤의 태도가 너무 당당해서, 그 순간 정말 문제가 없는데 내가 예민하게 구는 건 아닐까 하는 생각이 들었다.

아, 아니, 물론 난 옷을 입고 있고, 모크샤가 벗은 걸 처음 보는 것도 아니지만……. 뭐라고 할까……. 그렇다고 해서 이대로 자는 거랑은 차이가 있다고나 할까…….

시선에 닿는 모크샤의 맨가슴에 심장이 콩닥콩닥 뛰었다. 아, 아무래도 안 되겠다.

이대로는 잠을 못 자겠다. 나는 꾸물꾸물, 아무렇지도 않은 척 몸을 돌렸다.

모크샤의 체온이 따땃하게 등을 데웠다.

이야, 카마 팔자 좋아졌네. 예전엔 뒤돌아 자는 모크샤의 등만 하염없이 보면서 잠이 들었는데, 이제는 가슴팍이 부담스러워서 등을 돌리기도 하고.

모크샤와 처음 만났을 때는 손만 잡아도 좋아 죽었는데, 이제는 아주 벗고 자요, 벗고 자.

잠깐, 모크샤 얘, 너무 나한테 익숙해진 거 아냐? 편해졌다거나……. 물론 내가 여자 같지는 않지만, 그전에는 그래도 여자 취급을 조금은 해줬던 것 같은데, 지금은 무슨…….

그렇게 내가 헛생각을 하고 있을 찰나, 무언가가 허리를 강하게 끌어당겼다.

깜짝 놀라 허리를 내려다보니, 모크샤의 팔이 떡하니 내 허리를 끌어안고 있었다. 근육으로 잘 짜인 모크샤의 팔은 단단하기 그지없어, 내가 조금 움직여도 미동조차 하지 않았다. 나는 조심스레 모크샤를 불렀다.

"저, 저기, 모크샤?"

"……왜."

모크샤의 목소리는 잔뜩 가라앉아 있었다. 그새 잠이 들었던 모양이었다. 나는 당황해서 우물쩍 말을 흐렸다.

"아, 아니야. 자, 잘 자."

내 말에 모크샤의 팔이 더 나를 옥죄었다. 이제 완전히 모크샤에게 착 달라붙게 되었다. 나는 옷을 입고 있었지만, 단단하고 매끄러운 모크샤의 근육이 등에 생생히 느껴졌다. 나는 몸을 딱딱하게 굳혔다.

순간 모크샤의 고개가 내 목덜미에 닿았다.

그의 날렵한 코끝이 내 목선에 얹어진 게 그대로 느껴졌다. 만약 내가 평소 모크샤에게 조금이라도 여자 취급을 받았더라면, 이게 되게 의미심장하게 느껴졌겠지만…….

나는 이제야 내가 무슨 취급을 받고 있는지 알 것 같았다. 곰돌이다, 곰돌이. 잠잘 때 끌어안는 곰돌이.

두근거리는 심장과 별개로 나는 한숨을 푹 내쉬었다. 기분이 좋은데 싫었다. 상반된 감정을 삭이며 나도 눈을 감았다. 모크샤 말대로 잠이나 자야지. 하지만 잠은 쉽게 오지 않았고, 나는 열심히 양을 세었다.

양 한 마리, 양 두 마리, 양 세 마리…….

언제나 꿈에 나오던 사내는 오늘도 나왔다. 이제 저 남자를 안 보면 섭섭할 정도라니까.

맨날 꿈에서 날 죽이는 남자가 반갑다니, 미친 게 아니면 마조히스트가 된 게 분명하다.

사내는 오늘도 칼을 치켜들었다. 그의 칼이 곧 내 가슴을 가를 텐데도, 나는 그의 뺨에 흐르는 붉은 피눈물을 훔쳐주고 싶다는 생각을 했다.

사내의 칼은 언제나처럼 나를 향해 떨어져 내렸다. 날붙이의 고통은 몇 번을 당해도 익숙해지지 않았다. 하긴, 익숙해지기 위해서는 미쳐야 하겠지. 이 타오르는 고통이 느껴진다는 건 아직 내가 미치지 않은 증거였다. 그리 생각하니 마음의 위로가 되었다.

평소라면 이쯤 해서 꿈이 까맣게 물들었을 텐데, 이상하게도 오늘따라 시야가 지속하였다. 물론 손끝 하나 까닥할 수는 없었다.

나를 죽인 사내가 나에게로 다가왔고, 그는 내 앞에 무릎을 꿇었다. 그의 손이 우악스레 피를 토해내는 내 고개를 잡아들었다.

그러고는 입을 맞췄다.

분명 꿈속의 나는 죽었을 텐데. 이상하게도 그의 입술 온도가 생생하게 느껴졌다.

낙인이라도 찍는 것처럼, 타오르듯 뜨거운 입술이었다.

소란스러움이 귀를 찔렀다. 뭐가 그리 시끄러운지, 사내들 바락바락 소리치는 소리에 잠을 잘 수가 없었다. 아, 뭐야. 나는 접착제라도 바른 것처럼 딱 들러붙어 있는 눈꺼풀을 간신히 열었다. 가늘게 뜨인 눈 사이로, 흐릿한 인형이 엎치락뒤치락하는 게 보였다.

졸려서 헛걸 보나. 나는 손으로 눈을 비볐다. 눈곱이 떨어져 나가고, 자유로워진 눈꺼풀이 펄럭펄럭 감았다 떠지며 시야를 확보한 찰나, 나는 내가 잘못 본 게 아니라는 걸 깨달았다.

"뭐, 뭐야?"

화들짝 놀란 나는 자리에서 벌떡 일어섰다. 거기에는 칼부림을 하는 모크샤와 가우란이 있었다. 서로의 목덜미에 시퍼런 칼날을 들이대고 있는 모습에 내 등줄기가 다 오싹했다. 모크샤는 어제 자던 맨몸뚱이 그대로였는데, 곳곳에 긁힌 상처가 있었다. 나는 경악해 바락 외쳤다.

"너희 뭐 하는 거야?"

"이자를 멀리하십시오, 카마시여."

가우란은 모크샤에게 겨눈 칼날을 더 꼿꼿이 치켜들며 말했다. 그의 시선은 노골적인 적대와 경멸을 담고 있었다. 가우란은 혐오를 씹어 뱉듯 말했다.

"이자는 카마에게 음심을 품고 있습니다."

자다 깨자마자 벌어진 말도 안 되는 상황에 나는 머리가 이리저리 뒤엉키는 것 같았다.

음심? 그거, 그, 음흉한 마음 같은 거? 모크샤가 누구한테? 나한테?

아무리 해도 믿을 수 없었던 나는 모크샤를 보았다. 그의 표정은 돌덩이처럼 딱딱하게 굳어 있었다. 모크샤의 붉은 눈길이 매섭게 가우란을 노려보았다. 시선만으로도 가우란을 죽일 수 있을 것 같았다. 나하고 엮이듯이 착각당한 게 무척 모욕적인 모양이었다.

"무슨 헛소리. 신군이 천 리를 본다는 말은 거짓말인가 봅니다? 코앞의 일도 제대로 못 보는데 말이죠."

모크샤는 정색 어린 표정을 지은 채 비아냥대었다. 하지만 가우란은 귓등으로 듣지도 않았다. 그는 모크샤의 말은 무시로 일축한 채, 오로지 나만을 바라보며 나에게만 말을 걸었다. 나만 알아주면 된다는 듯이, 그는 모크샤의 죄를 토로했다.

"저자가 잠이 든 카마께 입맞춤하는 것을 제가 보았습니다. 카마께서 허락하지 않으셨는데 그 옥체에 손을 댄 벌을 받아야 합니다."

입, 입맞춤? 모크샤가 나한테 키스했다고? 왜? 그, 그냥 뽀뽀한 거 아냐? 아니, 뽀뽀라고 해도……. 모크샤가 나한테 뽀뽀 같은 걸 할 리가 없잖아.

가우란의 말이 믿기지 않았던 나는 가우란과 모크샤를 번갈아가며 바라보았다. 가우란은 분기탱천해 있었고, 모크샤의 얼굴도 딱딱하기 그지없었다. 모크샤와 여행한 지도 반년 가까이 되었다. 그러면서 붙어 자기도 많이 붙어 잤고, 만약 뭔 일이 벌어졌다면 진즉 벌어졌을 것이다. 그리고 애초에 모크샤 취향의 여자는 나 같은 게 아니다. 말도 안 되는 소리라 일축한 나는 고개를 내저었다.

"모크샤 취향은 내가 아니야. 쟤는 좀 더 청순가련한 애를 좋아한다고 했단 말이야. 네가 잘못 봤겠지."

"잘못 보다니요!"

가우란이 불같이 화를 냈다. 가우란이 내 앞에서 나에게 언성을 높이는 건 처음이었다.

신군의 기세는 과연 무시무시했다. 아무리 천지 분간 안 하고 코웃음 치는 나라 할지라도 순간 가슴이 졸아들 정도였다. 나는 당황해 눈만 껌뻑였다.

그제야 자신의 잘못을 깨달았는지, 가우란이 급하게 내 앞에 부복하며 머리를 조아렸다.

"죄송합니다, 카마시여. 제가 너무 흥분하여 불과 물을 가리지 못했습니다. 하지만 제 말을 소홀히 넘기지 말아주시옵소서. 저자는 카마에게 음심을 품고 있는 게 맞사옵니다. 저자를 멀리하십시오."

목소리는 부드럽고 조용조용해졌지만, 결국은 모크샤를 질책하는 내용이었다. 솔직히 모크샤가 나한테 뭔가 성적 매력을 느꼈다면, 나로서는 다른 의미로 큰일이었다.

왜? 두 팔 벌려 환영할 일이니까! 물론 그런 일은 없겠지만…….

나는 한숨을 푹 내쉬었다. 방금 자다 깼는데도 불구하고 피로함이 몰려왔다.

"뭐, 같이 붙어 자니까 착각했을 수도 있고……. 별거 아니니까 그냥 자자."

"카마시여!"

가우란이 다시 소리를 질렀다. 빽, 지르는 소리에 나는 화들짝 놀랐다. 아주 동네방네 카마라고 소문이라도 내지 그래. 내 눈초리가 순간 날카롭게 가우란을 노려보았다. 가우란의 단단한 체구가 움찔거리는 게 느껴졌다.

나는 쑤시는 관자놀이를 꾹꾹 손가락으로 눌렀다.

내 안위를 누구보다도 신경 쓰고 주의를 기울이는 가우란이었지만, 그가 이렇게 분별을 잃을 정도로 흥분한 모습은 처음이었다.

그에게는 이 문제가 꽤 중요한 모양이었다. 나는 가우란을 질책하는 대신, 차근차근 말했다.

"야야, 나 카마 맞아. 성욕의 신인 카마고. 그래. 너 말대로 모크샤가 나한테 뽀뽀했다고 치자. 그럴 수도 있지 뭐. 전생의 나는 뽀뽀 같은 건 백만 번도 넘게 한 모양이더만."

뽀뽀뿐이랴? 아마 엮인 남자들만 늘어놔도 마을 하나는 꽉 채울 것이다.

비아냥대는 듯한 내 말에 가우란의 표정이 좌절하듯 바뀌었다. 그의 황금빛 눈동자가 나를 조용히 질책했다. 어떻게 내가 그런 말을 할 수 있느냐는 듯한 시선이었다. 가우란은 침중히 입을 열었다.

"카마께서 허락을 하시고 하지 않으시고는 큰 의미가 있는 일입니다."

"모크샤는 괜찮아."

나는 손을 내저었다. 내가 듣기에도 차가울 정도로 내 말은 단호하게 가우란의 말을 일축했다. 가우란은 좌절을 넘어서 절망에 빠진 듯, 참담함에 몸부림쳤다.

나는 그가 그렇게까지 자신을 드러내는 것을 처음 보았다.

가우란은 감정이 없는 것이 아니었다. 그저 감정이 없는 것처럼 착각할 정도로 자신을 죽여왔을 뿐이었다. 그리고 그런 그가 저런 태도를 보이는 것은, 내 신성성에 관한 일이 유일했다. 그래. 신성성. 「카마」가 아닌, 카마의 「신성성」.

그런 가우란이 안쓰럽기는 했지만, 나는 그와 모크샤 중 모크샤의 편을 들어줄 수밖에 없었다. 설령 모크샤가 나에게 키스를 한 게 아니라 내 목에 칼을 들이밀었다 하더라도 나는 모크샤의 편을 들었을 것이다. 나는 쓰게 웃었다.

그 와중, 모크샤는 조용히 나를 바라보고 있었다. 모크샤를 돌아본 나는 그와 눈이 마주쳤다.

내가 그의 말을 믿어주었다는 것에 대한 약간의 즐거움 정도는 얼굴에 비쳤을 거로 생각했는데, 그의 얼굴은 아무런 감정도 드러내지 않았다. 마치, 하나라도 허투루 내보냈다가 그 속내를 모조리 파악당할지도 모른다는 두려움을 느끼는 것처럼. 오늘의 모크샤는 무척이나 이상했다. 뭐가 이상한지 알 수는 없었지만.

이 복잡하고 어지러운 상황 속에서 나는 꿈속의 키스를 떠올렸다. 나를 죽인 자가 내려준, 뜨거운 입술이 생생했던, 그 키스를.

피곤했던 나는 그만하자는 말로 상황을 정리했다. 정리라기보다는 로드레일로 밀어버리는 것에 가까운 강압적인 해결 방식이었다. 하지만 그렇게라도 하지 않았다면 그날 일정이고 뭐고 다 때려치우고 하루 온종일 뽀뽀를 했느냐 안 했느냐 가지고 지지부진해질 게 뻔했다.

내 피로한 목소리에 가우란과 모크샤 둘 다 입을 다물었고, 소란은 금방 가라앉았다. 하지만 미처 해결되지 못한 앙금으로 인해, 둘은 여행 내내 사소한 일로도 자주 부딪쳤다.

일촉즉발 같은 둘의 사이에서 내가 취할 수 있는 태도는, 오로지 아무렇지도 않게 행동하는 것뿐이었다. 평소처럼 조잘조잘 말을 걸고, 시답잖은 일을 부탁하고. 천막에서의 일은 마치 잊은 듯 굴었다.

하지만 미묘한 태도마저 같을 수는 없었다.

지금껏 알아온 모크샤는 은근히 수줍음을 탔다.

처음 여관에서 잘 때는 검술 연습을 한답시고 빠져나가기까지 했었던 만큼, 나와 뽀뽀니 뭐니 하는 소란이 있었으니 한동안 나를 피하려 할 거로 생각했다. 옷의 매듭을 단단히 묶는다거나, 낙타에 탄다거나. 나는 모크샤가 도와주지 않으면 하기 힘든 일들을 떠올리며 홀로 한숨지었다.

그러나 이게 웬걸. 모크샤는 피하기는커녕, 도리어 더 나한테 치대듯 다가왔다. 여전히 내 손목 보호대의 매듭을 묶어주었고, 옷차림을 점검했으며, 낙타에 탈 때는 겨드랑이에 손을 넣어 번쩍 들어서 태워주려 하기까지 했다. 내가 당황스러워하는 것조차 개의치 않았다.

"나 혼자서 탈 수 있어. 그렇게 일일이 안 챙겨줘도 돼."

"고삐는?"

"……."

미처 고삐를 챙기지 못했다. 고삐는 바닥에 떨어져 널브러져 있었다. 모크샤는 픽 웃으며 고삐를 주워 내 손에 건네주었다. 고삐의 가죽이 넘겨지며, 그의 손끝이 내 손바닥에 닿았다. 손바닥에 느껴지는 간지러운 느낌에 나는 고삐를 확 움켜쥐었다. 가우란의 말에 긍정하는 건 아니었지만, 확실히 지금의 모크샤는 어딘지 모르게 이상했다.

어쩌면 이 모든 게 가우란에게 과시하기 위한 행동일지도 몰랐다.

모크샤가 나에게 이렇게 간질간질한 짓을 하면, 가우란은 확실히 열 뻗쳐 죽을 것처럼 굴었으니까. 표정은 무표정했지만, 태도와 주변으로 풍기는 오라가 그러했다.

모크샤의 입장에서는 계속해서 자신을 얕잡아보고 힐난하는 가우란이 마음에 들지 않는 게 당연했다.

사실 정말 뽀뽀를 한 게 아닐까?

지금 모크샤는 가우란을 엿 먹이기 위해서라면 나에게 뽀뽀 열 번 정도야 하고도 남을 정도로까지 보였기 때문이었다. 천하의 신군을 엿 먹이려면 나에게 잘해주기만 하면 된다니, 참 효율적이고 온건한 방법이로군.

나는 쩝쩝 입맛을 다셨다.

가우란은 여전히 나를 이해할 수 없는 것 같았다. 그는 계속해서 모크샤의 호의를 불순한 것으로 깎아내렸다. 물론 가우란의 심기를 긁으려는 호의일 테니 불순하기야 할 테지만…….

둘의 대립은 모래 폭풍이 불었을 때 극에 달했다. 갑자기 불어닥친 모래 폭풍은 그리 큰 것이 아니었으나, 상단을 당황시키기엔 충분했다. 그래도 우리가 합류한 카라반은 숙련된 카라반이었다. 카라반의 우두머리, 다즈룬은 금방 진정하고 낙타와 상인들을 재정비했다.

"낙타와 낙타 간격 사이를 좁히고 낙타의 줄이 끊어지지 않게 해라! 모래 폭풍 속에서 길을 잃으면 그대로 죽는다!"

다즈룬의 목소리는 왱왱대는 바람 사이에 금방 삼켜졌지만, 모두가 그의 말을 알아들은 것처럼 일사불란하게 움직였다. 낙타와 낙타 사이를 잇는 줄이 바람 속에서 펴덕펴덕 흔들렸고, 후드득, 모래알들이 따갑게 뺨을 때렸다. 나는 급하게 후드 자락을 코끝까지 내렸다. 후드가 바람 속에서 어지러이 흔들렸다. 이 모래 폭풍 자체는 위험한 것이 아니었으나, 이 폭풍에 휩쓸려 길을 이탈하는 게 문제였다.

그때, 뒤에서 욕설이 들렸다.

"젠장!"

모크샤였다. 나는 황급히 뒤를 돌아보았다. 모크샤와 내 낙타를 연결하고 있던 밧줄이 끊어질 듯 가늘어져 있었다. 다른 쪽 밧줄은 아직 괜찮았지만, 그것도 곧 어떻게 될지 모르는 일이었다. 다른 밧줄을 하나 더 이어야만 할 것 같았다. 하지만 나에겐 밧줄이 없었다.

"모크샤, 밧줄 있어?!"

"있긴 한데 역풍이야!"

나는 이를 악물었다. 왜 밧줄을 챙기지 않았을까. 여행에 필요한 모든 것을 가우란과 모크샤에게 일임하니 이런 일이 벌어지는 거다. 나는 멍청한 자신을 탓했다. 혹시라도 모크샤를 잃을지도 모르는 상황을 생각하니 심장이 아플 정도로 뛰었다. 나는 다시 고개를 돌리고 가우란을 불러 외쳤다.

"가우란!"

가우란이 뒤돌아서 나를 보았다. 뒤에서 벌어지고 있었던 상황에 대해 전혀 모르는 듯, 멀끔한 낯이었다. 나는 천연덕스러운 그의 얼굴에 이를 악물었다.

신군의 예민하고도 뛰어난 오감을 생각하면 그가 모크샤의 상황을 모르는 건 말도 안 되었다. 하지만 그에 대해 힐난할 시간이 없었다. 나는 다급히 외쳤다.

"가우란! 모크샤에게 밧줄을!"

하지만 가우란은 무표정하게 나를 빤히 바라볼 뿐이었다. 그 사이에도 바람은 몰아치고, 모크샤의 밧줄은 곧이라도 끊어질 듯 위태위태했다. 괜히 귓가에 찌직, 찌직 하고 밧줄 끊어지는 소리가 들리는 것 같았다.

나는 이를 악물고 눈을 부릅뜬 채, 다시 한 번 가우란을 재촉했다.

"가우란! 명령이다!"

가우란의 황금빛 눈동자는 주변을 맴도는 금빛 모래처럼 무기질적으로 빛났다.

모크샤와 헤어지기라도 하면, 너도 가만히 안 둬. 나는 가우란에게 선연히 빛나는 눈동자로 말했다. 찰나가 영원처럼 길어졌다.

가우란은 이윽고 몸을 돌렸다.

그러고는 짐에서 밧줄을 꺼내어 한쪽 끝은 자신의 낙타에 묶고, 다른 끝은 단검을 칼집째 돌돌 묶었다. 무게중심을 잡기 위함이리라.

가우란이 다시 몸을 돌렸을 때는, 가우란의 손에서 단검이 떠나간 뒤였다.

뒤에서 칫, 하는 혀 차는 소리가 들리기에 혹시 로프를 놓친 건가 싶어 깜짝 놀랐지만, 다행히도 수월히 낚아챈 모양이었다. 모크샤는 단검의 밧줄을 풀러 자신의 낙타에 단단히 묶었다. 그제야 나는 안도할 수 있었다.

모래 폭풍은 카라반을 완전히 뒤흔들고 갔다. 열의 끝에서 따라오던 짐 낙타 세 마리가 사라졌지만, 다행히도 인명피해는 없었다.

모크샤와 내 낙타를 잇던 밧줄은 결국 모래 폭풍을 견디지 못하고 끊어졌다. 만약 가우란이 밧줄을 주지 않았더라면, 모크샤를 잃게 되었을지도 몰랐다. 다시 생각해도 등골이 오싹한 일이었다.

가우란 덕에 모크샤가 살았지만, 나는 마음을 놓을 수가 없었다. 가우란이 모크샤에게 로프를 던진 것은 내가 「명령」했기 때문에 어쩔 수 없이 한 일일 뿐이었다. 나의 「부탁」 정도로는 움직이지 않았겠지. 그는 정말로 모크샤를 버릴 생각이었다.

그걸 모크샤도 알았다. 모래 폭풍의 피해를 셈해보기 위해 카라반은 보다 일찍 오아시스에 머물렀고, 모크샤는 낙타에서 내리기가 무섭게 가우란에게 단검을 던졌다. 밧줄에 묶여 있던 그 단검이었다. 모크샤는 고맙다는 말 대신 가우란을 노려보았다. 가우란 또한 모크샤를 노려보았다. 그들이 입을 다물고 단지 노려볼 뿐인 이유는, 둘 다 내 앞에서 차마 꺼내지 못할 무시무시한 욕설을 속으로 떠올리고 있기 때문이리라.

나는 더는 침묵하고 있을 수 없다는 걸 깨달았다. 어제처럼 강압적으로 말을 무마하는 건 그저 현상을 미룰 뿐이었다. 나는 나에게 모크샤가 어떤 존재인지, 그가 없으면 왜 안 되는지 가우란에게 이유를 설명할 필요를 느꼈다. 가우란이 납득하든 하지 않든, 그 정도 노력은 기울여야 가우란 또한 내 의지를 존중하기 위해 노력할 테니까.

천막이 완성되기가 무섭게 나는 천막으로 등 떠밀어졌다. 오늘 모래 폭풍으로 힘들었을 테니 일찍 쉬라는 것이 요지였다.

모크샤는 자신의 낙타의 이음부 수리를 위해 잠시 자리를 비웠다. 천막의 침대에 지친 몸을 누인 나는 한참 동안 천장을 바라보았다.

우뚝 솟은 장대 밑으로 축 늘어진 천막의 무늬를 계속해서 바라보던 나는 조용히 가우란을 불렀다.

"부르셨습니까, 카마시여."

"그쪽 의자에 앉아봐."

나는 침대에 누운 채 손만 뻗어 침대 근처에 놓인 간이식 의자를 가리켰다. 하지만 가우란은 고개를 내저었다.

"아닙니다. 바닥이 편합니다."

"이야기가 길어질 거 같아서."

"그래도 괜찮습니다. 카마와 같은 높이에서 대화한다니, 말도 안 되는 일입니다."

그리 말하며 가우란은 바닥에 부복했다. 거의 맨바닥이나 다름없어 편한 자리는 아니었다. 하지만 가우란은 고지식했다. 내가 한 번 말해서 듣지 않는다면 두 번 말해도 별반 달라질 건 없었고, 나로서는 이런 걸로 세 번까지 말할 기력이 없었다. 앞으로 갈 길이 멀었으니까.

나는 몸을 일으켜서 가우란을 바라보았다. 가우란은 황송한 듯 고개를 조아렸지만, 그가 머리를 숙이는 존재는 내 등 뒤에 우뚝 서 있는 주신이었다. 그에게 있어서 나는 뭘까.

주신을 대신해서 칭송하고 모실 수 있는, 그런 인형 같은 존재? 그렇기에 나에게 순응하는 척하면서도 내 말은 귓등으로도 안 처듣는 거겠지.

"가우란. 왜 자꾸 모크샤를 못 잡아먹어 안달이야?"

"……그자는 찜찜한 구석이 있습니다."

나는 턱을 괴고 가우란을 빤히 바라보았다. 그의 황금안의 주인은 주신이었고, 나는 주인의 자식일 뿐이었다. 그렇기에 모크샤에게도 저러는 것이었다. 나에게 소중한 모크샤. 하지만 주신에게 버림받은 모크샤. 가우란의 저울이 어느 쪽에 기울지는 명백한 일이었다. 입꼬리가 비스듬히 올라갔다.

"왜? 저주받은 자라서?"

"카마께서는 당신이 안 보는 사이, 그자가 어떤 눈으로 카마를 살피는지 몰라서 하는 소리입니다."

도대체 가우란이 무엇 때문에 모크샤를 그리 착각하는지 모르겠다. 모크샤가 나를 어떤 눈으로 보는데? 나도 욕망의 열기 정도는 충분히 읽을 수 있었다. 하지만 모크샤의 시선은 그것과는 명백히 달랐다.

차라리 모크샤가 그런 식으로 나를 봐주기라도 하면 참 좋을 텐데. 나는 피식 웃었다.

아이러니함이 아이러니함을 불러일으킨다. 뫼비우스의 띠처럼 앞과 뒤, 욕망과 권능과 바람이 뒤섞였다.

성욕을 일으키는 능력. 그에 영향을 받지 않는 모크샤. 그렇기에 모크샤를 사랑하게 된 나. 그런 내가 모크샤에게 바라는 것은 무엇일까? 나는 손을 마주 모아 얼굴을 가렸다. 눈앞이 깜깜해졌다.

우선 권능을 버리자. 그렇게 되면 이 혼란의 연쇄가 끊어진다. 평범하게 살기 위해서, 그리고 평범하게 사랑하기 위해서라도. 나는 눈두덩이 위를 손으로 꾹꾹 눌렀다. 안압에 눈앞이 어질어질 흔들렸다. 입술을 비집고 나오는 목소리는 잔뜩 지치고 허기져 있었다.

"그러니까, 모크샤는 그럴 리가 없다니까."

"하지만 카마시여. 저는 사실만을……."

"가우란, 네 덕분에 편하게 여행하고 있다는 사실을 알아. 고맙기도 하고……. 하지만 모크샤와의 일은 그냥 뒀으면 좋겠어."

나조차도 그에 관해 뭐라 정의 내리지 못하고 있는 상황에서, 가우란의 개입은 그저 더 혼란스러울 뿐이었다. 나는 최대한 부드럽게, 가우란이 반발하지 않도록 말을 골랐다.

하지만 그렇게 생각하지 않는지, 가우란의 눈에 억울함이 스쳤다. 그는 몸을 반쯤 일으켰다. 사소한 움직임이었지만, 좁은 천막 안에서는 그것만으로도 단숨에 그와 나의 거리가 가까워졌다.

"왜 그자만 편애하십니까? 카마시여. 혹시 저자를 사랑하십니까?"

가우란의 목소리 끝은 이글거리는 화염처럼 타올랐다. 가우란이 이렇게까지 흥분한 것은 처음이었다. 지금 여기에는 가우란과 나, 단둘뿐. 그제야 지금 이 상황이 위험할 수도 있겠다는 생각이 들었다.

내 등줄기를 타고 식은땀이 주룩 흘렀다. 가우란의 주먹이 불끈 쥐어졌다. 곧이라도 저 손이 나에게로 불쑥 뻗칠 것 같았다. 나는 가우란의 주의를 환기하기 위해, 조용히 그를 불렀다.

"가우란."

"저도 카마의 사랑을 바랍니다. 카마를 만지고 싶고, 카마의 총애를 받고 싶습니다. 저도 제가 카마께 사랑을 고백하기에 미흡한 이라는 건 압니다. 하지만 저주받은 자도 카마의 총애를 받는다면, 저 또한 그리 굽어봐 주시면 안되겠습니까?"

가우란의 눈빛은 애절했다. 그는 나의 제지에도 개의치 않고 한 발짝 나에게로 다가섰다. 그의 손끝이 서서히 들렸다. 내 사랑을 바란다는 말보다도 그의 행동에 기겁한 나는 필사적으로 외쳤다.

"가우란!"

어떻게 내 목에서 이런 소리가 나왔나 싶을 정도로 큰 외침이었다. 그제야 나를 향해 다가서던 가우란의 몸이 멈췄다.

나는 가우란의 행동 하나하나를 경계하며 급하게 숨을 몰아쉬었다.

가우란이 나를 만지기라도 했다면. 나는 입술을 잘근 깨물었다. 빌어먹을. 빌어먹을. 전생의 카마야 좋다고 즐겼을지 모르겠지만, 나에게는 강간일 뿐이라고. 가우란의 경우는 내가 난리를 쳐서 모크샤가 오더라도 떼어놓지 못할 게 분명했다. 아니, 애초에 그 꼴을 모크샤에게 보여주는 것부터가 싫었다. 숨이 틀어막혔다. 오한이 들었는지, 팔뚝에 닭살이 돋았다.

전생의 카마는 이런 상황도 제 입맛에 맞춰 조정했으리라. 그녀처럼 타인의 성욕을 좌지우지하고 이래저래 시킬 수만 있다면, 가우란이 나를 만지게 되더라도 당장 밖에 가서 자위라도 하라고 일갈하면 그만이었다. 나라고 해서 권능을 이용해서라도 권능에서 안전해질 방법을 생각해보지 않은 건 아니었다.

하지만 권능을 마음대로 사용하기 위해서는, 일단 권능을 「쓴다」는 전제조건 자체가 필요했다. 한 번으로 해봐서 안 되면 두 번, 두 번으로 해봐서 안 되면 세 번……. 그 와중에 내가 얼마나 내 몸을 지킬 수 있을까? 그 과정에서 나를 지키기 위해 얼마나 사람이 죽어 나갈까? 엄두가 나지 않았다. 호랑이가 두렵다고 사자의 아가리로 걸어 들어가는 꼴이었다. 그러니 나로서는 권능을 버리기 전까지는 평생 이렇게, 타인의 접근을 경계하며 사는 수밖에 없으리라.

한참 후에야 진정이 된 나는, 겁에 질렸다는 사실을 속으로 꽁꽁 감춘 채 가우란을 올려 보았다.

감히 카마와 같은 위치에서 눈을 마주칠 수 없다 말했던 그는, 못 박힌 듯 자리에 꿈쩍도 않고 서서 나를 바라보았다. 드리워진 그늘 사이로 그의 눈동자가 선명히 빛났다. 신군의 황금안은 어둠 속에서도 선명히 모습을 드러냈다. 마치 맹수처럼. 나는 침을 꿀꺽 삼켰다. 그는 맹수였다. 주신에게 충성하는, 주신이 키우는 맹수. 나는 서서히 입을 열었다.

"네가 날 좋아하는 건, 내가 카마여서야. 너는 신군이고, 주신의 종이니까. 그 자식인 나를 좋아한다고 생각하는 거지."

나는 솔직히 가우란의 좋아한다는 말을 믿지 않았다. 주신의 광신도가 주신의 자식을 사랑하는 건, 과연 정말 사랑일까?

가우란은 반박하고 싶은 듯 입술을 움찔거렸다. 하지만 마땅한 말을 찾지 못했는지, 그는 결국 아무 말도 하지 않았다. 방금 그에게 두려움을 느꼈다는 사실을 들키고 싶지 않았던 나는 어깨를 으쓱이며 애써 가벼운 어조로 말을 이었다.

"하지만 모크샤는 저주받은 자라고. 그에게 저주를 내린 게 바로 주신이야. 아마 주신을 원망하면 원망했지, 좋아하지는 않을 걸. 그런 모크샤가 나랑 같이 다녀주는 게 얼마나 고마운데. 모크샤가 아니었다면 난 아그니에서 빠져나오지도 못했을 거야."

그랬다. 모크샤는 주신을 원망할 만한 이였고, 그 원망을 나에게 전가할 수도 있었다. 모크샤의 과거를, 현재를 알면 알수록 더 그러했다.

주신은 그의 과거의 행복을, 미래의 기쁨을 모조리 빼앗았다.

저주받은 자는 전생에 죄를 지은 영혼이라 하였다. 그 죄가 얼마나 큰 것이었는지 나는 알지 못한다. 하지만 이것은 정당치 않았다.

기억에도 없는 전생의 업보가 현생의 나를 집어삼키는 꼴 아닌가. 차라리 기억이라도 한다면. 이 벌을 받는 이유를 알기라도 한다면. 나는 권능을 받았음에도 주신을 원망했다. 하물며 저주받은 모크샤는 어떠할까.

하지만 모크샤는 나와 주신을 분리해서 봐주었다. 그에게 있어 나는 카마이되 카마가 아니었다. 설령 모크샤에게 권능이 통했다 하더라도, 그것만으로도 나는 모크샤를 사랑할 수밖에 없었으리라.

가우란은 내 말을 납득하지 못한 듯 이를 악물고 뇌까렸다.

"저 또한 카마의 도움이 될 수 있습니다. 저자의 그릇된 욕망과, 저의 오롯하고 순수한 경애. 어째서 거듭 그를 택하는 것입니까?"

참으로 고지식하고 답답했다. 몇 번이고 같은 말을 반복해야 하니 짜증이 치밀었지만, 괜히 가우란을 자극하고 싶지 않았던 나는 그를 설득하기 위해 거듭, 더 쉽게 말을 풀이했다.

"그니까, 좋아하는 게 당연한 상황에서 좋아해주는 거랑, 싫어하는 게 당연한 상황에서 좋아해주는 거랑 차원이 다르다니까."

말이 끝나기가 무섭게 가우란은 바닥에 납작 몸을 엎드리며 간청했다. 그의 목을 타고 나오는 간청 어린 외침에는 원통함이 가득했다.

"그건 불공평합니다, 카마시여! 제가 저주받은 자였다 하더라도 카마를 모셨을 것입니다."

"하하, 원래 인생은 불공평한 거야, 가우란. 네 능력, 그것부터가 불공평함의 산물이잖아."

나는 자조로이 웃으며 가우란의 눈동자를 가리켰다. 황금빛 눈동자. 신군의 증표. 신의 축복을 받고 태어난 그는 지금껏 불편함 하나 없이 살았을 것이다. 태어날 때부터 주신에 대한 강한 믿음을 세뇌당해온 것은 썩 부럽지 않지만, 저주받은 자인 모크샤와 비견할 만한 것은 확실히 아니었다. 나는 차가운 시선으로 내 앞에 무릎을 꿇은 가우란을 보았다.

"그리고, 난 공수표 남발하는 거 별로 안 좋아해. 네가 저주받은 자라는 가정부터가 확인도 못 하는 말도 안 되는 가정이라는 거, 너도 알고 있잖아."

"……."

나를 보는 가우란의 얼굴에 허망함이 스쳤다. 그는 차마 나에게 뻗지 못한 손으로 바닥을 긁었다.

그의 손끝을 따라 움푹 파여 나간 바닥의 모래가 자르륵자르륵 주변으로 흩어졌다.

바위 같이 굳건하던 가우란이 이렇게 흔들리는 반응을 보이니 내가 나쁜 사람이 된 것 같았다. 아니. 나는 그냥 나쁜 게 맞을지도 몰랐다. 아마 착한 사람은 아닐 거다. 최근 착한 짓을 한 기억마저도 위선과 자기위안에 가까웠다.

하지만 어떻게 하겠는가. 모크샤와 가우란 사이를 갈팡질팡하면서 우유부단하게 구는 건 모크샤에게 상처인데. 나는 좀 더 단호해질 필요가 있었고, 그로 인해 나쁜 사람이 되어도 어쩔 수 없었다. 나는 눈을 내리깔았다. 피곤했다. 기력이 떨어진 나는 조용히, 하지만 선명하게 읊조렸다.

"난 널 싫어하는 게 아니야, 가우란. 너한테도 고마워하고 있어. 하지만 나에겐 모크샤가 더 소중할 뿐이야. 그래서 네가 자꾸 모크샤에게 날을 세우면 나도 어쩔 수가 없네."

가우란에겐 거의 사형선고나 다름없이 들린 모양이었다. 가우란의 입술이 바르르 떨렸다. 천하의 신군 중에서도 뛰어나다 칭해지는 그가 내 한마디에 충격받은 모습은 무척이나 안쓰러워 보였다. 하지만 나는 홱 고개를 돌려 그를 무시했다.

가우란이 바라는 것은 나와 모크샤와의 결별이다. 그것만큼은 절대 들어줄 수 없는 만큼, 나는 그에게 일말의 여지도 주고 싶지 않았다.

가우란이 떨리는 입술을 질끈 깨물고 눈을 꾹 지르감았다. 얼마나 지났을까, 마음을 추스른 듯 그는 서서히 눈을 떴다.

혼란과 절망뿐이던 표정은 파도에 휩쓸려간 모래사장처럼 말끔히 사라진 뒤였다. 언제나와 같은, 속내를 알 수 없는 무표정의 가면이 그의 얼굴에 덧씌워졌다.

"카마께서는 모르시겠지만, 전 카마를 뵌 적이 있습니다. 주신제에서였죠. 주신의 제단에 오르는 카마의 성스러운 모습을 뵙고, 전 첫눈에 반했습니다."

"……."

그때, 가우란이 있었던가? 나는 미간을 찌푸리며 기억을 되살리기 위해 노력했다. 하지만 부질없는 짓이었다. 주신제에서의 일은 타오르는 제단의 불꽃과 어지러이 흔들리는 자마드의 얼굴밖에 기억나지 않았다.

나는 가우란이 나에게 첫눈에 반했다는 말 또한 믿지 않았다. 설사 반했다 하더라도, 그건 나에게 반한 것이 아니리라. 주신제는 「카마」로서의 신성성이 주된 자리였다. 광신도인 신군이 주신의 사랑받는 자식인 카마를 보고 첫눈에 반한다는 과정 자체는 너무나도 명료했다. 문제는 그것이 나이되 내가 아니라는 것이지.

나는 가우란의 고백을 평소 그에게 듣는 주신에 대한 찬미 정도로 흘려들었다.

하지만 그렇게 생각한 걸 그대로 들킨 모양이었다. 가우란은 무표정하게 나를 바라보았다.

석가면처럼 딱딱하게 굳은 그의 얼굴과 달리, 황금빛 눈동자는 많은 이야기를 담고 있었지만 나는 그 세세한 일면을 파악해내지 못했다. 가우란이 간절한 목소리로 간청했다.

“많은 걸 바라지 않겠습니다. 다만 제 사랑의 존재만큼은 인정해주십시오.”

가슴이 덜컥였다. 속내를 그대로 까발려졌다는 것에 대한 민망함과, 그 대상인 가우란에 대한 미안함이 번갈아가며 내 심장을 두드렸다. 나는 주먹을 꾹 쥐었다.

가우란의 사랑이 진실일지 내가 어떻게 알아. 내가 어떻게 믿냐고. 결국 넌 카마인 내가 좋다는 거잖아. 나는 얼굴을 일그러트렸다.

그때, 벌레가 비집고 들어간 것처럼 귓가가 시끄러웠다. 나는 미간을 찌푸렸다. 바스락거리는 듯한 소리는 점점 크게 들렸다. 이리저리 뒤섞여 시끄러웠던 소리가 이내 한 문장, 한 문장 떨어지기 시작했다. 소음이 모조리 분리되어 그 정체를 드러내었다.

—저는, 카마께서 저만의 카마가 되어주셨으면 합니다.

—카마를 사랑합니다.

—왜 제 사랑은 믿지 않으십니까?

모크샤를 만나면서 잊게 된 자마드의 고백이었다. 나는 급하게 숨을 들이켰다.

—죽었으니까요.

—카마의 제일이 되고 싶었습니다. 그가 있어서 절 거절하신 거라면, 이제는 허락해주십시오.

—카마께서 절 받아주실 때까지, 저는 포기하지 않을 것입니다.

그의 대사 하나하나가 선명히 모습을 드러내었다. 잊었다 생각했더니 기억 밑으로 내려 보냈을 뿐인 모양이었다. 그것들은 머릿속을 서걱서걱 잠식하기 시작했다. 구역질이 치솟았다. 나는 황급히 입을 틀어막았다.

이 빌어먹을 머리는 자마드가 락시타와 모카를 죽이던 모습을, 그대로 가우란이 모크샤를 죽이던 모습으로 치환시켰다.

가우란은 자마드가 아니야. 자마드가 아니야. 가우란은 모크샤를 죽이지 않을 거야. 가우란은…….

나는 한참 동안 꼼짝도 하지 못했다. 내 정신을 붙들고 있는 것만으로도 힘에 겨웠다. 조금이라도 생각의 끈을 놓으면 그대로 지옥의 나락으로 처박힐 것 같았다.

가우란은 그렇게 내가 가만히 침묵하는 것을 자신의 질문에 대한 머뭇거림이라 생각했는지, 자조적으로 중얼거렸다.

"카마께 사랑을 받지 못하는 것보다도, 사랑 자체를 부정당하는 것이 무척 가슴 아프군요……."

그리 말한 가우란은 자리에서 벌떡 일어섰다. 나는 아니라고, 단지 확신을 못 할 뿐이라 답하려 입을 열었다.

하지만 그 또한 가우란의 말과 그리 다르지 않았다. 나는 결국 가우란의 사랑을 믿지 못하고, 부정하고 있었으니까.

가우란은 고개를 숙여 인사하고는, 뒤돌아서더니 그대로 천막을 나갔다. 가우란에게 미안했지만 정말 어찌해 줄 방도가 없었다. 나는 가우란의 뒷모습만 바라볼 수밖에 없었다.

그 일이 있고 나서, 가우란은 상당히 조용해졌다. 모크샤에게 살가운 태도로 돌변한 것은 아니지만, 어지간해서 부딪치지 않게 알아서 피하는 느낌이 들었다. 왠지 기가 죽은 느낌이었다. 미안했지만, 솔직히 한시름 덜었다고 해도 과언은 아니었다. 그만큼 나는 모크샤와 가우란 사이의 관계에 너무 많은 신경을 쓰고 있었다.

그래도 가우란이 했던 말이 아무 의미 없이 스쳐 지나간 것은 아니었다.

자마드의 고백을 거절하였다가 벌어진 선례들을 생각할 때,

그런 말을 허투루 넘겨서는 안 된다는 것만큼은 명백히 배웠으니까. 당분간 가우란에게도 좀 신경 써야겠네.

나는 쯧, 혀를 찼다.

가우란이 나를 나로서 보는지, 아니면 주신의 부속물인 카마로서 보는지는 여전히 의문이었다. 그에 대한 답은 내가 권능을 버려야지만 찾을 수 있으리라. 그 둘을 구분해내기엔, 특히 후자에 가려진 전자를 깨닫기엔 내가 너무 멍청했다.

연애고 섹스고, 내가 조금이라도 경험이 있었더라면 여기서 살기 좋았을까? 막 하렘도 꾸려가면서? 나는 타닥타닥 걸어가는 낙타의 등받이에 앉아 멍하니 생각했다.

가우란이 내 눈 밖의 모크샤의 태도가 찜찜하다고 했던 것이 생각났던 나는, 틈틈이 모크샤를 보았다. 하지만 딱히 이상한 점은 보이지 않았다. 언제나와 같은 모크샤였다.

며칠에 걸친 사막 횡단 끝에, 우리는 바르나의 변경 마을 딜라이라에 도착할 수 있었다.

가우란은 다즈룬에게 고생했다며 추가금을 더 얹어주었다. 다즈룬은 상인답게 자신의 노고에 대한 돈을 받는 걸 거절하지 않았다. 금화가 짤랑이는 돈주머니를 품으로 챙긴 다즈룬은 수도까지는 사막 없이 평범한 길이 계속되니 그리 어렵지 않을 거라며, 여정에 별과 달의 가호가 깃들길 바란다며 호탕하게 껄껄 웃었다.

그렇게 우리가 카라반과 작별하고 뒤돌아서는 순간, 한 사내가 우리에게 다가섰다. 왜소한 체구에 눈빛은 비굴하게 빛났다. 카라반에서 몇 번 오고 가며 본 적이 있는 일꾼이었다. 그는 몸을 깊게 숙여 인사했다.

"카마를 뵈옵니다."

뭐야. 언제 카마라는 걸 들킨 거지. 지난번, 가우란과 큰소리로 투닥거렸을 때일지도 모른다. 가우란과 모크샤의 표정이 굳으며 사내의 행동을 경계했다. 그가 수상한 행동을 취하기가 무섭게 바로 처리하려는 낌새였다. 나는 그들을 저지하며, 시치미를 뚝 떼었다.

"카마라니, 무슨 소리야?"

사내는 조아리던 고개를 들었다. 순간 눈빛에 빛나던 것은 웅크리며 기회를 보고 있던 맹금의 눈초리였다. 그의 입꼬리가 기이하게 올라갔다.

"아그니 술탄의 전령이 있습니다."

안 그래도 한동안 잊고 있던 자마드의 그림자가 수면으로 고개를 들이민 뒤였다. 예상치 못한 상황에서 모습을 드러낸 자마드의 존재에 소름이 쭈뼛 돋았다. 나는 휘청이며 뒷걸음질 쳤다. 그런 나를 잡아준 건 모크샤였다. 어깨를 틀어쥔 모크샤의 손에 힘이 들어갔다. 아플 정도로 파고드는 그의 손가락에 나는 정신을 차릴 수 있었다.

내가 이 카라반에 합류할 줄 알고 사람을 심어둔 건가? 아니면 매수? 어느 쪽이든 내 일거수일투족을 알고 있다는 건 분명했다. 아주 손바닥 안의 쥐였군. 용병을 보냈다가, 전령을 보냈다가. 조롱하는 것도 아니고. 눈에 분노가 확 치솟았다. 최근 들어 용병들이 움직이지 않던 것도 내가 신군인 가우란과 합류한 것을 알고 있어서 그러했던 것이리라. 신군의 앞에서는 무력은 무의미할 뿐이니까. 나는 이를 악물었다.

"뭐라 했는지 말이나 들어보지."

"「바르나에 가보았자 헛수고이십니다, 카마시여. 저는 당신이 상처받기를 바라지 않습니다. 당신을 진심으로 염려하고 사랑하는 것은 저밖에 없습니다. 저에게는 카마가 필요하니까요. 그러니 안전한 제 품으로 돌아오십시오. 거부할지라도, 그대는 결국 제 품으로 돌아오게 되어 있습니다.」 이리 전하라 하셨습니다."

사내가 한 마디 한 마디 할 때마다 내 심장이 푹푹 파였다. 빙긋이 지어지는 자마드의 독화와 같은 미소가 눈앞에 절로 그려졌다. 벗어나려 노력했는데 여전히 그의 손아귀 안이었다. 나는 자마드가 「내가 돌아올 게 분명하다.」고 확신하는 것이 두려웠다. 정말 그렇게 될 것 같았다.

아니다. 그는 그저 허세를 부리는 걸 거야. 나에게 기회를 주는 척 가장하는 거지. 자마드의 말대로, 그에게는 「카마」가 필요하니까. 하지만 나에게는 자마드가 필요 없는걸.

아그니로 돌아갈 이유가 없다. 나는 애써 천연덕스레, 그런 말에 흔들리지 않는 척 가장하며 되물었다.

"그게 다야?"

"그렇습니다."

"전령을 전할 뿐이고."

"그렇습니다."

"여기서 죽어도 상관없는 거네."

내 말이 끝나기가 무섭게 모크샤와 가우란의 칼끝이 전령의 목에 닿았다. 서늘한 날붙이와 살기가 그의 목뿐만 아니라 이곳의 분위기 전체를 날카롭게 만들었다. 하지만 사내는 표정 한 점 변하지 않은 채 대답을 반복했다.

"그렇습니다."

"헛수고라는 건 뭐야."

"잘 모르겠습니다. 저는 말을 전할 뿐이니까요."

사내는 계속해서 웃고 있었다. 부드럽게 휘어진 미소는 언뜻 보면 좋은 사람처럼 보이게 했지만, 그 안의 눈동자는 흔들림 없이 나를 주시하고 있었다. 나는 그 미소를 어디서 본 적이 있었다. 나는 눈을 가늘게 뜨고 남자를 보았다. 왜소하고 흐릿한 사내의 얼굴에 익숙한 기억 속의 얼굴이 겹쳐졌다. 얼굴은 달랐지만, 자마드의 미소였다. 소름 끼쳤던 나는 소스라치게 놀랐다. 등 뒤에서 나를 단단히 받치고 있던 모크샤가 아니었다면 엉덩방아를 찧었을지도 모른다. 모크샤는 한 손으로 나를 끌어안으며 내 귀에 속삭이듯 물었다.

"죽일까?"

"말만 하십시오, 카마시여."

가우란도 말을 받았다. 내 승낙이 떨어지기가 무섭게 사내의 목이 떨어질 기세였다. 둘의 흉흉한 살기를 받으면서도 사내는 그대로 박제된 것처럼 가만히 있을 뿐이었다. 저런 허상 같은 자를 죽여도 찝찝할 뿐이다. 나는 고개를 내저었다.

"……아니, 됐어. 칼을 들이밀지 않는 상대를 죽이고 싶진 않아."

가우란은 고개를 끄덕이며 칼을 집어넣었다. 하지만 여전히 시선은 날카롭게 사내를 주시하고 있었다. 모크샤는 칼을 물리지 않았다. 그는 여전히 나를 끌어안은 채, 다른 손으로는 칼끝을 더 날카롭게 치켜들었다. 그는 사내가 곧이라도 나를 데려갈 것처럼, 사내를 경계하고 위협했다.

나는 사내를 노려보며 말했다.

"그렇다 해서 계속해서 얼굴을 맞대고 싶은 것도 아냐. 얼른 꺼져."

"그러면 카마시여, 즐거운 여행 되시기를……."

사내는 허리를 꾸벅 숙이고는 미련 없이 우리에게서 뒤돌아섰다. 스르륵 카라반 사이로 자취를 감추고 나니, 더는 눈으로 그를 좇지 못했다. 가우란은 혀를 차며 말했다.

"숙련된 밀정입니다."

"……."

가우란이 이리 말할 정도면 장난 아니라는 뜻이었다. 애초에 시선에 예민한 가우란과 모크샤의 주의를 피해 나를 관찰해왔다는 것부터가 그러했다.

그건 밀정이 살기를 품지 않았기 때문일 수도 있지만, 확실히 뛰어난 밀정임에는 분명했다.

그런 밀정을 고작 나에게 말 한마디 전하려고 써먹었단 말이지. 나는 혀를 찼다.

지끈거리는 관자놀이를 꾹꾹 눌러도 두통은 가시지가 않았다. 나는 생각을 정리하듯 중얼거렸다.

"자마드는 뭔가를 알고 있어. 그렇지 않으면 헛수고라든지 상처라든지 하는 말을 할 리가 없지."

"어떻게 하실 예정이십니까?"

가우란이 물었다. 밀정의 말을 신경 쓰는 모양이었다. 나는 피식 웃으며 되물었다.

"뭘? 바르나의 수도로 갈 거냐고? 당연한 소리를."

자마드가 뭔가를 알고 있다 하더라도, 설령 자마드의 말대로 내가 바르나에 가보았자 상처받을 뿐이라 해도, 나는 내 눈으로 확인해야만 했다.

바로 코앞이 바르나의 수도였다. 여기까지 와서 물러서고 싶지는 않았다.

나는 결연한 시선으로 하늘을 보았다.

막 동이 터 오고 있는 새벽녘의 하늘은 꿈과 현실의 어슴푸레한 경계처럼 모호했다.

"여기까지 온 이상, 상처는 어떻게든 받게 되어 있어."

바르나로 가더라도, 아그니로 돌아가더라도 마찬가지였다. 어쩌면 바르나에서 나를 기다리고 있는 진실이 얼마나 끔찍한지에 대해 무지하여 이런 선택을 하는 걸지도 몰랐다. 무지한 자가 용감하다고는 하지만, 그건 앞에 기다리는 것이 무엇인지 모른다는 단 한 번의 기회에서 나오는 용기였다. 나는 그 기회를 놓치고 싶지 않았다.

심지어 덮어놓아야만 하는 진실이 나에 관한 것이라면 더더욱.

어차피 받을 상처라면 내가 족할 대로 하는 것이 나았다. 호기심이 고양이를 죽인다지만, 권태는 인간을 죽인다.

아무것도 모르는 채, 자마드가 시키는 대로 따르다 권태에 침식되고 싶지 않았기에 나는 아그니를 탈출했다. 내 눈이 날카로이 빛났다.

자마드가 원하는 「카마」의 모습은 그저 살아 있는 인형일 뿐이었으니까.

❧

바르나에서는 인드라에서와 달리 총관의 숙소가 아니라 일반 여관에 묵게 되었다. 카라반이 자주 왕래하며 묵어서 그런지 여관은 다른 나라에 비해 훨씬 고급스럽고 화려했다. 여관에 정원이 꾸며진 건 바르나가 처음이었다.

하지만 정원을 둘러볼 정신이 없었던 나는, 숙소에 들어서기가 무섭게 바로 침실로 올라갔다. 입맛도 없던지라 식사도 물렸다. 그대로 나는 침대에 푹 처박혀 몸을 공벌레처럼 둥글게 말았다. 발끝을 이용해서 이불을 당겼다. 나는 목 끝까지 이불을 덮은 채, 알 수 없는 오한에 몸을 부르르 떨었다.

방문에 똑똑, 노크 소리가 들렸다. 나는 아무런 대답도 하지 않았다. 10여 초의 침묵 후에 슬며시 문이 열렸다. 모크샤였다. 모크샤는 방 한구석에 짐을 내려두며 물었다.

“같이 있어줄까?”

“아냐, 나 머리가 좀 복잡해서. 잠깐 혼자 있을래. 식사하고 할 일 하고 있어."

나는 누운 채 손만 위로 뻗어 내저었다. 평소였다면 내가 먼저 모크샤에게 들러붙었을 텐데, 오늘은 영 그럴 기분이 아니었다. 곧 모크샤가 방을 나서고 방 안에는 나 혼자만이 남았다.

창밖으로 사람 목소리가 웽웽 들렸다. 멀리서 들리는 소리가 섞여 뭉뚱그려졌다 흩어지기를 반복했다. 나는 이불을 머리끝까지 끌어 올렸다. 꽉 막힌 공간에서 내 들숨과 날숨만이 오가니 순식간에 숨이 텁텁해졌다. 괜한 오기인지 뭔지 모를 것이 치솟았던 나는, 그 불편한 상황에서 꿋꿋이 버티고 있었다.

답답한 공간에 숨이 차는 것보다도 자마드의 존재 때문에 숨이 막혔다. 혼자 있으면 어지러웠던 머릿속이 좀 정리될까 싶었지만, 도리어 더 복잡하게 곪아 들어갈 뿐이었다. 자마드의 의도를 생각하려 하고, 그로 인해 생길지도 모르는 미래에 대한 두려움에 몸을 떨었다. 어차피 생각해봐야 계속해서 도돌이표를 찍을 뿐 아무것도 바뀔 게 없는 쓸데없는 짓이라는 걸 알면서도 나는 생각을 멈출 수가 없었다.

차라리 잠이라도 한숨 푹 자서 잊을까 싶었지만 얼마나 깜짝 놀랐는지 잠도 오지 않았다. 나는 한참 몸을 뒤척이기만 했다.

결국 포기한 나는 몸을 일으켰다. 이래서 술을 먹나 싶은 심정이었다. 이럴 줄 알았다면 인드라에서 신주 몇 병 꿍쳐 오는 건데. 이 세계에 술이 금지되어 있다는 것이 오늘따라 아쉬웠다.

나는 발을 질질 끌며 침대 밖으로 나섰다. 바깥공기라도 쐬면 지끈거리는 두통이 가실 것 같았다.

하지만 그건 썩 좋은 생각은 아닌 모양이었다. 방문을 나서자마자 훅하고 더운 공기가 나를 스쳐 지나갔다. 그러고 보니 숙소에 들어왔을 때는 오전이었고, 지금은 해가 더 치솟아 머리 꼭대기에 있었다. 그나마 숙소가 2층에 위치한지라 바닥에서 스멀스멀 올라오는 지열에서는 벗어난 게 다행이었다.

방으로 도로 들어갈까 했지만 그래 봤자 계속해서 삽질만 할 게 뻔했다. 산책이나 하자. 나는 발걸음을 옮겼다.

보통 혼자 움직이는 건 위험해서 지양하는 편이었지만, 혹시 모를 사태를 예비하기 위해 가우란이 2층 모두를 빌리고 엄중히 통제하고 있었다. 나는 긴장을 푼 채 느릿느릿 복도를 걸었다.

계단 근처 꺾인 복도에 다다랐을 때, 1층 정원 근처에서 낮게 수근거리는 소리가 들렸다. 대화를 나누는 상대의 목소리 둘 다 익숙했다. 사실 나를 제외하면 이 숙소에서 머물 상대는 뻔했다. 모크샤와 가우란이다. 분명 그 둘이 이야기를 나누고 있었다. 그 사실에 깜짝 놀란 나는 자리에 우뚝 멈춰섰다.

모크샤와 가우란이 나를 빼놓고도 이야기를 나눈단 말이야? 왠지 뒤통수 맞은 심정이었다. 그도 그럴 것이, 지금껏 내가 둘 사이를 조정하기 위해서 기울였던 노력이 장난 아니었다. 둘은 대화는 커녕 눈도 마주치지 않았고, 정말 필요한 대화만 간신히 했다.

그마저도 하기 싫었는지 대화가 필요한 상황 자체를 만들려 하지 않았다.

그들이 무슨 이야기를 하는지 정말 궁금했다.

자마드의 일 따위는 내 머릿속에서 사라졌다. 나는 숨을 들이켠 채 둘이 무슨 이야기를 하나 좀 더 자세히 듣기 위해 귀를 기울였다.

"당신은 욕심이 너무 많아. 신군의 권능을 가졌으면 되었지, 뭘 더 바라는 게요?"

"나에게는 신군의 능력보다도 카마께 인정받는 게 더 중하다."

나는 손바닥으로 얼굴을 가렸다. 무슨 이야기를 하나 했더니, 결국 내 이야기였다. 그래. 출신부터 계급까지 극명히 다르며, 서로에 대해 별로 궁금해하지 않는 둘이 검술 이야기를 할까, 좋아하는 음식 이야기를 할까? 둘이 대화할 만한 소재가 내 이야기밖에 없긴 하겠지. 나는 화끈 타오르는 얼굴을 손바닥으로 부채질했다.

카마나 되는 사람이 별로 중요한 것도 아닌 이야기를 몰래 훔쳐 듣는 것도 모양새가 빠지는 일이기는 했다. 하지만 평소와 달리 내가 없는 곳에서 하는 내 이야기라는 것은 제법 궁금했다. 나는 혹시라도 가우란에게 들킬까 숨소리를 입 안으로 삼켰다. 겨드랑이를 타고 땀이 도로록, 옆구리로 흘러가는 간지럼도 꾹 참았다.

내가 있는 계단에서는 모크샤와 가우란이 보이지 않았다. 하지만 목소리만 듣고도 그들이 어떤 표정을 짓고 있는지 훤히 알 수 있었다.

"그건 당신이 가진 자이기에, 그리고 그걸 빼앗기지 않으리란 걸 알기에 부리는 만용이지. 저 같은 평민들은 그런 걸 보고 가진 자의 입에 발린 말이라고들 합니다. 허울 좋을 핑계일 뿐이죠."

"카마와 똑같은 말을 하는군."

가우란의 날 선 목소리에서는 심기의 불편함이 여지없이 느껴졌다. 감히. 모크샤와 내가 같은 말을 하는 것조차 용납하지 못하는 것 같았다. 속으로는 저렇게 부글부글 끓고 있었을 거면서, 그때 내 앞에서는 잘도 물러섰네. 나는 혀를 내둘렀다.

하지만 모크샤도 만만치 않았다. 그는 물러서지 않은 채, 되레 가우란을 향해 날을 세웠다.

"그렇게 빼앗길 것도 없는 불쌍한 저주받은 자한테 유일한 것을 신군 나리께서 빼앗으려 하니 당연한 것 아니겠습니까?"

모크샤의 말과 동시에 쿵, 하고 머리가 울렸다. 유일한 것? 설마 내가? 나는 침을 꿀꺽 삼켰다. 어쩌면, 나는 내가 생각하는 것보다 모크샤에게 있어 소중한 사람일지도 모른다. 아니, 어쩌면 모크샤가 나를……. 그렇게 생각하는 것만으로도 심장이 미친 듯이 두근거렸다.

“건방진……! 카마를 미천한 네 욕심에 끼워 넣으려 하다니. 그리 불손하니 주신께 저주받은 것도 당연하군. 카마께서 왜 너 같은 놈을 곁에 두는지…….”

둘 사이의 갈등이 격해졌다. 순간 하늘에 먹구름이 몰려오며 우르릉, 우는 소리를 냈다. 신군의 권능이다. 으르렁거리는 구름이 당장에라도 벼락을 뱉어낼 것 같았던 나는 인제 그만 저 둘의 갈등을 제지해야만 한다는 생각이 들었다.

자리에서 벌떡 일어선 나는 일부러 발소리를 내며 계단을 내려갔다. 그러기가 무섭게 둘의 대화 소리가 딱 멈췄다. 내가 1층에 내려서 그들을 발견했을 때는, 그 둘은 이야기한 적 없다는 듯 어설프게 시선을 비끼고 있었다. 나는 천연덕스레 물었다.

“뭐 하고 있어?”

“……카마시여.”

“……이렇게 혼자 돌아다니면 위험해.”

누가 먼저랄 것도 없이 가우란과 모크샤는 황급히 말을 이었다. 그전 대화의 존재를 지우고 싶어 하는 게 티가 났다. 나도 몰래 엿들었다 밝히고 싶은 생각은 없었던 만큼, 아무것도 모르는 척 뒷목을 긁으며 말했다.

“배고파졌는걸. 뭐 먹을 거 없어?”

“요리를 올리라고 하겠습니다.”

가우란이 빠른 걸음으로 여관 로비로 향했다. 숙소로 식사를 올려 보낸다는 말에, 나는 다시 방이 있는 2층으로 몸을 틀었다. 모크샤는 조용히 내 뒤를 따랐다. 그의 적색 눈동자는 내가 과연 어디까지 들었을지 파악하는 듯 집요하게 내 등에 들러붙었다.

하지만 마땅한 대답을 찾지는 못했는지, 결국 모크샤는 나에게 직접 물어보았다.

"……들었어?"

"뭘? 그러고 보니 너네, 웬일로 같이 있더라. 평소엔 질색하고 떨어져 있더니. 무슨 이야기라도 나눴어?"

"……아니."

나는 입에 침도 안 바르고 거짓말을 했다. 심장은 토할 정도로 뛰었고, 입꼬리에 힘을 조금만 빼도 파르르 떨릴 것만 같았다. 나는 얼굴을 딱딱하게 굳히기 위해 힘을 주었다.

모크샤는 순순히 고개를 내저으며 물러섰다. 일순 안도의 기색마저 스치는 것이, 내 연기가 그다지 이상해 보이지는 않은 모양이었다.

지금의 나에게는 자마드고 가우란이고 아무 생각도 없었다. 어쩌면 정말, 모크샤가 나를 좋아할 수도 있겠다는 희망에 기쁨이 벅차올라 머리가 어질어질했으니까.

치미는 열기에 몸이고 머리고 뜨겁게 달아올랐다. 그것이 사막의 열기인지, 사랑의 열병인지 도통 나는 구분할 수가 없었다. 어쩌면 둘 다일지도. 나는 풀어진 입꼬리로 중얼거렸다.

그 뒤로 가우란과 모크샤는 예전보다도 더 말을 섞는 것을 피했다. 둘이 대화해보았자 감정만 격해질 뿐이라고 생각했던 걸지도 몰랐다. 그들의 최선은 자신들의 불화를 나에게 노골적으로 드러내지 않는 것 정도였다.

나는 나대로 심란했다. 처음에는 모크샤가 나를 좋아할지도 모른다는 사실에 마냥 기뻤지만, 시간이 조금 지나고 나니 이제 진짜 모크샤를 어떻게 봐야 할지 알 수가 없었다. 예전에는 모크샤를 좋아하는 내 행동에만 주의를 기울이면 되었지만, 이제는 내가 어떻게 해야 모크샤가 더 좋아할지, 모크샤는 나를 어떻게 보고 있는지 하나하나가 신경 쓰여서 멀쩡히 행동할 수가 없었다.

같이 잠자리에 드는 것도 숨이 막혔다. 괜히 부끄러움 탄답시고 모크샤를 밀어내었다가 예전처럼 모크샤가 휑하니 돌아서 떠날까 두려워 쉬이 그럴 수도 없었다.

나는 꽉 눈을 지르감고 잠을 청했다. 모크샤는 아무렇지도 않은 척, 내 위에 팔을 떡하니 얹었다. 묵직하게 몸을 짓누르는 팔이 이내 나를 끌어당겼다.

퀙. 모크샤와 너무 붙었다. 심장 소리가 들릴 정도로 가까워진 거리에, 나는 뜬눈으로 밤을 지새웠다. 반면 모크샤는 쿨쿨 잘도 잠을 잤다. 그제야 나는 모크샤가 나를 좋아한다는 사실에 조금 의구심이 들었다. 보통, 좋아하는 사람하고 같이 자는데 이렇게나 꿀잠을 잘 수 있나?

나는 낙타를 타고 가면서도 은근슬쩍 모크샤를 흘끔흘끔 훔쳐보았다. 모크샤가 나를 좋아하는 건지 아닌지 의구심이 계속 들었기 때문이었다. 그러다가 주룩, 낙타의 봉우리에서 미끄러져 떨어질 뻔하기도 했다. 모크샤가 깜짝 놀라 낙타를 몰아 다가왔다. 다행히도 낙마하지는 않았다. 훔쳐보다가 넘어질 뻔하다니, 이게 웬 몸개그람. 나는 어색하게 웃으며 모크샤의 부축을 받아 낙타의 위로 다시 안착할 수 있었다.

"조심해야지!"

"미안, 미안."

모크샤는 내가 자리에 앉은 걸 확인하고 그대로 주먹으로 내 머리를 콩, 때렸다. 순간 가우란의 눈이 세모꼴로 홱 바뀌었다.

"저, 건방진……."

가우란이 이를 악물고 읊조리는 소리가 선명히 들렸다.

아마 내가 없었다면, 당장에라도 칼부림이 날 것 같은 기세였다. 그는 분노한 기색을 전혀 숨길 생각이 없었다. 눈빛만으로 모크샤를 죽여도 다섯 번은 죽였겠네. 어쩌면 내가 없는 틈을 타 시도할 수도 있겠다. 나는 모크샤에게 찰싹 붙어 있어야겠다 다짐했다.

살벌한 가우란의 살기에도 모크샤는 아랑곳하지 않았다. 도리어 목소리를 높였다. 그는 한심한 눈으로 나를 내려다보며 고개를 절레절레 저었다.

"위험하게. 조심성을 어디다 두고 왔나 몰라."

모크샤는 잔뜩 면박을 준 뒤 투덜거리며 낙타를 몰아 나에게서 떨어졌다. 아무리 생각해도 날 좋아하는 태도는 아니었다. 한심하기 그지없게 바라보는 시선도 그렇고. 굳이 따지자면 민폐쟁이 여동생을 보는 오빠의 시선에 가까웠다. 나는 고개를 움츠러트렸다.

애초에 모크샤의 태도는 이랬었다. 처음부터 쭉.

최근 바르나로 떠나는 길에는 이상하게 챙기고 들면서 스킨십을 적극적으로 시도하긴 했지만, 그걸 이성적인 호감과 결부시켜 생각하자니 확대해석 같아 떨떠름했다. 떡 줄 사람 생각도 않는데 열심히 입 벌리고 기다리고 있는 꼴이라고나 할까…….

「빼앗길 것도 없는 불쌍한 저주받은 자한테 유일한 것」이 나를 말하는 건 분명했지만, 생각해보면 그게 나를 좋아한다는 말과 일맥상통하는 것은 아니었다. 모크샤의 유일한 인간관계, 아니면 친구……. 뭐 그런 걸 수도 있고.

아무래도 내가 김칫국을 거하게 들이켠 모양이었다. 짝사랑을 하니 보답을 바라게 되기라도 한 듯, 모크샤의 말과 행동을 내가 좋은 쪽으로 끼워 맞췄다. 그도 나를 좋아할지도 모른다는, 그런 동화 속 이야기처럼 완벽한 해피엔딩으로.

생각해보니 참 웃겼다. 자마드고 가우란이고, 날 좋아한다며 대놓고 하는 고백의 말은 믿지도 못하더니, 모크샤는 좋아한다는 말의 「ㅈ」도 안 꺼냈는데 설레발을 친다. 만약 모크샤가 저주받은 자가 아니었다면, 내 권능이 통하는 상대였다면 이렇게 착각하지도 않았을 것이다. 그리 생각하니 나 자신에게 환멸이 들었다. 인간 불신증 같잖아. 실제로 「나를 좋아한다.」는 감정에 있어서는 거의 그렇기도 했다.

그나마 다행인 것은, 모크샤에게 있어 내가 특별하긴 하다는 것이었다. 어쩌면 이 세계에서 나 혼자만이 그를 사랑하기에, 그를 필요로 하기에 그런 걸 수도 있었다. 필요에 의한 특별. 그 정도로도 충분하지. 나는 스스로를 설득하듯 중얼거렸다. 특별하다는 사실만으로도 지금의 나는 만족할 수 있다. 애초에 사랑이란 성욕의 신인 나에게는 사치였으니까.

권능을 버리고 평범한 사람이 되면……. 사람들은 전부 카마가 아니게 된 날 버려도, 모크샤는 날 버리지 않을지도 모른다.

그런 기이한 착각이 들었다.

나는 그에게 특별하니까. 이 세계에서 그를 사랑하는 사람은 나밖에 없으니까. 하지만 모크샤가 저주받은 자가 아니게 된다면?

지금은 기이할 정도로 일그러진 주신의 사랑의 격차에 허덕이고 있었지만, 모크샤와 나, 둘 다 평범해지면 나도 언젠가 버림받을지도 몰라.

나를 필요로 했던 자마드를, 내가 기어코 참아내지 못하고 버린 것처럼. 그렇게 생각하기가 무섭게 나는 모크샤의 저주를 풀어주고 싶지가 않았다. 모크샤는 풀어달라 말한 적도 없거니와, 나 혼자 설레발쳤던 일이기는 했지만 하여튼.

전령의 입을 빌렸던 자마드의 말이 자마드의 목소리로 변해 내 귓가에 웅웅댔다.

—바르나에 가보았자 헛수고이십니다, 카마시여. 저는 당신이 상처받기를 바라지 않습니다. 당신을 진심으로 염려하고 사랑하는 것은 저밖에 없습니다. 저에게는 카마가 필요하니까요. 그러니 안전한 제 품으로 돌아오십시오. 거부할지라도, 그대는 결국 제 품으로 돌아오게 되어 있습니다.

—나는 네가 상처받기를 바라지 않아. 너를 진심으로 염려하고 사랑하는 것은 나밖에 없어. 나에게는 모크샤가 필요하니까. 그러니 내 품으로 돌아와. 거부할지라도, 너는 결국 내 품으로 돌아오게 되어 있어.

자마드가 내게 했던 말이, 내가 모크샤에게 은연중 품고 있던 생각 위로 겹쳐졌다. 이기적이기 짝이 없다. 나는 홀로 자조했다.

수도로 가는 여행길은 조용했다. 내가 입을 열지 않으면 침묵만이 모래 위에 내려앉았다. 사막이 죽 이어지다 보니 풍경도 단조롭기 짝이 없었다. 처음 바르나로 올 때야 카라반에 엎혀 오니 우리가 조용하더라도 주위에서 도란대는 소리만 들어도 심심할 일이 없었다.

지루할 정도로 조용하다 보니 헛생각만 많아졌다. 행복할 미래가 머리를 두둥실 잠식했다가도, 최악일지도 모르는 망상이 어지러이 나를 괴롭혔다. 나는 여정 내내 조울증처럼 천국과 지옥을 오갔다. 한동안 햇빛을 보지 못하고 밤중에만 움직이는 것도 단단히 한몫한 게 틀림없다.

그나마 다행인 것은 수도까지는 금방이라는 것이었다.

고문과 같은 침묵이 그리 오래 지속되지 않을 거라는 것으로 나는 스스로를 위로했다. 그때 저 멀찍이서 빛이 번쩍였다.

"저기, 저거. 무슨 빛이야?"

"조금만 더 가면 바르나의 수도, 티그리스가 나올 것입니다. 저 빛은 바르나의 술탄 궁입니다."

"술탄 궁? 빛이 저렇게 높은 위치에서 반짝이는데? 혹시 산 위에 있는 거야?"

"바르나의 술탄 궁, 미나레트는 나선형으로 올라가는 첨탑이죠. 미나레트는 독특하고, 그만큼 이명도 많습니다. 지식의 보고, 대도서관, 책의 무덤, 바르나의 빛, 사막의 등대……. 낮에 보시면 장관일 겁니다."

가우란의 설명에 나는 멍하니 고개를 끄덕였다. 다른 건 모르겠다만, 사막의 등대라는 말이 왜 붙었나는 알 것 같았다. 미나레트 꼭대기에서 비추는 빛은 마치 등대처럼 수도 티그리스까지 가는 길을 밝혀주었다.

"오늘 밤새 달리면 내일 해가 뜨기 전에는 티그리스에 도착할 수 있을 것입니다. 조금만 더 힘내십시오."

가우란의 응원에 나는 단단히 말고삐를 잡았다. 나라 해서 조울증에 가까운 지금 상태가 기꺼운 것은 아니었다. 수도 티그리스에 가서 바르나의 술탄을 만나고, 권능에 대해 좀 더 알아보게 된다면 내가 뭘 해야 할지도 대충 감이 잡힐 것이다.

지금의 내가 혼란스러운 것은 미래에 대해 아무런 확신이 없기 때문이니까.

그렇게 우리는 바르나의 수도, 티그리스에 도착했다. 가까이 가면 갈수록, 미나레트의 존재감은 어마어마했다. 나는 고개를 치켜들어 미나레트의 꼭대기를 보았다. 탄성이 절로 나왔다. 가우란은 멍하니 미나레트를 보는 나에게 다가오며 말했다.

"미나레트에는 조금이라도 주신에게 닿고자 한 바르나인들의 염원이 담겨 있지요. 주신에게 가까이 가면 갈수록, 그분의 목소리를 들을 수 있을 거라고 생각했으니까요."

"바르나에서도 주신과 이야기할 수 있어?"

나는 혹시나 하는 기대를 품고 물었다. 주신과 이야기를 할 수 있는 게 아그니뿐이라는 건 알았지만, 「장소」는 한 군데뿐만이 아닐 수도 있었다. 단지 소통할 수 있는 사람이 아그니 왕족뿐이기에, 아그니의 제대만이 주신과 소통할 수 있는 유일한 공간으로 남은 걸지도 몰랐다. 하지만 나는 카마였다. 만약 여기서도 주신과 이야기를 할 수 있다면, 일이 좀 더 수월하게 끝날지도 모른다.

"아니요. 그들에게 허락된 권능이 아니니까요. 쓸모없는 짓이었죠."

"……."

하지만 가우란의 답은 단호했다.

고꾸라진 기대에 어깨가 축 처졌다. 애초에 그런 말이나 하지를 말지. 괜히 설레게. 나는 가우란에 대한 불만을 속으로 잔뜩 투덜거렸다.

수도에 들어선 우리는 숙소를 먼저 잡았다. 일단 푹 쉬면서 여독을 풀고 난 뒤에 알현 신청을 하기로 했다. 그러고 보면 술탄 궁에 정식으로 알현 신청을 하는 건 처음이었다. 아그니고 인드라고, 나도 모르는 새 휘리릭 끌려갔으니까.

술탄 궁으로의 접선은 가우란이 맡았다. 그동안 나는 모크샤와 마을을 둘러보았다. 사람과 부딪칠까 복잡한 곳에 가지는 못했지만, 멀찍이서 보는 것만으로도 기분 전환이 꽤 되었다.

광장 한구석에서는 낙타 씨름이 한참이었다. 사내들이 지폐를 쥔 주먹을 하늘을 향해 치켜들었고, 상인들은 뒤에서 낙타 소시지와 낙타 고기를 팔고 있었다. 낙타 씨름이라니 궁금했지만, 인파를 뚫고 갈 자신은 없었다.

그때, 모크샤가 나를 데리고 식당으로 갔다. 우리는 웃돈을 얹어주고 식당의 2층 테라스에 앉을 수 있었는데, 거기서는 광장의 풍경이 훤히 내려다보였다.

화려한 직물로 봉우리가 치장된 낙타와 낙타가 서로 목을 휘감고 상대를 눕히기 위해 고군분투했다. 생각만큼 격렬하지는 않았다. 닭싸움이나 개싸움처럼 싸움이 아니라 「씨름」인 이유가 있었다. 곧 낙타 한 마리가 졌는지 털썩 바닥에 몸을 눕혔다. 이긴 낙타는 순순히 진 낙타를 놓아주었다. 조금만 심통이 나도 침을 뱉어대는 고약한 성질로 유명한 낙타답지 않은, 신사다운 처사였다. 나는 혀를 내둘렀다.

"「그」 낙타치고 되게 온건한데."

"낙타들은 한번 서열이 정해지면 순순히 물러나. 그래서 싸움이라기보다는 씨름에 가깝지."

모크샤는 차를 호로록 마시며 말했다.

"같은 무리의 낙타들끼리는 서열이 있어서, 같은 무리끼리는 싸움을 붙일 수 없어. 도리어 화가 난 낙타 주인들이나 도박꾼들끼리 치고받기도 하지. 저렇게."

모크샤가 어딘가를 가리켰다. 때마침 군중의 한가운데가 소란스럽게 웅성웅성하더니, 이내 욕설과 주먹질이 오갔다. 낙타들은 자리에서 멀뚱히 서서 눈만 껌뻑껌뻑 뜨며 사람들이 치고받고 하는 걸 구경하고 있었다.

사람과 낙타가 완전히 뒤바뀐 우스꽝스러운 상황이었다. 그 꼴이 퍽 우스웠던 나는 깔깔 웃었다.

"하하하."

곧 소란이 진정되고, 다른 낙타들이 나왔다. 저벅저벅 발을 옮기는 낙타는 아까보다 배는 커 보였다. 사람들의 환호성이 더 커져만 갔다. 낙타의 덩치는 커졌지만, 역시나 크게 다른 점은 없었다. 여전히 온건하고 신사적인 씨름이 계속되었다. 처음에야 신기함에 홀린 듯 바라보았지만, 몇 번 보고나니 단조롭고 느릿느릿한 것이 썩 재밌지는 않았다. 나는 환호하는 사람들을 둘러보며 혼잣말하듯 중얼거렸다.

"이게 되게 재밌나?"

"사막을 횡단하면서 다른 유희거리가 없으니까. 바르나에는 정말 유흥거리가 적은 편이지. 이제 슬슬 자리에서 일어설까."

"좋아."

지루해졌던 나는 냉큼 자리에서 일어섰다. 그러기가 무섭게 모크샤가 나를 끌어당겼다. 마치 혼자 다니다가 넘어지는 어린아이라도 다루는 듯한 태도였다. 모크샤는 내가 사람에게 부딪힐까 주의하며 나를 꼭 끌어안았다. 그로서는 그저 내 권능의 영향을 걱정할 뿐이었지만, 나는 마냥 설렜다.

길을 지나가는 주변으로 주렁주렁 낙타 고기들이 전시되어 있었다.

낙타의 머리가 걸려 있기도 하고, 낙타의 혹의 단면도를 걸어놓은 집도 있었다.

혹에는 하얀 지방질이 가득 들어차 있었다. 나는 커다란 낙타의 혹의 단면을 신기한 듯 바라보며 물었다.

"낙타 고기는 무슨 맛이야?"

"낙타 고기가 비싸서 많이 먹어보진 못했는데, 지방질이 많아서 농후한 맛이었던 거 같아."

"낙타 고기가 비싸?"

"아무래도 식용 전용이 아니니까. 수송용으로 쓰다가 늙어서 쓸모없어진 낙타를 고기로 만들기엔, 아무래도 맛이 없거든. 차라리 낙타 가죽 같은 건 괜찮아. 늙은 낙타에게서 나온 것도 그렇기 질이 차이 나지는 않으니까. 물론 그것도 상등품은 비싸지."

모크샤의 말을 들으며 나는 고개를 끄덕였다. 전생의 우리나라로 따지면 소고기 같은 건가. 한 번쯤은 먹어보고 싶네. 나는 속으로 낙타 고기의 맛을 상상하며 모크샤의 손을 잡고 숙소로 돌아왔다.

우리가 숙소로 돌아오고 얼마 지나지 않아 술탄 궁에 접선을 시도한 가우란이 돌아왔다.

"다녀왔습니다."

"이야기는 어떻게 되었어?"

가우란의 얼굴만 봐서는 일이 어떻게 되었는지 알 도리가 없는 만큼, 나는 바로 일의 경과에 관해 물었다. 가우란은 덤덤한 표정으로, 당연하다는 듯 답했다.

"그쪽에서는 당장에라도 카마를 모시기를 바랍니다."

"이야, 다행이네."

"주신의 종으로서 당연히 행해야 하는 일입니다."

그러지 않는 자는 불신자로 간주하는 듯한 가우란의 살벌한 말에 나는 어색하게 웃었다. 아무리 나를 위해서 하는 말이라고는 해도, 나는 가우란의 이런 극단적인 태도를 좋아하게 되지는 않을 것 같았다. 적어도 내가 주신에게 불평불만을 한 보따리 가득 가진 만큼은. 나는 턱을 긁적이며 말을 돌렸다.

"그러면 언제쯤 술탄 궁에 찾아보면 좋을까?"

"지금 당장 가지요."

"지금 당장?"

가우란은 고개를 끄덕였다. 상대가 카마인 만큼 바르나 술탄 쪽에서도 빠른 접선을 요할 거라고는 생각했지만 그래도 너무 빨랐다. 내가 생각한 것은 내일 아침 정도였단 말이야. 예상보다 빨리 다가온 상황에 나는 정신이 없었다.

술탄 궁에 가면 재미없고 무거운 이야기만 진탕 할 게 분명했다. 물론 그 「재미없고 무거운」 이야기를 하기 위해 굳이 바르나까지 온 것이었지만 아직 마음의 준비가 되지 않았다.

궁금했던 사실을 열두 시간 빨리 알게 된다 해서 크게 바뀔 것도 없잖아. 사람이라는 게 참으로 간사하여, 인드라에서는 카마로서의 권능을 버리기 위해서는 어떻게 해야 하는지 무척이나 조급하게 굴었지만, 막상 코앞에 진리와 진실의 책이 들이밀어 지니 차마 책표지를 열 엄두를 내지 못했다.

겁쟁이라는 것도 알았다. 하지만 마음이 동하지 않는 걸 어찌하겠는가. 미룰 수 있는 만큼은 미루고 싶었던 나는 조심스레 운을 떼었다.

"……오늘은 쉬고, 내일 찾아가는 건 어때?"

"하지만 카마시여, 미나레트에 들어가 계시는 것이 안전할 것입니다. 지난번 아그니 술탄의 밀정이 카마의 근처를 돌아다니고 있던 걸 까맣게 몰랐던 걸 생각하면……. 카마께서 잠자리에 저를 들여보내 주시지는 않을 터이니, 차라리 일찍 미나레트에 입성하시지요."

말 속에 뼈가 있었다. 원하는 주제로 말을 하면서 나를 원망하고 모크샤를 깔아뭉개는군. 가우란이 이렇게 말을 잘할 줄 몰랐는데. 나는 화가 난다기보다 어처구니가 없어 헛웃음만 지었다. 하지만 그걸 나만 느꼈을 리 없다. 가우란의 말이 끝나기가 무섭게 모크샤가 발끈하며 나섰다. 가우란을 노려보는 붉은 눈동자에 노기가 서렸다.

"카마를 지키는 건 저 혼자만으로도 충분합니다."

"겁이 많은 개가 큰소리를 치는 법이지."

"신군 나리께서는 다른 방에 있다 하더라도 충분히 카마를 지킬 수 있을 것 아닙니까? 그렇게 대단한 신군이라면서요. 본인의 능력 부족을 다른 사람의 탓으로 돌리다니……."

"그만, 그만."

나는 모크샤의 말을 가로막으며 끼어들었다. 둘의 대화가 일촉즉발로 치달아 가는 게 눈에 보였다. 어지간하면 생신과 멸신처럼 한 귀로 듣고 한 귀로 흘려 넘기는 모크샤였지만, 가우란에 한해서는 시간이 지나면 지날수록 더더욱 예민하게 굴었다. 가우란 또한 마찬가지였다. 견원지간이 따로 없네. 나는 혀를 찼다.

어떻게 하면 술탄 궁에는 내일 가자는 대화에서 가우란과 모크샤의 싸움이란 결론이 도출되는지 도통 알 수가 없었다. 좀 편해지려 했다가 분란의 씨를 틔운 꼴이었다.

애초에 바르나까지 둘이 동행하게 된 건 내 문제 때문이었다. 그래놓고선 마음의 준비니 뭐니 하는 소리로 일정을 미루려고 한 내 잘못이었다.

그래. 내 업보다. 내가 문제네. 자업자득이지 뭐. 나는 한숨을 눌러 참았다.

"좋아. 굳이 미룰 것도 없지. 술탄 궁에서 쉬면 되는걸."

순간 희비가 엇갈렸다.

내가 가우란의 편을 들어줬다고 생각한 모양이었다. 나는 은근히 기쁜 기색을 풍기는 가우란의 눈을 빤히 바라보며 입꼬리를 잡아 올려 환히 웃었다.

"하지만 술탄 궁에서도 썩 마음을 놓을 수는 없을걸. 난 사실 술탄들도 썩 믿지는 않는단 말이야. 일반 여관에서도 지키기 어렵다고 했던 가우란이 술탄 궁에서는 나를 어떻게 지킬지는 좀 궁금하네."

놀리듯 빙글거리는 내 말에 가우란의 얼굴이 거멓게 질렸다. 이번에는 둘의 표정이 정반대가 되었다. 모크샤는 단지 가우란의 말에 비위가 상했을 뿐이니 술탄 궁에 가겠다는 내 결정 자체에는 불만이 없는 모양이었다. 그는 애써 엄숙한 척 무게를 잡으려고 했지만, 입꼬리 한쪽이 들썩이며 올라갔다.

가우란은 몇 번이나 아니라며, 자신이 밤새 보초를 설 테니 카마께서는 걱정하지 마시라 거듭 말했다. 나는 못되게 낄낄 웃었다. 신데렐라의 계모가 된 기분이었다. 하지만 그렇다 해서 가우란이 불쌍하지는 않았다. 가우란 또한 자업자득이니까. 나는 어깨를 으쓱였다.

외전 2
가우란의 절망

카마를 처음 뵙게 된 그 영광스러운 순간을 되짚어 생각하면, 아직도 허공을 부유하는 듯 몸에서 힘이 빠지며 눈앞이 어지러이 흔들렸다. 신군으로 발탁되어 주신의 축복을 받은 것도 감개무량한 일일진대, 그 신군 중에서도 카마를 마주할 수 있는 명예로운 자리에 발탁될 줄이야.

옛적, 카마께서 생겨나셨을 때는 신군 모두가 그녀를 호위하며, 그녀로서 내려지는 주신의 따듯한 자애를 만끽할 수 있는 꿈과 같은 시기였다는 기록이 있다. 하지만 카마께서는 윤회의 인과율로 섞여 들어갔고, 그 이후 수많은 시간이 흘렀다. 여전히 각지에서는 주신의 은총을 받은 신군들이 나타났지만, 카마의 존재는 온데간데없었다.

신군은 카마가 계시지 않던 원래의 삶으로 돌아왔다. 1년에 한 번 있을 주신의 명을 기다리며, 인드라에 있는 신군들의 처소에서 무술을 닦고 주신을 기원하는 삶은 분명 기쁨으로 충만한 일이지만, 어딘지 모를 아쉬움이 있었다. 신군 모두가 내심 마음속으로 과거처럼 직접 신을 모실 수 있는 기회가 내려오기를 바랐다.

그러던 와중 그들로서는 경천동지할 일이 벌어졌다. 바로 이번 아그니 술탄이 제위에 오르고 나서, 1년에 한 번 있는 주신의 명조차 제대로 받지 못한다는 것이었다.

신군들은 불안하고 초조해졌다. 주신의 충실한 종복으로서, 주신께서 원하시는 바가 무엇인지 갈피를 잡기 위해 노력했다. 주신의 목소리가 들리지 않는 상태에서, 그들은 도대체 무엇을 해야 하는 것인가?

그 와중에도 나는 평정을 잃지 않고 경거망동하지 않으려 애썼다. 주신의 목소리가 들리는 날이 오면, 그 즉시 모든 번뇌를 버리고 주신의 명에 따르기 위해 누구보다도 진중하며 누구보다도 신실한 종이 되기 위해 노력했다.

그러던 어느 날, 아그니에 카마께서 강림하셨다는 이야기가 소문에 실려 왔다. 처음 그 이야기를 들었을 때, 우리 신군들은 천지가 개벽하는 충격을 받았다. 하지만 이내 뜬소문일 거라 생각하며 고개를 내저었다.

그도 그럴 것이 카마께서 강림하셨다면 응당 각 나라로 사절을 보내어 이 사실을 널리 알려야 하는 것 아니던가. 그런데 아그니에서는 감감무소식이요, 카마에 관한 이야기는 고작 바람결에 실려 왔을 뿐이었다.

그렇다 하여도 카마에 관한 일인 만큼 쉽게 흘려 넘길 수는 없었다. 인드라의 술탄은 소문을 듣기가 무섭게 급히 사신을 아그니로 보냈다. 술탄의 마음이 급한 만큼, 신군인 우리도 마찬가지였다. 나는 사신의 호위로서 아그니로 향했다.

카마께서 강림하신 사실에 대해 묻자, 아그니의 술탄은 능청스러운 웃음을 지으며 말끝을 흐릴 뿐이었다. 하지만 카마에 관한 중대사를 언제까지 숨길 수는 없는 법. 우리를 비롯한 바르나의 사신들까지 집요하게 캐물으니 그는 순순히 카마의 강림을 밝혔다.

차오르는 기쁨에 나는 당장 카마를 만나 뵙게 해달라 요청했다. 하지만 그는 카마께서 전생의 기억은 물론이거니와 이 세계에 대한 지식이 전무하시니, 카마를 뵙게 할 수는 없다 단언했다. 헛된 수작질. 나는 그를 노려보았지만, 그는 신군의 분노에도 아랑곳하지 않은 채 천연덕스레 웃었다.

“카마께서는 사람을 피하시며 얼굴이 낯에 익은 이만을 반기시네. 그런 상황에서, 굳이 카마를 만나서 혼란스럽게 할 생각이더냐? 그것이 신군의 신심인가?”

“카마를 혼란스럽게 할 생각은 없습니다. 하지만 신의 군대로서, 저희는 카마의 안전을 확인할 필요가 있습니다.”

“주신께서 그대들에게 카마를 맡기실 생각이었다면, 애초에 카마를 인드라로 내려 보내셨겠지. 나 또한 주신의 신도요, 종복으로서 카마를 생각하는 마음은 그대들에게 지지 않네. 그러하니 때가 되면 그대들과 카마의 만남을 주선합세. 물론, 카마께서 그러실 생각이 있으실 때의 일이지만.”

아그니 술탄의 입꼬리가 빙긋이 올라갔다. 마음만 같아서는 무력으로 아그니를 진압하고 카마를 모셔오고 싶었지만, 신군은 주신에게 반하는 무력을 쓸 수 없다. 무엇이 주신의 뜻인지, 혹은 카마의 뜻인지 확실치 않은 상황에서는 쉽사리 움직일 수가 없었다. 혹여 카마께서 진정으로 사람과의 접촉을 피하는 것이라면…….

아그니 술탄의 말을 모두 믿는 것은 아니었지만, 그때로서는 반박할 말이 없었다. 신군은 어디까지나 군인이었고, 신을 모시는 제를 실질적으로 담당하는 것은 술탄들인 만큼 우리가 신군이라 할지라도 어느 정도는 그들의 명에 따를 수밖에 없었다. 결국, 우리는 어쩔 수 없이 카마께서 강림하신 것이 사실이라는 것만 알게 된 채 돌아갈 수밖에 없었다.

인드라로 돌아간 하루하루가 길었다. 카마께서 강림하셨는데, 그녀를 보필할 수 없다니. 하루에도 몇 번이고 생신과 멸신의 귀속을 왔다 갔다 하였다.

그러던 와중 카마께서 아그니의 주신제에 참여하신다는 소식이 들렸다. 보통 주신제는 아그니 술탄의 주도하에 이뤄지는 제였고, 인드라와 바르나에서는 제사에 필요한 물품을 정성껏 준비하여 보낼 뿐이었다. 각 술탄이 처음으로 술탄 위에 오르게 되었을 때, 주신께 얼굴을 보이는 의미로 참여하는 걸 제외하고는 굳이 술탄이 직접 참여하는 일은 드물었다.

하지만 카마께서 참석하신다니, 없는 이유를 대서라도 가야 할 판이었다. 인드라는 물론이거니와 바르나의 술탄 또한 아그니의 주신제에 필히 참석하겠다는 의지를 불태웠다. 인드라의 술탄은 신군 몇을 데리고 아그니로 향했는데, 경사스럽게도 그에 내가 포함되었다.

신군이라 하나 아그니의 주신제는 철저하게 아그니 술탄 위주로 진행되었다. 그나마 멀지 않은 곳에서 카마의 모습을 뵐 수 있는 것에 감지덕지해야 하는 걸까. 나는 두근거리는 마음으로 카마께서 앉아 계시는 제단 앞을 흘끔댔다.

경건한 음악이 이어지는 와중 쿵, 쿵, 쿵, 흰 소가죽을 덧댄 북소리가 제실을 울렸다. 화르르 높은 천장까지 타오른 제단의 불이 제실을 환히 밝혔다. 저 앞에 앉아 계시는 카마의 모습이 보였다. 하지만 카마께서는 불을 마주하고 있기에 내가 확인할 수 있는 것은 그녀의 가는 등뿐이었다.

바르나의 술탄이 경문을 읊고, 인드라의 술탄이 신주를 바쳤다.

이제 카마의 차례였다. 그녀가 느릿하게 몸을 일으켰다. 금자수를 놓은 하얀 비단옷은 은은히 빛이 났으며, 그녀가 움직일 때마다 장신구가 부딪혀 차르륵 소리를 냈다.

카마는 제단 앞에 선 자마드를 향해 걸어갔다. 그 순간 언뜻, 카마의 얼굴이 스쳐 지나가듯 보였다. 기록에 남아 있는 것과 생판 다른 생김새였지만, 그녀를 본 순간 본능적으로 알 수 있었다. 내 몸 속에 있는 주신의 가호가 그녀가 카마라 외치고 있었다.

카마께서는 바로 아그니 술탄의 손에 이끌려 불꽃 안으로 들어갔다. 그녀를 마주한 그 잠깐의 시간. 그 순간의 두근거림이 심장을 계속해서 잡아 흔들었다. 정말, 정말로 카마께서 강림하신 것이다. 감격에 젖은 몸이 환희로 떨렸다. 언제쯤 나는 그녀와 이야기를 나눌 수 있을까. 설레는 두근거림에 무릎 위에 놓인 손이 떨릴 정도였다.

하지만 역시나. 아그니의 술탄은 이번 주신제에서도 카마를 만나 뵐 기회를 주지 않았다. 그는 카마께서 주신을 뵙고 오느라 피곤하니, 인드라와 바르나의 술탄을 만나는 정도가 최선일 거라 덧붙였다. 나를 비롯한 신군들은 그녀를 만나 뵙고 싶은 간절한 마음을 억누른 채 인드라의 술탄이 카마를 만나 뵙고 오는 그 순간만을 간절히 기다렸다.

오래지 않아 인드라의 술탄, 칼리프가 성난 걸음으로 숙소로 돌아왔다.

그는 답답한지 자리에 앉자마자 물담배를 대령하게 하였다. 심상찮은 기색에 나는 조심스레 물었다.

"카마께서는 잘, 지내고 계십니까?"

"잘 지내시는 것 같기는 한데……. 생각보다 우리에 대한 거부감이 엄청나더군. 아그니 술탄이 이상하게 말을 해둔 것 같네."

"……."

"지금에야 카마께서 혼란스럽다는 이유를 대지만, 언제까지 카마와 신군과의 만남을 피하게 할 수는 없지. 명분이 없으니까. 일단은 두고 봅세."

칼리프의 답에서, 나는 이번 주신제 기간 동안에도 절대 그녀를 마주할 수 없겠구나 하는 예감을 느꼈다. 그건 거의 확신에 가까운, 그런 예감이었다.

인드라로 돌아오고 나서도 카마의 모습이 항시 마음속 한구석에 남아 있었다. 눈을 깜빡이면 주신제 때의 그녀의 모습이 그대로 눈앞에 펼쳐질 것만 같았다. 마치 꿈을 꾸듯 몽롱한 기분. 현실과 꿈이 구분되지 않는 기간이 오래 지속되었다. 그리고 그것은 나뿐만이 아니요, 모든 신군들이 그녀만을 꿈꾸었다.

그렇게 그려왔던 카마시다.

아그니 술탄에게서 벗어났다는 소식을 듣기가 무섭게 그녀를 찾아야 한다 신군 모두가 입을 모았다. 하지만 그녀의 행적을 찾는 것은 쉽지 않았다.

그녀에 대해 알려진 것이 드물다고는 하나, 이렇게까지 실마리조차 잡히지 않는 것은 협력자가 있기 때문이리라.

그러나 그렇게 철두철미하였던 것도 잠시. 인드라의 수도, 파베리티에서 그녀의 행적이 잡혔다. 그녀가 파베리티의 골목길에서 발견되었다는 보고를 받기가 무섭게, 나를 비롯한 선택받은 신군 셋은 그녀가 있는 곳으로 번개와 함께 내리쳤다. 그녀의 앞에 모습을 드러내는 영광된 순간. 지금껏 기대했던 만큼, 떨리는 마음을 쉬이 억누를 수 없었다.

아그니 술탄이 꽁꽁 숨겨왔던 만큼, 그녀가 어쩌다가 이렇게 아그니에서 탈출하게 되신 건지가 궁금했다. 아그니 술탄은 우리에게 발각되기 전에 카마를 도로 아그니로 데려갈 생각이었기에 그녀가 술탄 궁을 나선 사실을 숨겼던 걸 테지만, 신군인 내가 발견한 이상 그리 호락호락하지는 않을 것이다.

좌우지간 그런 자의 손에서 벗어나셔서 다행이었다. 그래. 그 사내는 위험하다. 감히 카마를 소유하려 하다니. 분수에 맞지 않는 욕망을 품은 자는 곧 악독함에 물들게 된다. 카마께서는 그자의 본성에 대해 어디까지 알고 계실까. 하지만 확실한 것은, 그자가 카마께 신군에 대해 썩 긍정적인 이야기를 전해주지 않은 모양이었다.

우리를 발견한 그녀의 눈에 피어오른 것은 또렷한 적대감. 혹시 신군에 대해 안 좋은 이야기를 들었던 것일까.

지금까지의 아그니 술탄의 행적을 생각하면 능히 있을 수 있는 일이었다.

나는 이를 꽉 깨물며 그녀의 안전을 살폈다. 귀하신 분이 이렇게, 인드라의 골목 한구석에서 사내들에게 쫓기고 있다니. 분통이 터져 참을 수가 없었다. 숨을 몰아쉬는 가는 가슴팍이 크게 오르내렸고, 뺨에 송골 맺힌 땀이 턱 끝에 매달렸다. 연꽃잎만을 밟으셔야 하는 그녀의 바짓단은 흙탕물과 오물로 지저분했다. 하물며 신주가 가득 찬 술잔만을 쥐어야 할 그녀의 가는 손에 들린 것이 예기를 뿌리는 검이어서야.

도대체 신군의 존재의의가 무엇이란 말인가. 칼날을 타고 흐르는 핏줄기에 내 심장이 쿵 떨어졌다. 그녀가 어찌하여 이런 고생을 하게 된 것일까. 그녀는 오로지 명을 내리기만 하면 되는 귀하신 분인데. 그녀가 필요로 하는 모든 일은, 그녀의 검인 우리, 신군이 대신 해드리면 될 뿐이다.

그래. 이제부터라도.

칼리프의 말대로였다. 신군이 카마를 모시는 것은 하늘이, 그리고 주신이 내려주신 사명이다. 신의 군대에게서 신의 현신을 떼어놓다니, 말도 안 되는 일이었다. 언젠가는 필히 만날 수밖에 없는 운명. 그리고 결국 우리는 만났다.

지금은 우리에 대해 잘 모르시기에 이리 겁내시는 것이겠지만, 그녀도 우리의 진정성 있는 믿음을 알게 된다면 마음을 여실 것이다. 나는 그리 굳게 믿었다.

그때, 카마의 곁에 있던 사내가 자신의 뒤로 카마를 숨기듯 옮겼다. 마치 우리 시선에서 떨어트리려 하는 듯이. 지금껏 카마와 마주한 기쁨에 젖어 있느라 그 존재조차 몰랐던 자의 불편한 행동에 심기가 꿈틀했다. 사내를 파악하기 위해 내 눈이 기민하게 움직였고, 나는 그자에게서 눈에 띄는 불길한 증표를 발견할 수 있었다. 그것은 바로 선명한 붉은 눈동자. 그는 저주받은 자였다.

카마께서, 저주받은 자와 함께 계신다고? 머리가 어지러웠다. 그만큼 저주받은 자의 존재는 호락호락 넘길 수 있는 것이 아니었다. 저주받은 자는 죄를 짓고 주신의 증오를 받은 자. 신군이 저주받은 자를 굳이 찾아내어 박멸하지 않는 것은, 저주받은 자에게 죽음이란 삶의 고통에서 벗어날 수 있는 편한 길이기 때문이었다. 그렇지만 않았다면 저주받은 자는 이 땅에 그 존재조차 들이밀 수 없었으리라.

그도 그럴 것이, 저주받은 자의 죄는 쉽게 용서되는 것이 아니었다. 생각만 해도 끔찍할 정도로. 그가 바로 우리에게서 신을 모시는 기쁨을 빼앗아간 존재의 환생 아니던가. 그랬던 그가 카마와 함께 있다는 현실을 믿을 수가 없었다.

왜 하필 저주받은 자인가? 카마께서 옛 기억을 잃으신 것이 정말이란 말인가?

카마께서 모두 아시면서도 일부러 그를 곁에 두시는 걸까, 아니면 모르시기에 아무 생각 없이 그와 함께 다니시는 걸까. 만약 카마께서 아무것도 모르신다면, 나는 그에 대해 카마께 알려드려야 하는 걸까.

좌우지간, 왜 그런 자와 함께 다니시는지는 몰라도 이제는 상관없는 일이다. 우리가 지켜드리면 되니까.

그리 다짐하며 나를 필두로 한 신군들은 카마를 향해 걸어갔다. 그녀의 앞에 무릎을 꿇기까지, 숨소리조차 들리지 않을 것 같은 고요한 적막이 공터를 메웠다. 신군 중에서도 선택받은 세 사람. 그리고 그들 중 제일은 바로 나, 가우란이었다.

신군의 신력은 주신께서 내려주신 은혜에 전적으로 좌지우지된다. 그다음은 바로 주신을 기리는 노력. 그러나 신군이 된 이들 모두가 주신을 찬양하니, 그중에서도 두드러질 정도로 주신을 기리는 것은 쉬운 일이 아니었다.

나는 신력이 적은 편은 아니었지만, 그렇다 하여 특출할 정도로 신력이 오롯한 것도 아니었다. 그렇기에 나는 남들보다 배로 노력하였다. 새벽에 뜨는 해를 보며 주신께 감사의 인사를 올리고, 창끝을 휘두를 때마다 주신의 은혜를 곱씹었다. 내가 이 자리에 오른 것은 수많은 노력과 고행이 뒷받침해준 덕이었다. 그 결과, 나는 감히 카마에게 말씀을 올릴 수 있는 영광을 누릴 수 있게 되었다.

"저희와 함께 가주십시오."

카마는 아무 말씀도 하지 않으신 채, 딱딱하게 굳은 얼굴로 우리를 물끄러미 내려다보았다. 그녀의 눈에서 느껴지는 거리감. 명백한 거부.

카마에게서 거부당하자, 나는 마치 어머니에게서 버림받은 어린애가 된 것 같은 기분을 느꼈다. 뻥 뚫린 가슴에 찬바람이 스미듯 시려왔다. 그녀께서 우릴 경계하는 것은 아그니의 술탄 때문인 걸까. 그리 생각하니 술탄에 대한 원망이 치솟았다.

"그자는 저희의 목표물입니다! 신군이라고는 하시나 이곳은 용병의 나라, 인드라. 용병의 권리가 술탄에 의해 보호받는다는 사실을 잊으신 건 아니겠지요?"

심기가 불편한 와중, 눈치 없이 용병 하나가 끼어들었다. 카마께 처음 말을 올리는 영광스러운 순간이 방해당한 것도 모자라, 감히 비천한 것이 카마를 목표물이라 칭하였다. 귀하신 분을 알아보지 못한 것 또한 죄. 아무리 술탄의 명이라 하나 카마를 향해 칼끝을 들이민 것은 사형을 받아 마땅한 죄다. 하물며 저들 때문에 카마께서 직접 칼을 빼어 들기까지 하셨으니, 주신의 충실한 종복으로서 가만히 있을 수는 없었다.

"우리는 그저 신군으로서의 명분을 다할 뿐. 너희의 권리는 알 바가 아니다."

"그 무슨!"

그리고 그리 느낀 것은 나뿐만이 아닌지, 용병이 버럭 소리 지르며 대들기 무섭게 신군들 모두가 일심동체처럼 그대로 용병들의 머리 위로 벼락을 내리꽂았다. 신벌이라고 알려져 있는 신군의 권능. 바로 빛의 화살이었다.

신군이 셋이나 있는 상황에서, 용병이 아무리 많이 있다 하여도 오합지졸일 뿐이었다. 용병들은 순식간의 멸신의 품으로 돌아갔다. 좋아. 이제 카마께서도 우리를 믿어주실 것이다.

하지만 우리의 기대와 달리, 카마께서는 연신 헛구역질을 하셨다. 보기조차 싫다는 듯 눈을 질끈 감았다가, 이내 눈을 부릅뜨며 우릴 노려보았다. 그녀는 저주받은 자를 자신의 뒤로 잡아끌었는데, 명백히 우리를 경계하며 그자를 보호하려는 모습이었다.

나는 어찌할 바를 모르는 채 고개를 조아렸다. 손을 뻗으면 닿을 것 같은 거리. 이만큼이나 가까워지기를 얼마나 간절히 바랐는데, 몸은 가까워졌을지언정 마음의 거리는 멀고도 멀었다. 이렇게 어지럽기 그지없는 속내를 그녀에게 드러낼 수는 없다. 나는 마음을 애써 숨긴 채, 최대한 담담히 입을 열었다.

"저는 신군 가우란이라고 합니다."

하지만 카마께서는 경계의 기색을 쉽게 추스르지 않았다. 그녀가 우리를 적대한다 하여도, 우리가 그녀를 대하는 태도는 변함없어야만 했다. 안타까움과 서운함. 하지만 그것은 사치일 뿐이다. 우리는 주어진 것에 감사해야만 했다.

카마를 뵐 수 있다는 사실, 그것만으로도 충분히 축복받은 일 아니겠는가……. 나는 그리 스스로를 다독이며, 카마에 대한 엄중한 예를 갖춰 인사를 건넸다.

“카마를 만나 뵙게 되어 영광입니다.”

“그러게, 상황은 진짜 마음에 안 드는데.”

그녀가 우리에게 건넨 첫마디는, 시릴 정도로 뼛속 깊이 차갑게 스며들었다. 그녀는 쉬이 적대감을 지워내지 못했다.

나는 인드라의 술탄이 그녀를 애타게 찾고 있다는 말을 전했다. 카마를 홀로 독점하려 들었던 아그니의 술탄에 비하면, 인드라의 술탄은 그래도 이야기가 통하는 이였다. 아무래도 신군인 그들과 상부상조하며 용병들을 다스리는 자이니만큼, 그는 권위를 내세우기보다 방임적인 태도를 취하곤 했다. 그와 신군의 목표로 하는 바가 맞는 한 같이 행동할 것이요, 그의 부탁을 어느 정도 들어줄 생각도 있었다.

바로 그 목표로 하는 바가 카마, 그녀를 안전하게 보호하는 것이라면 더더욱.

인드라의 술탄이 그녀를 찾는다는 말에 카마는 한숨을 내쉬었다. 이렇게 될 줄 알고 있었던 것처럼, 그녀의 승낙은 주저함이 없었다. 물론 그렇다 하여 초대를 기쁘게 여기는 기색은 아니셨다. 달갑지 않은 기색. 그녀는 순순히 우리의 뒤를 좇았지만, 그녀가 우리를 바라보는 시선은 항상 불신과 거부감으로 가득 차 있었다.

사람들의 시선을 피하기 위해 어쩔 수 없이 골목을 택하였지만, 편한 길은 아니었다. 카마께 이런 길을 걷게 하다니. 안타깝기 그지없다. 원래대로라면 그녀의 방문을 대대적으로 알리며 상서로운 흰 코끼리로 그녀를 환대하는 것이 옳았다. 하지만 지금 이 순간은 그녀의 행방을 숨기는 것이 더 중요했다.

"조심 좀 해라!"

그때, 뒤에서 한 사내의 목소리가 쩌렁 울렸다. 처음 듣는 목소리. 지금껏 입을 꾹 다물고 있던 저주받은 자의 목소리였다. 그가 도대체 누구에게 소리를 높인 것인가. 설마 감히 카마께? 나는 깜짝 놀라 황급히 뒤를 돌아보았다.

카마께서는 저주받은 자의 손에 부축을 받으며 몸을 일으키고 있었다. 상황을 보아하니 카마께서 돌부리에 걸려 넘어지는 걸 저주받은 자가 낚아챈 모양이었다. 그건 그나마 다행이었다. 신군인 우리에게는 카마께서 먼저 만져주시기 전까지 카마를 만지는 것이 허락되지 않았으니까.

그는 심지어 카마께 칠칠치 못하게 넘어지기나 한다며 몇 마디 더 구시렁거렸다. 저주받은 자는 카마를 만져도 아무렇지도 않은 것 같았다. 그녀의 권능이 통하지 않는 상대라니. 저주받은 자라 하여 무언가 다른 이들과 다른 점이 있는 것일까. 그게 아니라면…….

설마, 권속인 것일까.

나는 입술을 지그시 깨물었다. 우리가 지켜드리면 되니, 기회가 닿자마자 저주받은 자를 그녀에게서 떨어트려놓으려는 생각은 금방 산산조각이 났다. 정말, 카마의 영광된 제1 권속의 자리가 저 사내에게 주어진 것일까. 물론 신군이라 할지라도 그녀의 권속이 될 수는 없었다. 권속은 어디까지나, 그녀의 마음에 드는 상대에게 주어지는 영광스러운 자리였다.

자신으로서는 참견할 권리가 없다는 걸 알면서도, 알 수 없는 억울함이 치밀었다. 그 와중에 카마께서 계속하여 칼리프와 신군인 우리 사이의 관계를 의심하시기까지 했다.

“근데 내가 인드라 술탄 궁에 들어갔다가 그대로 구금당하기라도 하면? 사실 난 술탄이고 뭐고 잘 못 믿겠거든. 선례가 있다 보니까.”

그녀는 입술을 잘근 깨문 채 파르르 떨었다. 하얗게 질린 얼굴은 안쓰럽기 그지없다. 얼마나 아그니에서 마음고생을 하셨으면. 그녀의 얼굴에 불안함이 스칠 때마다 가슴이 미어졌다.

그녀는 우리를 두려워하고 있다. 어째서. 나는 그녀가 죽으라면 정말 죽을 수 있을 정도로 충실한 그녀의 종복인데. 어떻게 하여야 그녀의 경계를 풀고 신뢰를 회복할 수 있을 것인가. 우리가 할 수 있는 것은, 한결같은 모습을 보여드리는 것밖에 도리가 없었다.

"그럴 일은 없겠지만, 만약에라도 그런 일이 벌어진다면…….
저희 신군. 주신께 맹세코 목숨과 영혼을 걸고 카마를 구해드리겠나이다."

나는 그녀가 신군을, 그리고 나를 믿고 의지해주기를 바랐다. 내 이 한 목숨은 그러기 위해 있는 것이니까. 주신의 축복을 받아 주신의 종으로서 살게 된 만큼, 주신의 유일한 자식인 그녀를 목숨 바쳐 모시는 것은 당연했다. 되레, 내 대에 있어 그녀를 맞이할 수 있게 된 것은 큰 축복이나 다름없었다.

그래. 분명 나는 그녀를 모시는 것만으로도 행복할 거라 생각했다…….

하지만 계속해서 눈에 거슬리는 것이 있었다. 바로 저주받은 자의 존재였다. 카마는 저주받은 자를 전적으로 믿고 있는 기색이었다. 그가 하는 불경한 행동도 아무렇지 않게 여겼으며, 저주받은 자가 무례하게 카마께 반말을 건넸으나 익숙한 일인 듯 카마께서는 개의치 않았다. 그러기만 할 뿐인가. 술탄 궁에 가는 내내 서로 달라붙어 떨어지지를 않았다.

카마와 닿을 수 있는, 그녀와의 거리가 「0」임이 허락된 상대. 저주받은 자는 정말 카마의 권속이 맞는 모양이었다.

저주받은 자의 손이 카마의 가는 허리를 휘어 감았다. 마치 과시하는 태도였다. 우리의 소중한 카마를 제 것처럼 다루는 행동에 내 속에서 열불이 났다. 순간 그자와 눈이 마주쳤는데,

그자의 붉은 눈이 음울하게 빛났다. 재수 없는 사내다. 왜 카마께서는 하필 저런 자를…….

카마께서 내리신 결정이니만큼 내가 어찌할 수 있는 것은 없었다. 그래도 저주받은 자는 감히 카마와 섞여서는 안 되는, 그런 존재였다.

감히 주신께 반기를 든 영혼이었다. 영혼의 순수성은 쉽게 변하는 것이 아닌지, 현생의 그는 염치조차 모르는 채 뻔뻔했다. 나로서는 그가 마음에 들지 않는 것이 당연했다. 차라리, 좀 더 나은 다른 사내가 있을 텐데.

카마를 인드라 술탄 궁에 있는 제일 좋은 별궁에 모셨다. 별궁에서도 카마는 저주받은 자와 한시도 떨어지지 않았다. 카마의 손가락이 저주받은 자의 팔뚝을, 가슴을 스쳤으며, 저주받은 자 또한 아랑곳하지 않은 채 카마의 몸에 손을 댔다.

곧이라도 침대로 뛰어들 듯, 그녀와 저주받은 자 사이의 아슬아슬한 기류가 나에게까지 느껴졌다. 그럴 때마다 알 수 없는 감정이 불쑥 불쑥 치솟아 뱃속을 태웠다. 뜨거운 열기는 제단의 불꽃만큼이나 활활 타올랐다.

그것은 내 생애, 단 한 번도 느껴본 적 없는 시기와 질투였다.

저주받은 자를 불안해하며 못마땅하게 생각하는 것은 나뿐만이 아니었다. 저주받은 자와 카마, 단둘이 여행하는 것이 내심 불안했던 칼리프가 신군과 함께 가시라 주장한 덕분에 나는 운이 좋게도 카마께서 바르나까지 가는 여정에 호위로 동행할 수 있게 되었다.

칼리프가 카마께 좋은 이야기를 건네준 덕인지, 카마께서는 처음 만났을 때처럼 눈에 띄게 나를 경계하는 기색은 아니셨다. 물론 마냥 나를 반기시지도 않았다. 그녀와 나 사이의 거리감. 그것이 내심 시무룩하였다.

내가 이리 저주받은 자를 불쾌해하였으니, 그 또한 나를 싫어하는 것도 당연했다. 내가 그를 분수도 모르는 것이 카마의 눈에 띄어 호의호식한다 생각한다면, 그는 나를 재수 없는 것이 별것도 아닌 일로 잰다고 생각할는지도 몰랐다.

그의 눈에 서린 꺼림과 적대감.

그는 내가 볼 때를 노려 유난히도 카마에게 들러붙었다. 그리고 자신이 일부러 그런다는 사실을 숨기지조차 않았다.

그는 내가 하는 모든 말에 반박을 했다. 아니, 어쩌면 내가 먼저 그의 말에 딴죽을 걸었을지도 모른다. 닭이 먼저인지 달걀이 먼저인지 구분조차 가지 않을 정도로, 불화는 삽시간에 깊어졌다.

"밤낮의 온도 차가 심해서 노숙이 힘들다는 게 제일 큰 문제인데……."

"카마를 노숙시키다니, 신군의 명예를 걸고 말도 안 되는 일입니다. 최대한 마을에 일찍 들어서 숙소에서 묵도록 할 터이니 너무 걱정 마시옵소서."

카마께서 노숙이라니. 말도 안 되는 일이었다. 아무리 카마께서 비밀리에 다니시고는 있다지만 감히……. 생각만으로도 불경한 일이었다. 하지만 카마께서는 묘하게 노숙에 익숙해 보이셨다. 저자와 다니면서 얼마나 고생하셨으면……. 나는 안타까움에 탄식을 삼켰다.

그는 계속해서 카마를 여염집 필부 다루듯 대했다. 카마를 노숙시키겠다는 것도, 카마에게 말을 턱턱 놓으며 이래라저래라 하는 것도 모두 마음에 들지 않았다. 그런 그의 태도에 불만이 치솟은 나는 그의 말 한 마디 한 마디를 반박할 수밖에 없었고, 그 또한 나를 꺼리는 기색을 숨기지 않았다.

저주받은 자가 신군에게 말대꾸를 한다……. 아무리 카마를 뒤에 업고 있다지만 간덩이만큼은 단단히 부은 놈이었다.

"그런 식으로 좋은 말만 해서 괜히 애가 마음 놓게 했다가, 막상 노숙하게 되면 어쩌려고 그러십니까?"

"그럴 일은 없으니 걱정 말지."

우리 둘 사이에 신경전이 파르르 흘렀다. 「애」라는 호칭으로 카마를 부르는 것 자체에 화가 났다. 마치 자신은 선택받았다는 듯이. 나는 그의 그런 태도가 불쾌해 참을 수가 없었다.

그자는 나를 카마와 제 사이에 끼어든 방해물처럼 취급했다. 저주받은 자가 그리 나를 대하니 그를 아끼시는 카마 또한 나를 꺼리는 기색을 비쳤다. 속이 답답하고 머리가 어질어질했다. 어쩌다 이렇게 되었을까. 이 모든 게 저 하룻강아지 범 무서운 줄 모르고 날뛰는, 천둥벌거숭이 같은 자 때문이다. 저주받은 자를 노려보는 내 눈길에 살기가 실렸다.

그렇게 침묵의 여정이 지속하던 와중, 우리는 도시에 도착했다. 해가 어둑어둑 저물기 직전이었다. 작은 마을이라 그런지 카마의 품격에 맞는 숙소가 있을지는 의문이었지만, 일단 카마를 노숙시키지 않는다는 것만으로 한숨 돌릴 수 있었다.

카마께서는 지금 신분을 숨기고 있는 만큼, 나는 신군의 이름을 대어 총관을 불렀다. 총관저로 향하는 내내 카마께서는 이런 대접이 신기하다는 듯 주변을 두리번거렸다.

카마께서 응당 받으셔야 하는 대접에 비하면 사소하기 그지 없는 일이지만, 이마저도 신기해하시는 모습에 심장 한구석이 찌르르 울렸다.

원래대로라면 카마께서 가시는 길마다 불을 밝히고, 그녀의 발이 땅에 닿을 일도 없어야 옳은데. 그녀는 그런 사실은 모르는 이처럼 활기차게 웃었다.

"이야, 완전 신분 패가 따로 없는데. 좋네."

"카마께 도움이 되었다니, 기쁩니다."

그녀가 나에게 눈에 띄는 호의의 기색을 비친 것은 이번이 처음이었다.

카마의 행동 하나하나에 일희일비하는 것은 감정을 억눌러야 하는 신의 군대로서 허락되지 않았지만, 너무 벅차오르는 감동에 기쁨을 차마 감출 수가 없었다.

입꼬리가 슬며시 올라간 걸 느낀 나는, 황급히 얼굴을 가다듬었다.

그러고는 평소와도 같이, 담담히 카마를 보필했다. 이것이 나의 의무요, 나만이 누릴 수 있는 권리라 여기면서.

“신군은 유명하니까.”

“……?”

카마께 식사 준비가 되었다는 이야기를 알리기 위해 막 올라온 길이었다. 카마께서는 문을 등지고 있었고, 문 쪽으로 몸을 돌리고 있던 저주받은 자의 시선이 나에게 닿았다. 막 해가 지는 순간, 창문을 등지고 있던 그의 얼굴에는 어둠이 드리워 무슨 표정을 짓고 있는지 명백히 보이지는 않았다. 하지만 어둠 속에서도 붉게 빛나는 그 눈동자만큼은 선명하였다. 저주받은 자의 불길한 낙인이 나를 보며 휘어졌다.

“광신도로.”

내가 듣고 있다는 걸 알면서도, 아니, 오히려 알기에 그는 일부러 그리 말한 것이리라. 마치 광신도인 너에게는 카마에게서 멀어진 그 자리만이 주어질 뿐이라는 듯이. 지금껏 그에게 휘둘리며 느낀 과대망상이라 치기에는 그의 비웃음이 선명했다.

모욕감에 주먹이 부르르 떨렸다. 지금까지 주신의 애정이라는 계급에 있어서 나와 그의 계급 차는 명백했지만, 카마가 등장함으로써 그것은 완전히 전복되었다. 그는 이 기회가 즐겁겠지. 졸렬한 자. 그런 자가 카마의 곁에 있는 것을 용납할 수가 없었다.

뒤늦게 그자의 시선을 깨달은 카마가 뒤를 돌아보았다. 그녀는 내가 있다는 걸 깨닫고는 화들짝 놀란 모습을 보였다. 다정하신 카마께서는 혹여 내가 불쾌해하진 않을까, 걱정스레 눈망울을 깜빡이셨다.

그래. 생각해보면 저주받은 자가 틀린 이야기를 한 것도 아니었다. 광신도. 그것은 신군에게 있어 칭찬이나 다름없는 말이었다. 단지 그의 어투가 불쾌했고, 카마에게 전하는 의도가 저열할 뿐이었다.

나는 최대한 불뚝대는 마음을 진정하려 노력했다. 카마께 식사가 준비되었다는 이야기를 꺼낼 때는, 목소리에 흔들림조차 없이 평안했다.

카마께서는 처음에는 당황한 듯 말을 더듬으셨으나, 이내 내 지시에 맞춰 들어오는 식사를 보며 눈을 휘둥그레 떴다. 줄줄이 이어지는 음식이 가득 담긴 접시에 그녀의 관심은 「신군이 광신도인가.」에서 벗어나 저녁 식사로 옮겨졌다. 내색하시지는 않으셨지만, 오늘 하루 동안 노숙하지 않기 위해 강행군을 펼쳤다 보니 카마께서도 많이 허기지셨을 터였다.

카마께서 식사를 반기시며 그 이야기에 대해 더 이상 언급하지 않으신 것과 달리, 저주받은 자는 순순히 물러설 생각이 없는지 계속해서 카마 주변에서 얼쩡거리며 날 도발했다. 그녀와 자신의 친한 관계를 노골적으로 드러내듯, 고기 한 점을 그녀의 입술로 건네는 것이 아닌가. 감히 그 더러운 손으로 그녀에게 식사를 챙겨드리다니. 하지만 카마께서 익숙하게 그의 손에 들린 고기를 받아 드셨다.

손에서 입으로 음식을 넘겨드리는 것은, 하렘의 오달리스크들이 그녀들의 술탄에게 하는 것처럼 무척이나 친밀하고 야릇한 행위였다. 카마께서는 종종 이 세계의 습관에 대해 익숙지 않은 모습을 보이시니 지금의 행위가 어떠한 것인지 알지는 못하실 테고. 분명 저 저주받은 자가 나에게 보란 듯이 행동하는 것일 터였다. 너는, 이런 위치에 오를 수 없다 말하는 듯이.

계속해서 저주받은 자가 건네주는 고기를 받아 드시고 계시던 카마께서는, 나와 저주받은 자가 침묵한 채 눈싸움만을 하고 있자 퍼드덕 놀라며 우리를 재촉했다.

"뭐, 뭣들 해. 둘 다 먹어. 나만 돼지 같잖아."

원래였다면 카마께서 친히 나를 신경 써주셨다는 사실에 기뻐했을 테지만, 지금은 그것보다 먼저, 짚고 넘어가야만 하는 것이 있었다. 더 이상 알쏭달쏭한 상태에서 이런 모욕을 당하는 것은 사양이었다.

"카마시여."

"응?"

그녀는 아무것도 모르는 천진한 눈망울로 나를 바라보았다. 우물거리는 모습은, 불경스럽지만 감히 귀엽다 생각될 정도였다. 그렇기에 더 열통이 터졌다. 왜 하필 카마께서는 권속을 삼아도 저런 저열한 자를……. 나는 입술을 꾹 깨문 채, 최대한 사심을 담지 않으려 노력하며 물었다.

"저자는 카마의 권속입니까?"

"응? 모크샤가 권속이라니?"

카마는 권속에 대해 알지 못하는 듯 고개를 갸웃댔다. 권속이란 단어를 모르는 것일 뿐인 건지, 아니면 저주받은 자가 권속이 아닌 건지. 반면 저주받은 자 쪽은 훨씬 눈치가 빠른 모양이었다. 그의 시선이 흉흉히 나를 노려보았다. 그 시선이 건방졌다.

본디라면 말조차 섞을 일 없는, 아니, 내가 먼저 나서 토벌했을 불길한 존재이건대…….

"그래. 격이 안 맞다 이거지."

그래. 격이 맞지 않다. 본인도 알고 있을 정도로, 아니, 본인이 모르는 것이 이상할 정도로. 이 세계에 발을 디딘 자라면 그 누구라도 알고 있을 사실이다. 오로지 카마께서만이 아랑곳하시지 않을 뿐.

“저자는 몇 번이나 카마와 접촉하였습니다. 카마께 손을 댈 자격을 갖게 된 권속이 아닙니까?”

나로서는 그가 권속인지 아닌지 여부를 알아야만 했다. 물론 그가 카마를 만지고도 괜찮은 까닭을 생각한다면 선택받은 권속이라는 것 말고 다른 이유가 없었지만, 카마의 입으로 직접 듣고 싶었다. 그래야지만 견딜 수 있을 것 같았다.

만약 저주받은 자가 권속이라면, 나 또한 나름의 예를 다해 그를 모실 것이다. 그를 향해 적대하는 마음도 접을 것이며, 어디까지나 저주받은 자가 아닌 카마의 권속으로서 그를 대우할 것이다. 지금처럼 애매모호한 위치로서는 갈팡질팡하며 마음까지 어지러워질 뿐이었다.

나는 카마께서 쉽게 답을 내려줄 거라 생각했다. 하지만 카마께서는 모크샤를 권속이라 표현할 수 없다 버럭 소리를 지르셨다. 게다가 화를 내시기까지. 그녀의 싸늘한 시선. 차갑게 가라앉은 공기. 마치 살이 얼어붙는 듯한 추위 속에서 나는 의문을 품었다.

어째서? 이 세상 모두가 카마의 권속이 되기를 바랄 것이다. 그것은 술탄이든, 신군이든 구분 없이 모두가 바라는 지고의 극락이었다. 저주받은 자에게는 과분한 자리라는 데 이견이 있는 자는 없으리라.

하지만 카마는 그리 생각하지 않는 모양이셨다.

그분은 나로서는 이해할 수 없는 답을 내려주실 뿐이었다.

"아, 권속이 명예롭고 말고, 나한텐 저주받은 자의 더 가치가 높으니까 조용히 해."

그녀의 답은 충격적이었다. 권속의 명예보다도 저주받은 자의 가치를 더 높이 치시다니. 다른 누구도 아닌 카마께서. 카마께서는 주신의 자식이 아니시던가. 카마께서 주신에게 버림받은, 저주받은 자를 이리 싸고도는 이유를 알 수가 없었다.

심지어 카마께서는 주신께서 내려주신 권능조차 반기지 않는 기세였다. 카마께서 바르나로 가는 이유가 권능을 버리기 위함이라고는 들었지만, 쉽게 그 말을 믿을 수 없던 만큼 당혹스러웠다. 나는 멍하니 그녀를 바라보았다.

"모크샤는 내 권속이 아니야. 나에게 소중한 사람이지. 나에겐 모크샤가 유일해. 그러니까 모크샤에게 자꾸 시비 걸지 마, 가우란. 난 분명히 경고했어."

카마의 말은 재고의 여지조차 없다는 듯 단호했다. 이에 관해 더 이상 이야기를 하고 싶지 않으셨는지, 카마께서는 혀를 차며 손을 내저었다.

"이야기 그만하고, 먹자. 고기 맛있다."

하고 싶은 말도, 묻고 싶은 말도 많았지만 카마께서 이렇게 상황을 일축하고 나니 섣불리 입을 열 수가 없었다. 카마께서는 분명 주신의 유일한 자식이요, 그분께서 하시는 모든 길이 주신의 뜻일진대, 어찌하여 카마께서는 주신에 반하는 결정만을 내리시는 것일까.

눈앞에 벽이 우뚝 솟아 오른 듯 답답했다. 사방이 벽으로 둘러싸인 채 오도 가도 못하는 상황에서, 바닥이 푹 꺼져 내리는 절망감이 나를 잠식했다. 과연 무엇에 관한 절망일까. 그것은 아무것도 할 수 없는 상황에서 무언가를 송두리째 빼앗긴 상실감과 일맥상통하였다. 손가락 사이로 정체 모를 것이 스르륵 빠져나갔다. 하지만 역시, 그것이 무엇인지 당시의 나는 알 수가 없었다.

다음 날 우리는 두 번째 마을에 도착했다. 이번 마을의 총관은 유난히도 나에게 들러붙으며 좋은 인상을 주기 위해 노력했다. 그것은 신군에 대한 경외감이라기보다, 신군을 통해 인드라 술탄에게서 무언가 콩고물이 떨어지지는 않을까 노리는 것으로 보일 뿐이었다. 나는 경멸의 기색을 속으로 삼킨 채, 일행 또한 부족함 없는 대우를 해달라 부탁했다.

그러는 찰나, 총관저 밖에서 소란스러운 소리가 들렸다. 보아하니 여자 하나가 하렘을 탈출한 모양이다. 자신의 얼굴에 먹칠을 한 이 여자를 죽이리라 그녀의 남편이 손가락질을 했다. 사람들은 모두 혀를 찼고, 그녀의 목 아래 칼이 번뜩였다. 시끄러운 마을이다. 이것도 저것도 마음에 드는 것이 없다. 카마께서 쉬시는 데 방해가 되지는 않을까 우려하며 나는 발을 재촉했다.

하지만 카마께서 돌연 우뚝 발걸음을 멈추시니, 나도 멈춰 설 수밖에 없었다. 카마의 시선이 소란의 중심에 닿았다.

그 순간, 무엇 때문인지는 몰라도 저주받은 자가 헛구역질을 하며 몸을 가누지 못했다. 갑작스러운 일이었지만 카마께서는 침착하게 풀썩 쓰러진 그를 끌어안았다. 이런 일이 처음이 아닌 것처럼, 그를 끌어안아 달래듯 어루만지는 손길은 익숙한 것이었다.

저주받은 자의 안색을 살피던 카마께서는 고개를 들어 나를 바라보셨다. 그녀의 낯에 어찌할 바 모르는 당혹스러움이 떠올라 있었다. 그것은 저주받은 자 때문이 아닌, 사내 무리에 둘러싸인 여자 때문이었다.

카마께서는 마음이 여리시고, 동정심이 강한 분이셨다. 그녀의 자비는 모든 것을 따듯하게 내리쬐는 태양과도 같았다. 하렘을 탈출하여 죽음을 코앞에 둔 여자를 보며 발을 동동 구르는 그녀의 안타까움에 내 마음이 죄여왔다.

아마 그렇게 다정하신 분이기에 저주받은 자를 곁에 두는 자비를 베푸시는 것일지도 모른다. 그렇게라도 믿지 않는다면, 속이 뒤집혀 견딜 수가 없었다.

그녀는 나에게 다급히 물었다.

"가우란. 저거 어떻게 못 막는 거야?"

"막을 명분이 없긴 합니다. 하렘을 맘대로 빠져나온 것에 대한 처벌은 어디까지나 남편의 권한이니까요."

나는 고개를 내저었다. 하렘의 여자에 대한 남편의 권리는 그 누구라 할지라도 간섭하지 못한다. 술탄이라 할지라도 마찬가지였다. 물론, 남편을 죽이면 그의 소유물이 전부 술탄에게로 귀속되니 아주 방법이 없는 것은 아니지만……. 지금의 우리로선 마땅찮은 일이었다.

그러한 방법은 아주 극단적인 경우에 속했다. 좌우지간, 아무리 신군이라 할지라도 타인의 아내에 관한 일에는 어찌할 수 있는 방법이 없었다. 카마께서 원하시는 긍정적인 답을 드릴 수 없음이 안타까웠다. 나는 고개를 내저었다.

"방법이 없습니다."

"신군이라 할지라도?"

"예."

"카마라면?"

"네?"

카마의 말은 당혹스러웠다. 카마라면, 이라니. 지금 그녀의 정체를 드러내겠다는 걸까? 고작 저 평범한 여자를 살리겠다고? 그렇게도 도망치고자 하시는 아그니 술탄이 바짝 뒤를 쫓고 있는데? 나는 그녀의 말을 믿을 수가 없었다.

하지만 카마는 그 짧은 사이에 마음을 다잡은 듯 단호하게 눈을 빛냈다. 고개를 들어 올린 그녀의 흔들림 없는 시선이 나를 올곧게 응시했다.

"내가, 카마가 저 여자를 원한다고 말해. 카마의 총애를 받은 이를 죽일 수는 없잖아."

"그렇게 하면 카마의 행적이 들통나게 됩니다."

"저 여자가 말도 안 되는 일로 죽는 것보단 나아."

모든 것을 감안한 듯, 그녀의 답은 일관적이었다. 어떻게든 저 여자를 살리고자 하는 그녀의 의지가 반짝였다. 그것은 곧이라도 움켜쥐고 싶을 만큼 아름다웠고, 그 앞을 가로막아 지켜주고 싶을 만큼 안쓰러웠으며, 감히 내가 무어라 할 용기조차 나지 않을 만큼 고귀한 의지였다.

하지만 이성적으로 상황을 놓고 판단하기엔 그저 무모할 뿐이었다. 카마의 정체를 숨기기 위해서라면 희생당해 마땅하건만, 그 목숨을 구하기 위해 카마의 정체를 드러내게 된다니. 카마의 명이라면 무엇이든 따르는 것이 신군의 미덕이었으나, 그녀 스스로를 위험에 빠트리는 명령까지 들을 수는 없었다.

그리 내가 갈팡질팡하며 흔들린 것이 우습게도, 카마께서는 내 모든 번뇌를 씻어 내리는 말을 꺼내셨다.

"그리고 나에겐 너와 모크샤가 있잖아. 너희가 지켜줄 거라는 거, 믿고 있어."

비록 저주받은 자와 동일 선상에 놓이기는 했지만, 그녀의 말은 그토록 내가 바라던 것이었다. 바로 나를 인정해주시는 것. 그녀의 말은 투박했지만, 마치 마른 땅에 내리는 단비처럼 내 마음에 스며들었다.

결국, 나는 느릿하게 고개를 끄덕였다. 그녀가 이토록 바라시는데, 나로서는 따를 수밖에 없었다. 어처구니없는, 어리석은 일이라는 건 알았다. 그녀의 결정을 이해할 수도 없었다. 하지만 무언가 알 수 없는 감정이 꿈틀, 가슴속에서 피어오르며 내 등을 떠밀었다.

카마께서는 그 여자를 취하겠다 하셨지만, 역시 그 여자를 안지 않으셨다. 지금껏 보아온 그녀는 극도로 자신의 권능을 쓰는 것을 피하고 있었다. 저주받은 자와도 항시 붙어 있었지만 내가 아는 한 교합을 한 적은 없었다. 그녀의 행동 하나하나를 예의주시했기 때문도 있지만, 굳이 그러지 않아도 쉽게 눈치챌 수 있었다. 카마께서는 교합 후의 미묘한 공기를, 그 분위기를 완벽하게 숨길 수 있으실 정도로 철저하신 성격이 아니셨으니까. 처음에야 그녀와 철썩 붙어 있는 모습에 착각을 했다.

둘이 단 한 번도 교합을 한 적이 없다 하면, 저주받은 자가 정도 이상으로 예민하게 나를 적대하는 것도 설명이 되었다. 그 또한 불안한 것이리라.

정말, 저주받은 자는 카마의 권속이 아니란 말인가?

그렇다면 도대체 어떻게 카마의 권능으로부터 자유로울 수 있는 것일까. 저주받은 자로서, 주신이 내려주신 모든 축복에서 배제된 만큼, 카마의 권능에서도 자유로운 것인 걸까? 그것은 과연 예정된 결과였을까, 아니면 우연의 일치였을까…….

카마께서 저주받은 자를 곁에 두는 것은, 그가 권능 밖의 존재여서인 걸까?

그리 생각하니 지금 이 순간만큼은, 저주받은 자가 더할 나위 없이 부러웠다.

그것은 신군으로서 걸맞지 않은 생각이었다. 주신에게 불손한 마음가짐이니만큼, 당장 주신께서 이 권능을 앗아가신다 하여도 변명의 여지가 없었다.

신군의 경우는 주신을 부정한다면 권능이 사라지게 된다. 하지만 주신을 부정하지 않을 만한 이들에게만 권능이 내려오는 지라, 단 한 번도 신군이 주신을 부정했다는 사례가 없었다.

반면 누구보다도 주신의 사랑을 받고 계시는 카마께서는 항시 주신을 부정하는 말을 입에 달고 사셨다. 이런 권능 따위 당장 버려주겠다며.

주신의 종복으로서, 아무리 상대가 카마라 할지라도 그런 말은 거북하게 느껴져야 하는데, 이상하게도 아무렇지도 않았다. 되레 내가 놀랄 정도로. 아니, 오히려 나는 그녀가 권능을 버리기를 내심 바라고 있었다.

카마께서 주신의 사랑을 받는 반신이기에 그녀를 오롯이 여기는데, 어느 순간부터 그녀가 주신의 사랑에서 벗어나기를 바라고 있었다. 모순적인 감정. 하지만 놀랍도록 머리는 차게 식어 있었다. 마치 이리될 것을 미처 알고 있었던 것처럼.

그제야 나는 깨달았다. 내가 품은 이 음습한 감정의 정체를. 나는 나에게도 기회가 오기만을 애가 타게 기다리고 있었던 것이다. 카마께서 저주받은 자를 곁에 두는 것이 그가 권능 밖의 존재이기 때문이라면, 만약 그녀에게 권능이 없어지게 된다면……. 나에게도 그녀의 몸에 닿을 기회가 허락될지도 모른다. 그것은 욕심이었다. 익숙하지 않은 욕심에 눈앞이 어질어질했다.

"그 여자에게 잘해주시는 이유가 뭡니까?"

그 여자가 특별한 이유. 그 저주받은 사내가 특별한 이유. 그리고 내가 특별해질 수 없는 이유. 아무리 생각해봐도 내가 여기서 더 어떻게 해야 하는지 알 수가 없었다. 사랑에 대한 보답은 바라는 것이 아니라지만, 아무것도 하지 않았는데 혜택을 받고 있는 이들을 보니 속이 뒤틀렸다.

카마는 피식 웃었다.

그녀의 웃음 앞에 서니 내 모든 고민 따위 하잘것없는 것처럼 보였다.

"나 같아서."

그녀의 답은, 전혀 예상치 못한 것이었다. 그녀는 가볍게 웃어넘겼다. 나는 이해할 수 없었다. 한낱 인간 여자와 그녀에게 어디 같은 점이 있단 말인가. 하지만 그녀는 나에게 두 번 물을 기회를 주지 않았다.

"뭐, 어디까지나 제대로 일이 해결된다는 전제하의 일이니까."

그녀는 가볍게 어깨를 으쓱인 뒤, 말고삐를 재촉했다. 앞으로 훨쩍 달려 나간 카마는, 뒤처진 우리를 뒤돌아보며 외쳤다.

"일단 바르나에 가보자고. 거기에 도착해야 앞으로 어찌해야 할지 감이라도 잡을 테니까!"

그 웃음 뒤로 밝혀진 태양은 너무나 눈이 부셨고 휘황찬란했다. 손에 닿을 수 없는 빛처럼. 그럼에도 손을 뻗을 수밖에 없게 만드는 빛처럼.

그제야 나는 내가 놓친 것이 무엇인지 알 수 있었다. 내가 쥘 수조차 없는 것. 갖기도 전에 그것이 나의 것이 될 수 없음을 깨달아 나를 절망하게 만든 것.

그것은 바로 그녀의 사랑이었다.

다음 권에서 이어집니다.